D1275312

La Volaille

par
LES RÉDACTEURS DES ÉDITIONS TIME-LIFE

ÉDITIONS TIME-LIFE • AMSTERDAM

RÉDACTEUR EN CHEF POUR L'EUROPE : George Constable
Rédacteur adjoint pour l'Europe : Kit van Tulleken
Conception artistique : Louis Klein
Directeur artistique : Graham Davis
Directeur de la photographie : Pamela Marke
Chef documentaliste : Vanessa Kramer

CUISINER MIEUX
Rédacteur en chef : Windsor Chorlton

COMITÉ DE RÉDACTION POUR LA VOLAILLE
Rédacteur adjoint : Deborah Thompson
Iconographie : Anne Angus
Responsable de l'Anthologie : Liz Clasen
Maquette : Douglas Whitworth
assisté de : Martin Gregory
Rédaction : Norman Kolpas, Alan Lothian,
Anthony Masters
Documentation : Ursula Beary, Sally Crawford,
Suad McCoy, Karin Pearce
Assistantes de fabrication : Gillian Boucher,
Nicoletta Flessati
Droits étrangers : Mary-Claire Hailey

CHARGÉS DE LA RÉALISATION DES OUVRAGES
Coordination : Ellen Brush
Départment artistique : Julia West
Rédaction : Kathy Eason, Joanne Holland,
Rosemarie Hudson, Molly Sutherland
Iconographie : Eleanor Lines

SECRÉTARIAT DE RÉDACTION POUR L'ÉDITION FRANÇAISE
Michèle Le Baube, Cécile Dogniez

Traduction française : Brigitte MacLeod et
Danièle Bonan-Laufer

© 1978 TIME-LIFE International (Nederland) B.V.
All rights reserved. First French printing, 1978

No part of this book may be reproduced in any
form or by any electronic or mechanical means,
including information storage and retrieval
devices or systems, without prior written
permission from the publisher, except that
reviewers may quote brief passages for review.

CUISINER MIEUX
L'ENCYCLOPÉDIE TIME-LIFE DU JARDINAGE
LE COMPORTEMENT HUMAIN
LES GRANDES CITÉS
MAGIE DES TRAVAUX D'AIGUILLE
LE FAR WEST
LES GRANDES ÉTENDUES SAUVAGES
LES ORIGINES DE L'HOMME
LIFE LA PHOTOGRAPHIE
TIME-LIFE LA CUISINE A TRAVERS LE MONDE
TIME-LIFE LE MONDE DES ARTS
LES GRANDES ÉPOQUES DE L'HOMME
LIFE LE MONDE DES SCIENCES
LIFE LE MONDE VIVANT
COLLECTION JEUNESSE

Couverture : Volaille des jours de fête par excellence,
la dinde rôtie se découpe facilement avec une
fourchette à deux dents et un couteau bien aiguisé
à lame souple (Chapitre 3). Pour que le découpage se
fasse dans les meilleures conditions possibles, laisser la
dinde reposer pendant 10 minutes à température
ambiante avant de pratiquer la première incision.

LE CONSEILLER PRINCIPAL :
Richard Olney, d'origine américaine, vit et travaille en France
depuis 1951 où il fait autorité en matière de gastronomie.
Collaborateur régulier de *Cuisines et Vins de France* et de *La
Revue du Vin de France,* il a également écrit de nombreux
articles pour d'autres revues gastronomiques en France et aux
États-Unis ainsi que des livres tels que *The French Menu
Cookbook* et *Simple French Food* pour lequel il a reçu un prix. Il
a dirigé des cours de cuisine en France et aux États-Unis et il est
membre de plusieurs sociétés gastronomiques très célèbres,
parmi lesquelles La Confrérie des Chevaliers du Tastevin, La
Commanderie du Bontemps de Médoc et des Graves et Les
Amitiés Gastronomiques Internationales.

LE PHOTOGRAPHE :
Alan Duns est né en 1943 dans le Nord de l'Angleterre et a suivi les cours de l'Ealing
School of Photography. Il a travaillé pour la publicité mais s'est spécialisé dans la
photographie culinaire. Ses travaux ont paru dans d'importantes revues britanniques.

LES CONSEILLERS INTERNATIONAUX :
Grande-Bretagne : *Jane Grigson,* diplômée de l'université de Cambridge, a grandi dans
le Nord de l'Angleterre. Depuis la parution, en 1967, de son premier livre de cuisine,
Charcuterie and French Pork Cookery, elle a publié un certain nombre d'ouvrages
culinaires, parmi lesquels *Good Things, English Food* et *The Mushroom Feast.* Elle est
correspondante de la rubrique gastronomique du supplément en couleurs de *l'Observer*
de Londres depuis 1968. **France :** *Michel Lemonnier* est normand d'origine. Il collabore à
Cuisine et Vins de France depuis 1960, et écrit également dans plusieurs importants
périodiques français spécialisés dans la gastronomie. Cofondateur et vice-président de
l'association Les Amitiés Gastronomiques Internationales, il donne souvent des conférences sur le vin et la vigne et est membre de la plupart des Confréries viti-vinicoles de
France. Il s'est fixé dans le Midi. **Allemagne fédérale :** *Jochen Kuchenbecker* a une
formation de chef cuisinier, mais a travaillé pendant dix ans comme photographe
culinaire dans plusieurs pays européens avant d'ouvrir son propre restaurant à
Hambourg. *Anne Brakemeier,* qui vit également à Hambourg, a écrit des articles sur la
cuisine dans de nombreux périodiques allemands. Elle est coauteur de trois livres de
cuisine. **Pays-Bas :** *Hugh Jans* vit à Amsterdam où il traduit des livres et des articles de
cuisine depuis plus de vingt ans. Il a également écrit deux ouvrages : *Bistro Koken* et *Koken
in Casserole.* Ses recettes sont publiées dans plusieurs magazines néerlandais.
Etats-Unis : *Carol Cutler* vit à Washington, D.C., et est l'auteur de *Haute Cuisine for Your
Heart's Delight* et de *The Six-Minute Soufflé and Other Culinary Delights* qui fut primé.
Rédactrice à *International Food and Wine* et à *Working Women,* deux périodiques
américains, elle donne souvent des conférences sur tout ce qui a trait à l'alimentation et la
gastronomie, et appuie ses exposés par des démonstrations pratiques. *Shirley Sarvis,*
auteur et conseillère indépendante résidant à San Francisco, a écrit et cosigné une
douzaine de livres de cuisine. L'intérêt qu'elle porte à la cuisine internationale l'a conduite
à voyager dans le monde entier. Elle fut conseillère des Éditions Time-Life pour la série *La
Cuisine à travers le Monde. José Wilson* a quitté la Grande-Bretagne pour les États-Unis
en 1951. Responsable de la rubrique gastronomique du magazine *House and Garden*
depuis quinze ans, elle a écrit plusieurs ouvrages sur la décoration et la cuisine, dont
American Cooking: the Eastern Heartland publié par les Éditions Time-Life dans la série
Foods of the World, et *The Complete Food Catalog* avec Arthur Leaman.

Une aide précieuse a été apportée pour la préparation de cet ouvrage par les membres
du personnel des Éditions Time-Life dont les noms suivent : *Michèle Le Baube, Cécile
Dogniez, Maria Vincenza Aloisi, Joséphine du Brusle* (Paris); *Jeanne Buys* (Amsterdam);
Hans-Heinrich Wellman (Hambourg); *Bona Schmid* (Milan); et *Elisabeth Kraemer* (Bonn).

TABLE DES MATIÈRES

La volaille, mets de choix

« La volaille », écrivait le célèbre gastronome Jean Anthelme Brillat-Salvarin, « est pour la cuisine ce qu'est la toile pour les peintres... on nous la sert bouillie, rôtie, frite, chaude ou froide, entière ou par parties, avec ou sans sauce, désossée, écorchée, farcie, et toujours avec un égal succès. »

Le présent volume aborde toutes ces possibilités. Il se divise en deux parties. La première est consacrée aux techniques qu'implique la préparation de la volaille comme plat de résistance et n'a qu'un seul objectif : celui de vous enseigner l'art et la manière de préparer la volaille de cent et une façons différentes.

Certaines techniques ayant trait au découpage d'un volatile en portions bien présentées *(pages 16-19)* ou au troussage d'une volaille entière *(page 40)* sont la base même de la cuisine, vous vous y reporterez donc souvent. D'autres, celle qui consiste à désosser un volatile sans en déchirer la peau, par exemple *(page 20),* sont plus sophistiquées : vous ne les utiliserez probablement que pour les grandes occasions.

La seconde partie de l'ouvrage présente une anthologie exceptionnelle de recettes publiées au cours des siècles sur la volaille — poulet, dinde, canard, oie, pintade, pigeon — dans le monde entier. Utilisées simultanément, ces deux parties ne vous donneront pas seulement accès à un répertoire très complet de recettes, elles vous inciteront aussi à en imaginer d'autres.

Choix d'une volaille

Vous déciderez de réaliser telle ou telle recette en fonction de l'âge de la volaille : c'est là un facteur primordial. En général, les jeunes sujets sont tendres et de saveur délicate ; ils conviennent parfaitement aux rôtis, aux grillades ou aux sautés — modes de cuisson rapide qui conservent à la viande sa saveur et son arôme. Les suprêmes des volailles dites maigres — poulet, dinde et pintade — sont d'une finesse remarquable et cuisent plus vite que les cuisses, à la chair de couleur plus foncée.

A mesure qu'elle vieillit, une volaille devient plus ferme, surtout au niveau de ses muscles moteurs. Sa chair prend, cependant, un goût plus prononcé que l'on trouve rarement chez un sujet jeune. Elle acquiert également une consistance gélatineuse qui lui permet de supporter une cuisson prolongée nécessaire pour attendrir les fibres musculaires. Si une vieille volaille est mise à braiser ou à pocher doucement avec des légumes et des aromates, elle conservera sa saveur et le liquide de cuisson s'en imprégnera suffisamment pour constituer à lui seul une soupe, un bouillon ou une sauce.

L'âge d'une volaille peut être estimé sans difficulté : le bec et l'extrémité du bréchet sont flexibles au toucher chez les jeunes sujets, rigides chez les plus âgés. Cependant, si vous achetez une volaille préemballée, fraîche ou surgelée, vous ne pourrez vous fier qu'à ce que vous apercevez à travers l'emballage. En effet, la peau d'un sujet jeune doit avoir un aspect lisse. La couleur de la peau varie selon la race et le régime alimentaire et ne peut constituer un critère d'âge ou de qualité.

Autrefois, on ne vendait les jeunes volailles qu'à la saison où elles étaient les meilleures. Les poulets à rôtir, par exemple, ne se trouvaient sur les marchés qu'au printemps et leur prix, à poids égal, atteignait facilement celui des morceaux de bœuf de premier choix. Il s'agissait surtout de sujets mâles ; les femelles étaient trop précieuses pour être sacrifiées à la table. Cependant, depuis l'avènement des techniques d'élevage scientifique et industriel, on trouve les jeunes volatiles, mâles et femelles, tout au long de l'année et à des prix comparables à celui du bifteck haché. Ils sont évidemment garantis tendres et dodus ; mais, étant donné le régime standard qu'on leur impose et le peu d'exercice qu'on leur accorde, il vous faudra les accommoder avec beaucoup plus d'imagination, voire d'ingéniosité, que leurs cousins des fermes, avec des marinades, des sauces et des farces par exemple.

Le poulet universel

Dire que le poulet a été conçu spécialement pour la table serait une exagération bien pardonnable. Descendant du mégapode roux du Sud-Est asiatique, et domestiqué dans la vallée de l'Indus dès 2500 avant J.-C., il est devenu une véritable institution culinaire internationale. Si sa facilité d'élevage et l'importance de la poule en tant que pondeuse ont contribué à la popularité de l'espèce, il doit sa réputation gastronomique à la grande variété de plats auxquels il se prête.

Dans tous les pays où on élève les volailles pour la table, les cuisiniers préparent des plats typiques avec des produits locaux. Ainsi, en France, le grand classique est le « coq au vin ». En Italie, c'est avec des tomates, des champignons et du vin rouge que l'on réalise le sauté de poulet, ou *cacciatora;* au Japon, on fait mariner les morceaux de poulet dans un mélange de gingembre, de sauce de soja et d'alcool de riz avant de les faire griller pour obtenir le *toriniku no tatsuta-age.* Le poulet *tandoori* est une spécialité indienne de poulet rôti au yogourt et aux épices fortes. Le poulet circassien à base de noix pilées est un plat typique du Moyen-Orient.

Les poulets sont vendus sous diverses appellations, selon leur âge, du poussin de six semaines à la poule ou au coq à bouillir d'au moins un an. Entre ces deux extrêmes, on trouve le poulet de grain — qui désignait traditionnellement un coquelet, mais qui correspond aujourd'hui à un sujet mâle ou femelle de deux à quatre mois — et le poulet à rôtir qui est au mieux de sa saveur entre quatre et six mois.

Il vaut mieux griller, sauter ou rôtir les poulets de moins de six mois. La grillade est le moyen idéal de flatter la saveur d'un poussin ou d'un poulet de grain. Et, si vous le mettez à mariner dans un mélange bien corsé d'huile et d'herbes avant de le griller à feu vif — ou, mieux, sur un lit de braises ardentes de charbon de bois ou de bois aux essences parfumées —, son arôme s'en trouvera rehaussé et sa chair conservera toute sa tendreté.

Un poulet rôti, cuit jusqu'à ce que sa peau soit croustillante et bien dorée, représente le nec plus ultra de la cuisine familiale. Il se dégage une atmosphère sereine et familière des gestes rituels qui entourent sa préparation — la façon de le brider, de l'arroser et enfin de le découper à table. Aujourd'hui, le poulet rôtit le plus souvent au four. Mais, au Moyen Age et jusqu'au XIXe siècle, on faisait rôtir la volaille à la broche devant un feu de bois. Cette méthode a d'ailleurs toujours ses adeptes. Au cours de la cuisson, on l'arrosait avec le jus qui s'écoulait dans un récipient placé au-dessous. Pour que la cuisson soit régulière, on faisait tourner la broche par un serviteur, par un mécanisme d'horlogerie ou, encore, dans certaines demeures, par un chien attaché à une roue elle-même reliée à la broche. L'art du découpage à table revêtait une très grande importance au point que tout gentilhomme digne de ce nom se devait d'avoir un découpeur professionnel, l'«écuyer tranchant», ainsi nommé d'après le tranchoir, plateau de bois qui servait à découper et à servir la viande.

Le poulet fermier a une chair savoureuse et ferme parce qu'il vit en plein air et se nourrit de grains et d'insectes. Rôti à la broche ou au four, il n'a pas besoin d'autre assaisonnement qu'une pincée de sel et de poivre à l'intérieur et une grosse noix de beurre sur le dessus. En revanche, un poulet d'élevage ne pourra que tirer profit d'une farce qui communiquera un goût agréable à sa chair tout au long de la cuisson. Vous pouvez choisir une farce très simple, à base de pain, ou très élaborée (comme un mélange de veau émincé et de légumes hachés ou encore un assortiment exotique de noix, fruits et épices).

Coupée en morceaux, la volaille à rôtir se prête parfaitement au sauté au beurre ou à l'huile, ou à la friture.

Quant à la vieille poule qui ne pond plus, vous pouvez la pocher dans de l'eau ou dans un bouillon. On la présente aussi parfois comme un poulet à rôtir: il suffit de la braiser pendant une heure environ avec très peu d'eau et à couvert avant de la mettre au four pour qu'elle devienne aussi tendre et dorée qu'un volatile plus jeune de moitié. Vous pouvez préparer un vieux coq de la même façon, mais il vaut mieux réserver le sujet d'un an, ou coquelet, pour en faire un coq au vin *(pages 54-57)*.

Il y a enfin ce martyr de la cuisine, le chapon, qui est un coq châtré. Les origines de la castration remontent à la Grèce antique et cette pratique ne s'est étendue à la Rome classique qu'après le vote d'une loi interdisant la consommation des poules engraissées. Par une simple opération chirurgicale, les éleveurs de volaille romains réussirent ainsi non seulement à détourner la loi mais également à produire un volatile deux fois plus gros qu'un poulet ordinaire et aussi succulent qu'un jeune.

Oie
de 4,5 à 8 kg

Dinde
de 4 à 14 kg

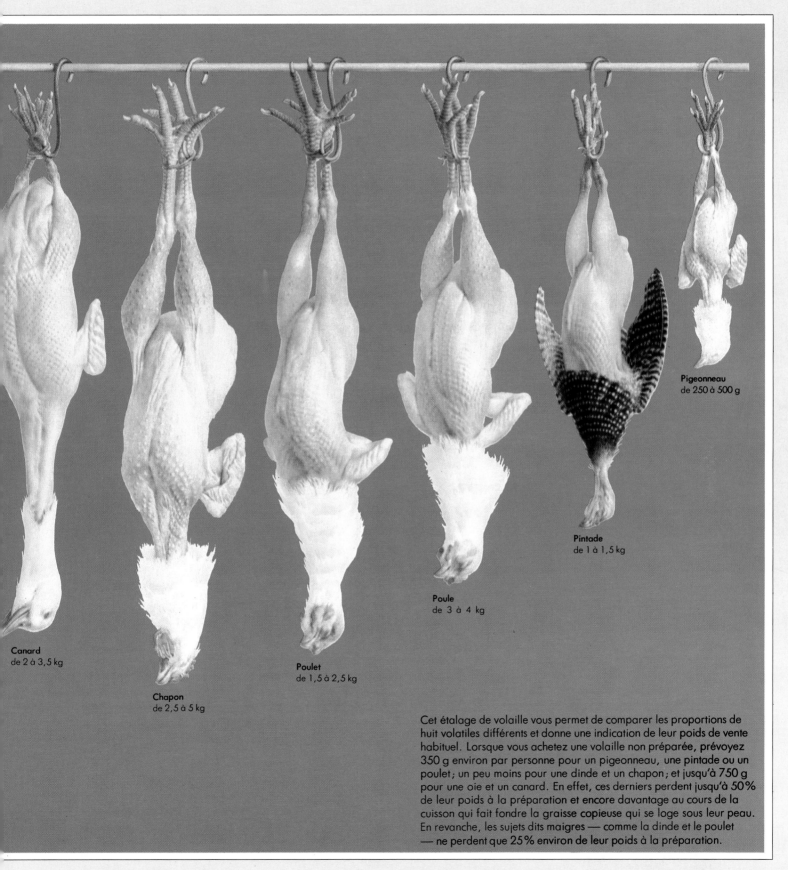

Pigeonneau
de 250 à 500 g

Pintade
de 1 à 1,5 kg

Poule
de 3 à 4 kg

Poulet
de 1,5 à 2,5 kg

Chapon
de 2,5 à 5 kg

Canard
de 2 à 3,5 kg

Cet étalage de volaille vous permet de comparer les proportions de huit volatiles différents et donne une indication de leur poids de vente habituel. Lorsque vous achetez une volaille non préparée, prévoyez 350 g environ par personne pour un pigeonneau, une pintade ou un poulet; un peu moins pour une dinde et un chapon; et jusqu'à 750 g pour une oie et un canard. En effet, ces derniers perdent jusqu'à 50% de leur poids à la préparation et encore davantage au cours de la cuisson qui fait fondre la graisse copieuse qui se loge sous leur peau. En revanche, les sujets dits maigres — comme la dinde et le poulet — ne perdent que 25% environ de leur poids à la préparation.

Malgré son prix relativement élevé, le chapon est toujours très prisé, surtout en rôti. La présence de poches graisseuses préserve la tendreté de sa chair en fondant pendant la cuisson.

La dinde

Lorsque les conquistadores espagnols envahirent le Mexique au XVI⁰ siècle, ils découvrirent un gros oiseau étrange apprécié des Aztèques qui le domestiquaient depuis plusieurs siècles déjà. Ils le goûtèrent, le trouvèrent bon et l'introduisirent en Europe où il devint vite extrêmement populaire. « Un des plus beaux cadeaux que le Nouveau Monde ait fait à l'Ancien », selon Brillat-Savarin. Sans égard pour la géographie, les Anglais le nommèrent « turkey », sans doute à cause des marchands qui faisaient du commerce entre la Turquie et l'Angleterre et qui passent pour avoir découvert cet oiseau lorsqu'ils s'arrêtèrent à Cadix sur leur chemin du retour.

Si aujourd'hui la dinde s'achète aussi bien en morceaux, cette grosse volaille entière convient parfaitement aux réunions familiales. En Angleterre, une belle dinde rôtie, toute rebondie de farce et accompagnée de gelée de groseille et de sauce au pain, est le meilleur moment d'un repas de réveillon de Noël. En Amérique, c'est encore la dinde rôtie accompagnée cette fois d'une sauce aux airelles, qui trône sur la table le jour du Thanksgiving (le dernier jeudi de novembre). Mais la dinde peut également se préparer sans les traditions et accompagnements habituels. Auguste Escoffier, le célèbre chef cuisinier français, décrivit ainsi un menu de dîner uniquement centré sur une simple dinde rôtie qui symbolise bien la cuisine provinciale française : « Bien que cela remonte déjà fort loin, je me rappelle une partie de chasse... Notre repas, ce soir-là, se composa d'une soupe au potiron à la crème avec petits croûtons frits au beurre, d'un dindonneau à la broche accompagné de saucisson, d'une salade de pommes de terre, pissenlits et betteraves et d'une marmite de poires cuites au vin rouge, servie avec une crème fouettée. »

Le canard et l'oie

Parmi les nombreux canards d'élevage, les plus appréciés en France sont les Nantais et les Rouennais dont les longs filets savoureux et les courtes pattes sont le résultat du croisement de canes domestiques et de canards sauvages, ainsi que le canard d'Aylesbury en Angleterre, et celui de Long Island aux États-Unis. Le canard de Long Island est le descendant de neuf canards blancs rapportés en 1873 par le capitaine d'un clipper de retour de Chine où ces volatiles étaient domestiqués depuis plus de deux mille ans. Les Chinois vénèrent particulièrement le canard qu'ils considéraient jadis comme le symbole de la fidélité. Ils sont passés maîtres dans l'art de mettre en valeur la succulence de sa chair, tout en minimisant l'inconvénient majeur de la plupart des espèces dont le corps comporte une grande proportion d'os et de graisse — d'où cette observation : « Un canard, c'est trop pour une personne et trop peu pour deux ». Les grands chefs chinois et européens ont résolu ce problème en enlevant le squelette de l'oiseau (page 62) et en le remplaçant par une farce savoureuse. Ainsi reconstitué, le canard permet de servir six portions généreuses.

Au sens strict, le mot « canard » désigne un sujet de plus de deux mois. Les oiseaux plus jeunes sont des « canetons ». La chair du caneton est d'une grande finesse et vous l'apprécierez d'autant plus qu'il sera simplement rôti, sans farce ou autre garniture compliquée. Une fois que le canard a atteint sa taille définitive, vers trois mois, il prend une saveur riche et gagne à être préparé rôti ou braisé, accompagné de fruits acides : cerises, pommes ou oranges, entiers ou en sauce. Elizabeth David, qui fait autorité en matière de gastronomie en Angleterre, estime que le canard est une des volailles les plus difficiles à rôtir correctement car les cuisses ne sont jamais assez cuites, et encore roses, lorsque les filets sont parfaitement à point. Il est donc conseillé de commencer par servir les filets, puis de faire rôtir les cuisses 10 ou 15 minutes de plus pour les servir après avec une salade comme garniture.

Avant que la dinde ne fasse son apparition, l'oie était la volaille des jours de fête : « Noël approche, l'oie engraisse » précise un dicton anglais, évoquant des scènes de festin et d'abondance à la Dickens. L'oie rôtie est toujours de tradition à Noël, en Allemagne où elle était déjà domestiquée mille cinq cents ans avant J.-C., en Scandinavie et en Europe centrale. Dans ces pays, on choisit toujours des farces aux fruits et aux légumes : pommes et prunes, pommes de terre et choux, qui contrastent avec le goût riche de la chair et constituent, pour ainsi dire, la partie nourrissante du plat.

La plupart des oies sont vendues sur les marchés à l'âge de huit ou neuf mois car elles deviennent ensuite trop fermes pour être rôties. Comme leurs ancêtres les Gaulois, les Français les « rajeunissent » en les faisant braiser avec des légumes, des couennes de porc et des pieds de veau pendant plusieurs heures dans une cocotte hermétiquement fermée (page 60), jusqu'à ce que la chair soit si tendre que, selon les mots d'un chef français, « elle puisse se couper à la cuillère ». Les Français savent particulièrement bien tirer parti de ce volatile : ils en font du foie gras, délicatesse en soi, confectionnent des sortes de saucisses (dont on fait le cou farci) avec les intestins et les abattis et utilisent sa graisse intérieure et copieuse pour la cuisson ou pour le confit d'oie (page 84). Pour la consommation domestique, la graisse d'oie est au Sud-Ouest de la France ce que le beurre est à la Normandie et ce que l'huile d'olive est à la Provence.

La pintade et le pigeon

La pintade est aussi agréable au goût que son cri — perçant et métallique — est désagréable à l'ouïe. On raconte que ce sont les Grecs qui auraient rapporté cet oiseau de son Afrique natale, vers le V⁰ siècle avant J.-C. De taille équivalant à celle d'un poulet de grain, la pintade rappelle en outre par sa saveur le poulet avec un léger arrière-goût de gibier que l'on peut accentuer en suspendant la volaille morte, non saignée, dans un endroit frais, pendant un ou deux jours avant de la faire cuire.

Le fait de suspendre ainsi la viande attendrit la chair mais la pintade domestique, comme ses cousins sauvages, a une légère tendance à se dessécher. Pour que les blancs ne deviennent pas trop secs, arrosez régulièrement en cours de cuisson. Vous pouvez même barder la volaille de lard ou la badigeonner d'un bon morceau de beurre, sous la peau, avant la cuisson (page 39). Ou encore, vous pouvez l'aplatir et la farcir sous la peau d'un mélange de légumes et de fromage blanc *(pages 47-49)* qui humidifiera la chair tout en donnant aux filets une saveur délicieuse.

Il ne faut pas confondre les pigeons d'élevage avec leurs cousins sauvages dont la chair est foncée et a un goût de gibier. La viande du pigeon domestique est assez pâle et de saveur moins forte. Comme au Moyen Age, lorsque les pigeonniers seigneuriaux assuraient une heureuse provision de viande fraîche au début du printemps, on continue à tuer les jeunes oiseaux — appelés pigeonneaux — à quatre semaines environ, avant même qu'ils aient toutes leurs plumes. En effet, dès qu'ils commencent à voler, leurs muscles se durcissent. Pour conserver au pigeon toute sa saveur, il ne faut jamais le saigner. Vous pouvez sauter, rôtir ou couper en deux et griller les pigeonneaux; les pigeons, plus âgés, seront braisés ou rôtis en cocotte.

La volaille surgelée

Toutes les volailles devraient être consommées dès qu'elles ont été tuées. S'il est indéniable que les volatiles surgelés ont moins de goût, le congélateur vous permettra cependant de conserver de façon satisfaisante les volailles de ferme. En effet, un poulet fermier, même surgelé, aura toujours plus de saveur que son cousin industriel. Un oiseau frais mis au congélateur peut se conserver pendant six mois alors que ses abattis devront être emballés séparément et consommés dans les trois mois. Comme toutes les recettes ne nécessitent pas une volaille entière, un congélateur vous évitera de jeter les portions non utilisées. Afin de faciliter la décongélation, placez toujours chaque portion dans un sachet individuel.

Lorsque vous achetez de la volaille surgelée, ne prenez pas les paquets mous ou ceux qui contiennent de la glace rosée: cela signifie que l'oiseau a été accidentellement décongelé, puis recongelé. Ne faites jamais cuire une volaille qui n'a pas été entièrement décongelée: elle ne cuirait pas de façon homogène. Pour bien en préserver la saveur, faites-la décongeler dans son emballage, au réfrigérateur — ceci pourra prendre deux ou trois jours pour une dinde d'un bon poids. Il faut compter au moins quatre heures par kilogramme.

Quand vous achetez une volaille, assurez-vous que rien ne manque et que le cou et les parties comestibles des entrailles (foie, cœur et gésier) y sont bien. Il arrive parfois que le gésier ait été enlevé et vendu à des industries alimentaires avant la mise en vente du volatile. Dans ce cas, réclamez: les abattis sont nourrissants et pleins de saveur. Vous les utiliserez hachés dans une farce, les ajouterez à une sauce ou en farcirez une saucisse.

Préparation d'une volaille pour la cuisson

Avant de faire cuire une volaille, vérifiez qu'elle a été correctement préparée. En effet, il reste souvent quelques petites plumes autour du croupion et des ailes. Pour les enlever, il vous suffira de passer l'oiseau au-dessus d'une petite flamme; après ce brûlage, les plumes s'éliminent facilement d'un coup de brosse. Les cavités du cou et de la poitrine doivent être propres, sans rognons et sans fragments de poumons de part et d'autre de la colonne vertébrale. Retirez-les, si nécessaire.

Il peut également arriver que vous achetiez un canard ou une oie dont les deux petits nodules situés à la partie supérieure de la queue, qui imperméabilisent le plumage, ont été oubliés. Contrairement à ce que l'on croit généralement, ces glandes sont inoffensives et on ne les retire que pour des raisons esthétiques. Cependant, celles du canard de Barbarie, comme tous les canards sauvages, donneront à la chair un goût fort désagréable si elles ne sont pas retirées avant la cuisson. Vous les enlèverez facilement avec la pointe d'un couteau.

Un oiseau frais, quel qu'il soit, doit être cuit dans les deux jours; la volaille ne peut se conserver plus longtemps au réfrigérateur sans se détériorer.

Choix du vin

Comme tous les plats de résistance, la volaille se déguste avec du vin. Le vin stimule la digestion et met en valeur l'arôme des aliments. Avec la volaille, vous pouvez servir toutes sortes de vins: blancs ou rouges, simples et légers ou corsés et nuancés, vins robustes de terroir ou vins sélectionnés et raffinés, vins au goût net et fruité ou vins au bouquet insaisissable. Cependant, traditionnellement, à chaque catégorie d'oiseaux correspond une certaine gamme de vins.

Du fait de leur goût prononcé, l'oie et le canard s'accompagnent généralement d'un vin rouge bien corsé, comme un bordeaux ou un bourgogne mûri, bien qu'un sauternes d'une bonne année se marie étonnamment bien avec l'oie. La pintade, légèrement empreinte du parfum subtil de ses cousins sauvages, sera mieux appréciée avec un bordeaux assez jeune, un côtes du rhône ou un bourgogne rouge. Le poulet et la dinde simplement rôtis ou cuits en cocotte s'accommodent de tout vin de qualité et un vénérable bordeaux rouge fera merveille.

Si vous avez agrémenté de façon élaborée votre volaille avec une marinade ou une sauce, vous devez choisir le vin d'accompagnement en conséquence. Les marinades peuvent nuire à un vin rouge mûri alors qu'un vin blanc sec aura suffisamment d'acidité naturelle pour contrecarrer leur goût piquant. Les sauces liées aux jaunes d'œufs, comme pour la fricassée de poulet *(page 58)*, s'harmonisent mieux avec un vin blanc de qualité. La consistance et la saveur d'une sauce au vin rouge méritent un vin rouge de table — ou peut-être un vin moins robuste mais au bouquet plus subtil que celui choisi pour la cuisson.

Ainsi que les modes de cuisson de la volaille décrits dans le présent volume, ces suggestions ne doivent pas être considérées comme des règles immuables; en effet, elles ne représentent que des principes acquis par l'expérience et modérés par le bon sens. Comme le goût est une affaire individuelle, dès l'instant où un cuisinier a compris les principes de base de la cuisson de la volaille, il peut utiliser librement son imagination et son esprit d'improvisation pour la préparation d'un poulet ou le choix du vin qui l'accompagnera.

Comme le formule Louis Diat, chef du Ritz-Carlton de New York et auteur d'ouvrages culinaires: «Le résultat de l'enseignement des modes de cuisson de base... vous permet une souplesse et une adaptation que vous ne pourriez acquérir autrement. Vous parvenez à comprendre les recettes avec beaucoup plus de facilité et de rapidité — leur seule lecture devient un plaisir et vous apprenez à vous en éloigner. C'est ce genre d'assurance qui fait, à mon avis, les bons cuisiniers.»

Garnitures de légumes pour la volaille

Certaines garnitures — par exemple, le persil — ne servent qu'à enjoliver un plat. Les légumes d'accompagnement, eux, se cuisent généralement à part, et sont ensuite disposés autour d'un rôti ou d'autres plats de viande. Cependant, lorsqu'il s'agit de volaille, les garnitures pourront jouer un rôle supplémentaire. En effet, si vous faites cuire les légumes avec la volaille, leur saveur s'associera à celle du volatile et la garniture deviendra ainsi partie intégrante du plat sans pour autant perdre son rôle décoratif.

Le braisage *(pages 52-63)* et le pochage *(pages 64-69)* comportent des garnitures de légumes dits aromatiques, carottes, navets, oignons, par exemple, qui servent à parfumer de leur propre saveur la volaille et sa sauce au terme d'une longue cuisson. C'est avec le sauté qu'on pourra le mieux donner libre cours à son imagination *(pages 22-29)*. Dans ce cas, les légumes ne s'ajoutent que tout à fait en fin de cuisson, pour que les plus délicats puissent conserver leur forme, leur couleur et leur parfum.

Les légumes frais doivent obligatoirement, quel que soit le mode de cuisson employé, être lavés, pelés, écossés ou parés. Certains, comme les six légumes présentés ci-dessous, demandent une préparation spéciale. Prévoyez une première cuisson rapide pour la plupart des garnitures destinées à accompagner un sauté. Coupez le fenouil paré en morceaux et blanchissez-le comme les navets, les carottes et les pommes de terre. Éparpillez sur le sauté, en fin de cuisson, le céleri tendre cru, les jeunes haricots et les

Pour éplucher les haricots verts ou les pois mange-tout. Cassez la cosse à une extrémité, puis tirez le fil sur toute sa longueur ; faites la même chose à partir de l'autre extrémité en tirant le fil de l'autre côté.

Pour nettoyer les poireaux. Insérez la pointe d'un couteau dans le blanc et coupez à travers la partie verte. Tournez le poireau d'un quart de tour et répétez l'opération. Rincez à grande eau.

Pour épépiner les tomates. Plongez-les dans l'eau bouillante 30 secondes, puis épluchez-les. Coupez-les en deux à l'horizontale et retirez les pépins et la partie visqueuse qui les entou

Artichaut paré

Poireaux

Fenouil

Tomates pelées

Petits pois

Champignons

Navets pelés

Fèves des marais

Pois mange-tout

petits pois, mais n'omettez pas de blanchir les pois mange-tout.

Quant aux artichauts, équeutez-les et retirez les feuilles rugueuses du tour, puis épointez les feuilles restantes et tournez-les. Si l'artichaut est nouveau et bien tendre, retirez-en simplement le foin; dans le cas contraire, faites-le blanchir avant d'en retirer le foin. Coupez l'artichaut en deux ou en quatre, puis laissez étuver les morceaux au beurre pendant une dizaine de minutes, ou jusqu'à ce qu'ils soient tendres mais encore fermes. Mélangez-les ensuite au sauté et laissez cuire quelques minutes de plus.

Les champignons seront rapidement rissolés dans du beurre à feu vif puis incorporés au sauté juste avant de servir. Les gombos, sautés d'avance, seront ajoutés en fin de cuisson. Vous couperez le bout de leur tige avec précaution. Les poivrons verts ou rouges seront d'abord grillés, pelés et épépinés. Poireaux et petits oignons devront cuire doucement dans du beurre. Les concombres seront blanchis à l'eau salée puis cuits doucement. Les aubergines, pelées et détaillées en petits cubes, seront ajoutées crues s'il s'agit d'une cuisson longue; vous pouvez ne pas les peler et les cuire partiellement dans du beurre ou de l'huile d'olive. N'épluchez les courgettes que si leur peau est dure et abîmée.

Chacun des légumes présentés ici complétera ou corsera votre sauté. N'hésitez pas à composer des mélanges à votre façon, pour le simple plaisir d'inventer des plats nouveaux et personnels qui raviront vos amis.

Pour ôter la partie centrale des carottes. Coupez les grosses carottes dans le sens de la longueur puis, à l'aide d'un couteau, détachez-en le centre, qui est dur et fibreux.

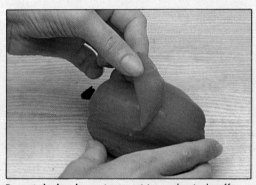

Pour éplucher les poivrons. Mettez-les à chauffer au gril en les retournant souvent, puis épluchez-les avant de les couper en deux pour en retirer les graines, le centre et les côtes.

Pour épépiner les concombres. Fendez les concombres en deux dans le sens de la longueur, puis retirez les graines à l'aide d'une cuillère, de façon à former des caissettes.

Courgettes

Carottes

Poivrons

Céleris parés

Oignons

Concombres épépinés

Aubergines

Gombos

Ciboules

Pommes de terre épluchées

Sauce de soja

Vinaigre blanc à l'estragon

Citron

Huile d'olive

Vinaigre de vin rouge

Zeste d'orange

Estragon

Ciboulette

Cerfeuil

Romarin

Thym

Persil

Herbes, épices et liquides pour les marinades

Les marinades donnent aux volailles une saveur aussi subtile que délicieuse. Pour faire une marinade classique, on met des herbes, des épices et d'autres aromates dans de l'huile avec un liquide acide (jus de citron, vin ou vinaigre). La viande crue absorbe peu à peu le parfum des aromates et des condiments tandis que l'acide rend les fibres plus tendres et rehausse la saveur du poulet.

Lorsqu'on frotte la peau d'une volaille avec de l'huile d'olive fruitée et des herbes avant de la cuire, on fait une marinade

« à sec » — ainsi appelée parce qu'elle ne contient aucun liquide aqueux, tout au plus quelques gouttes de citron. Pour que la volaille s'imprègne bien des parfums aromatiques, laissez-la mariner pendant quelques heures dans une pièce fraîche ou faites-la macérer toute une nuit au réfrigérateur. Vous pourrez utiliser la marinade qui n'a pas été absorbée pour en arroser le volatile pendant la cuisson.

Les marinades « mouillées », plus copieuses, dans lesquelles on immerge totalement ou partiellement la volaille, sont à

base d'un liquide acide qui ramollit les fibres de la chair pour qu'elle s'imprègne bien du parfum des herbes et des épices. Retournez la volaille de temps en temps et séchez-la avant de la mettre à frire ou à griller : elle dorera mieux.

Pour l'assaisonnement, il existe un très grand choix d'herbes (ci-dessus), d'épices (ci-dessous) et de légumes aromatiques comme les oignons. Vous pouvez également essayer plusieurs liquides : ajouter une goutte de xérès ou de la sauce piquante de soja à la manière asiatique.

Genièvre

Muscade

Cannelle

Mélange d'herbes

Macis

Cardamome

Coriandre

Ail

Vin rouge

Vin blanc

Oignon

Xérès

Gingembre

Basilic

Marjolaine

Laurier

Sarriette

Livèche

Du romarin et une marinade « à sec » pour parfumer un poulet.

Du Cayenne et des oignons pour relever une marinade à base de vin.

Paprika

Poivre de Cayenne

Poivre gris

Poivre blanc

Cumin

Fleurs de safran

Clous de girofle

Quatre-épices

Les parfums de la nature dans votre cuisine

Les herbes sont le secret de la bonne cuisine. Utilisées avec imagination, elles rehaussent la saveur de la volaille, particulièrement celle du poulet. Il en existe des centaines de variétés. Vous trouverez ici une illustration des 16 herbes qui se marient le mieux avec la volaille. Chacune a un goût caractéristique. Vous pouvez les utiliser seules en modifiant les quantités selon le type et la taille de votre volaille.

Vous pouvez aussi les mélanger en veillant à ce que les plus fortes ne tuent pas le parfum des autres.

La manière la plus sûre d'apprendre à connaître les herbes est de les essayer soi-même. Étudiez d'abord le mélange classique du bouquet garni *(encadré, ci-contre)* avec les plats braisés et pochés, et utilisez des fines herbes (mélange de persil, de ciboulette, d'estragon et de cerfeuil frais et finement hachés) pour la préparation de vos sauces. Vous pouvez rempla-

cer les herbes fraîches par des herbes séchées, dans les mêmes proportions mais, pour obtenir un parfum naturel, il vaut mieux les utiliser fraîches. La plupart poussent facilement dans un jardin ou sur un rebord de fenêtre. Pour les conserver pendant plusieurs jours, mettez-les au réfrigérateur dans une serviette humide ou encore dans un sachet en plastique.

Cerfeuil. Le cerfeuil est une des herbes les plus délicates de la famille des ombellifères. Ajoutez-le en fin de cuisson. Son goût légèrement anisé met en relief le parfum des autres herbes.

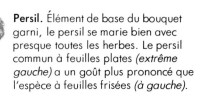

Estragon. Herbe piquante au goût subtil légèrement anisé, l'estragon est généralement utilisé seul (il entre néanmoins dans la composition des fines herbes) et en petite quantité. Pour relever une volaille à rôtir, farcissez-la de quelques branches d'estragon frais.

Persil. Élément de base du bouquet garni, le persil se marie bien avec presque toutes les herbes. Le persil commun à feuilles plates *(extrême gauche)* a un goût plus prononcé que l'espèce à feuilles frisées *(à gauche)*.

Laurier. Élément indispensable du bouquet garni, vous pouvez utiliser ses feuilles aromatiques fraîches ou séchées sur des brochettes *(page 50)*, ou les placer entre les ailes et les cuisses d'une volaille à rôtir.

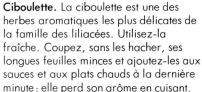

Ciboulette. La ciboulette est une des herbes aromatiques les plus délicates de la famille des liliacées. Utilisez-la fraîche. Coupez, sans les hacher, ses longues feuilles minces et ajoutez-les aux sauces et aux plats chauds à la dernière minute : elle perd son arôme en cuisant.

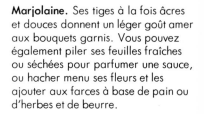

Marjolaine. Ses tiges à la fois âcres et douces donnent un léger goût amer aux bouquets garnis. Vous pouvez également piler ses feuilles fraîches ou séchées pour parfumer une sauce, ou hacher menu ses fleurs et les ajouter aux farces à base de pain ou d'herbes et de beurre.

Hysope. Herbe fondamentale de la cuisine médiévale, l'hysope a un parfum de résine et donne aux aliments une pointe d'amertume rafraîchissante. Finement hachée, elle rehausse une marinade de volaille.

Sarriette. La sarriette des montagnes *(ci-dessus)* relève davantage le goût de la volaille que la sarriette commune. Utilisez-les dans un bouquet garni ou mélangées avec des fines herbes ou avec d'autres herbes séchées.

Livèche. La livèche est une grande plante dont l'aspect et le goût rappellent le céleri. Hachées et en petite quantité, ses feuilles vert foncé s'ajoutent aux farces pour canards, oies et dindes, ou dans un bouquet garni.

Thym. Herbe douce mais forte, le thym doit être utilisé avec plus de modération pour les grillades que pour les sautés. Le thym ordinaire *(ci-dessous)* est un élément essentiel du bouquet garni. Le thym citronnelle relève les sautés de volaille et les sauces simples.

Basilic. Utilisez-le de préférence seul ; son goût épicé relève les marinades à la tomate et les sauces de poulet et de canard. Si ses feuilles sont trop grandes, coupez-les à la main au dernier moment car elles changent rapidement de couleur au contact de l'air.

Romarin. Très fort et épicé, le romarin doit être utilisé avec modération : un seul brin placé à l'intérieur d'un poulet suffit à parfumer toute la chair. Mettez-en un peu dans les braises d'un barbecue pour donner un arôme supplémentaire aux volailles *(page 50)*.

Sauge. Assaisonnement traditionnel des farces de volaille, la sauge a un goût agressif et âcre qui risque de déplaire. Ne glissez qu'une petite branche à l'intérieur d'un poulet à rôtir. Évitez la sauge séchée.

Fenouil. Les feuilles charnues du fenouil donnent un léger parfum de réglisse aux farces. Vous pouvez utiliser ses queues séchées pour parfumer un poulet en cocotte, mais veillez à le marier avec d'autres herbes telles que l'estragon.

Origan. Contrairement à la plupart des herbes, l'origan est plus aromatique séché que frais. Il relève bien les sauces à la tomate et les marinades. Émietté au-dessus d'un gril à charbon de bois, il rehausse la saveur de la volaille.

Oseille. L'acidité des feuilles d'oseille jeune relève les farces, les sauces, et se marie merveilleusement bien avec la chair de poulet *(page 69)*.

Un bouquet garni aromatique

Un bouquet garni n'est qu'un mélange d'herbes destiné à parfumer les bouillons, les soupes et les plats braisés, que l'on retire en fin de cuisson. Ceux que vous trouvez dans le commerce, dans des petits sacs de mousseline, sont généralement défraîchis et chers. Les vrais bouquets garnis sont économiques, faciles à faire et beaucoup plus parfumés. Le bouquet garni classique se compose essentiellement d'une feuille de laurier fraîche ou séchée, de persil frais (avec ses tiges et sa racine savoureuses) et de thym frais ou séché. On enveloppe ces herbes dans une branche de céleri ou dans du vert de poireau, ou les deux comme ici. La composition d'un bouquet garni n'obéit à aucune règle stricte. En plus des trois herbes de base classiques, on peut en ajouter d'autres, et même un zeste séché d'orange ou de citron.

1 **Assembler le bouquet.** Lavez une grande branche de céleri et placez-y les herbes de votre choix — ici, du persil frais à feuilles plates, du thym séché et du laurier frais dans une tête de céleri et du vert de poireau. Enroulez les herbes dans la branche de céleri et le vert de poireau.

2 **Nouer le bouquet.** Pour maintenir les différentes herbes ensemble, enroulez plusieurs tours de fil de cuisine autour du bouquet garni et serrez bien fort. Laissez pendre un bout de fil pour pouvoir retirer facilement le bouquet à la fin de la cuisson.

Découper sans gaspiller

Les morceaux de poulet achetés dans un magasin sont parfois de médiocre qualité et, à poids égal, plus onéreux qu'un poulet entier. Si vous apprenez à découper la volaille chez vous, non seulement vous réaliserez des économies, mais vos portions seront plus nettes, plus appétissantes, et vous aurez les abattis en prime.

La méthode est plus simple qu'elle ne paraît et, si vous l'abordez avec confiance, il ne vous faudra que quelques minutes pour découper votre poulet. Vous n'aurez besoin que d'une planche à découper et d'un bon couteau à lame bien aiguisée et pointue. Ensuite, tout dépend de votre habileté. Apprenez à localiser les jointures au toucher. De cette façon, lorsque vous forcerez le passage du couteau, vous éviterez les os et ne trancherez que les tendons et les cartilages, moins résistants.

Pour illustrer cette technique, nous avons choisi un poulet mais, dans la mesure où les volailles ont toutes, à peu près, la même anatomie, les différentes opérations pourront convenir également au découpage du canard, de la dinde, de la pintade et autres volatiles.

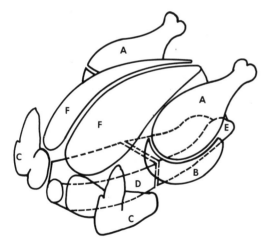

Le schéma ci-dessus portant des lettres résume la façon la plus simple de découper un poulet. Il est plus commode de commencer par les cuisses qui comportent le pilon (A) et le haut-de-cuisse proprement dit (B). Vous enlèverez ensuite les ailes (C) et fendrez la cage thoracique pour séparer le dos de la poitrine. Vous diviserez le dos en deux morceaux (D et E) en coupant au travers de la colonne vertébrale, puis vous couperez la poitrine en deux dans le sens de la longueur pour en faire deux parts (F).

1 **Pour prélever les cuisses.** Couchez le poulet sur le dos, sur la planche à découper. Écartez doucement une cuisse vers l'extérieur et tranchez entre le corps et la cuisse. Puis inclinez fermement la cuisse entière vers l'extérieur de façon à déboîter l'os. Coupez la jointure et la cuisse se détachera impeccablement. Procédez de la même façon pour l'autre cuisse.

2 **Pour couper les cuisses en deux.** Placez les cuisses de poulet, l'une après l'autre, sur une planche, côté peau en dessous et tranchez la jointure pour séparer le haut-de-cuisse du pilon. Si le volatile est petit, cette opération est inutile.

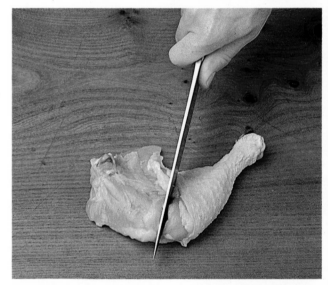

3 **Pour retirer les ailes.** Appuyez une aile contre le corps du volatile ; les deux parties de l'articulation de l'épaule pointeront sous la peau. Faites une incision entre la cavité articulaire et la jointure, puis écartez l'aile vers l'extérieur et tranchez la peau à la base de l'aile. Procédez de la même façon pour l'autre aile.

4 **Pour fendre la carcasse.** Faites passer la lame du couteau dans la cavité du volatile et faites-la ressortir sur un côté, entre l'articulation de l'épaule et la cage thoracique. Puis coupez la cage thoracique, en ramenant le couteau vers vous avec précaution, parallèlement à la colonne vertébrale. Procédez de même de l'autre côté.

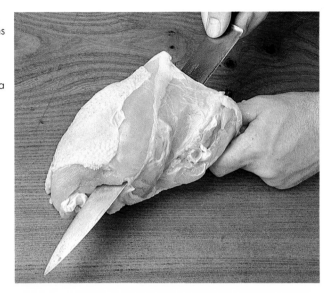

5 **Pour libérer la poitrine.** Écartez la poitrine du dos, de façon à dégager les os de l'épaule. Coupez entre les os pour détacher la poitrine *(à droite)*. Ensuite, divisez le dos en deux morceaux en coupant dans le sens de la largeur à travers la colonne vertébrale, là où se termine la cage thoracique.

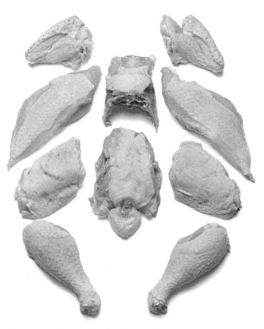

En suivant la méthode décrite dans ces pages, vous obtiendrez dix morceaux de poulet. Aucune partie de la carcasse ne sera gaspillée, mais les morceaux seront de tailles très diverses. Dans les pages suivantes, une autre méthode vous expose la façon d'obtenir moins de parts, mais de taille à peu près équivalente. □

6 **Pour couper la poitrine en deux.** Posez la poitrine, peau au-dessus, sur la planche à découper. Appuyez fortement sur le couteau et coupez le bréchet d'un côté ou de l'autre de sa crête médiane. Dans le cas de volatiles plus volumineux, comme la dinde ou l'oie, vous pourrez couper à nouveau dans le sens de la largeur pour obtenir quatre ou six parts.

Découpage de la volaille en portions égales

Bien que la manière de découper la volaille décrite aux pages précédentes soit rapide et économique, c'est la méthode présentée ici qu'adoptent généralement les professionnels pour obtenir des morceaux plus beaux, plus grands et à peu près équivalents.

Si vous adoptez ce mode de découpage (il s'agit ici d'un poulet), vous commencerez par éliminer les ailerons, puis vous détacherez les ailes proprement dites de la carcasse, avec une partie de blanc tendre et une partie du dos qui s'y rattache. Vous ne séparerez pas les hauts-de-cuisses du pilon; au contraire, vous détacherez chaque cuisse d'un seul tenant, avec le sot-l'y-laisse, ce morceau délicat logé dans le dos du poulet et qui disparaît le plus souvent dans le fond de cuisson avec la carcasse pour en faire un bouillon ou une soupe, ainsi que les ailerons et les autres parures laissées pour compte avant la cuisson de la volaille.

Le schéma ci-dessus, où l'on voit le poulet sur le ventre, montre le contour des lignes suivant lesquelles le volatile doit être découpé. Vous remarquerez que l'on inclut dans la découpe des ailes et des cuisses le plus de blanc possible du dos. Presque tout le blanc du reste de la carcasse est compris dans la coupe des filets, si bien que les os restants ne conservent plus que très peu de chair. Vous pourrez utiliser ces os pour faire le bouillon.

1 Pour inciser le long de la colonne vertébrale. Couchez le poulet sur le ventre et localisez les extrémités des omoplates à l'aide des doigts. Incisez légèrement le dos dans le sens de la largeur, en dessous des omoplates, puis le long de la colonne vertébrale, en partant du centre de la première incision *(à droite)*. Ne tranchez pas l'os. Ces incisions délimitent la surface contenant les morceaux de viande appelés sot-l'y-laisse.

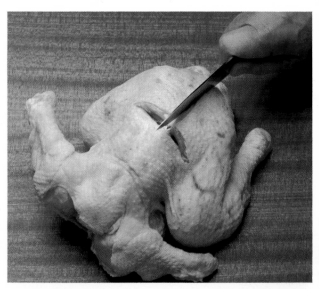

2 Pour dégager le sot-l'y-laisse. Chaque sot-l'y-laisse est douillettement blotti dans un creux, de part et d'autre de la colonne vertébrale. Vous le dégagerez de l'os en vous aidant de la pointe d'un couteau *(à droite)*, tout en le laissant attaché à la peau qui le recouvre.

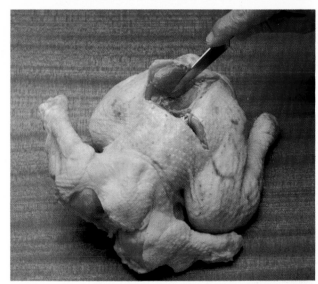

3 Pour détacher les cuisses. Retournez le poulet sur le dos. Coupez à travers la peau, là où la cuisse rejoint la carcasse. Tirez la cuisse vers l'extérieur pour faire sortir l'os de sa jointure. Coupez à l'articulation *(à droite)*, puis dégagez la cuisse en prenant le sot-l'y-laisse en même temps. Veillez bien, en coupant, à garder la lame du couteau loin du sot-l'y-laisse. Procédez de même pour l'autre cuisse. Enlevez le bout de l'os du pilon et, pour que la cuisse ne se déforme à la cuisson, entaillez les gros tendons entre le pilon et le haut-de-cuisse.

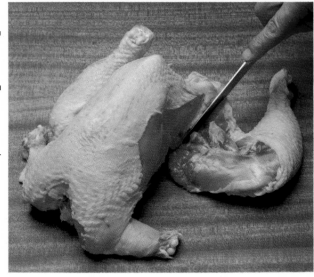

18

4 **Pour dégager les épaules.**
Retournez le poulet sur le ventre. Placez le couteau entre la colonne vertébrale et une omoplate, et tranchez énergiquement le dos jusqu'à la cavité en laissant l'aile attachée à la poitrine. Procédez de même de l'autre côté de la colonne vertébrale.

5 **Pour fendre la carcasse.** Placez le couteau dans la cavité du poulet et percez un côté entre la jointure de l'épaule et la cage thoracique *(à droite)*. En coupant vers vous avec précaution, tranchez la cage thoracique parallèlement à la colonne vertébrale. Procédez de même de l'autre côté du poulet. Les épaules étant déjà libérées, on peut enlever le dos facilement.

Un poulet de taille moyenne coupé selon la méthode décrite ici donnera cinq morceaux. La poitrine d'un poulet de plus grande taille, celle d'une oie ou d'une dinde, pourra être encore divisée en deux ou en trois. Tous ces morceaux ont approximativement les mêmes dimensions et constituent des parts convenables. □

6 **Pour enlever les ailes.**
Retournez toute la poitrine et les ailes qui y sont attachées, côté peau au-dessus. Sectionnez les ailes en coupant au point d'attache de la clavicule et du bréchet. Tranchez en diagonale de façon que chaque aile comporte du blanc de poitrine.

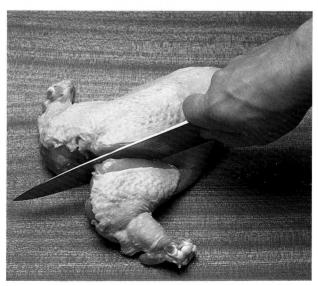

Le désossage d'une volaille

Accommoder une volaille désossée d'une farce savoureuse, voilà une façon ingénieuse de réaliser un plat succulent — et économique! Une fois désossée et farcie, la volaille se sert coupée en tranches *(page 62)* selon un mode de découpage simple qui évite tout gaspillage de viande. Les os que vous aurez retirés vous permettront de préparer un excellent bouillon qui pourra servir à la cuisson de la volaille.

Vous maîtriserez facilement la complexité apparente du désossage car la technique est la même d'une volaille à l'autre et vous n'aurez besoin que d'un petit couteau pointu et de patience. Vous mettrez peut-être une heure la première fois, mais ensuite vous irez beaucoup plus vite.

Avec cette méthode de désossage — ici on a pris un canard — la peau reste intacte, sans déchirure. Vous commencerez par enlever l'ossature qui comprend: la fourchette, les clavicules et les omoplates. La chair du canard pourra alors être retournée et désossée: le volatile ressemblera à une poche de chair molle *(ci-dessus)*. Vous laisserez en place les os principaux des ailes et des cuisses de façon que la volaille, une fois farcie, bridée et cuite, retrouve son apparence première.

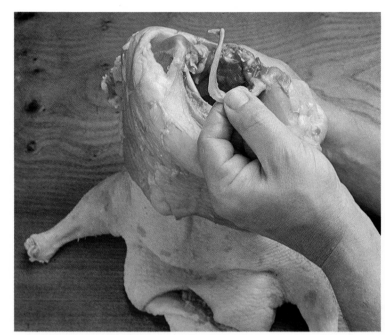

1 Pour retirer la fourchette. Rabattez le pan du cou du canard vers le bas puis autour des épaules, et continuez ainsi jusqu'à localiser du bout des doigts la fourchette en forme de fer à cheval. Incisez au minimum la chair alentour de façon à découvrir entièrement la fourchette que vous casserez aux jointures de l'articulation de l'épaule où se rejoignent les clavicules, les omoplates et les os des ailes.

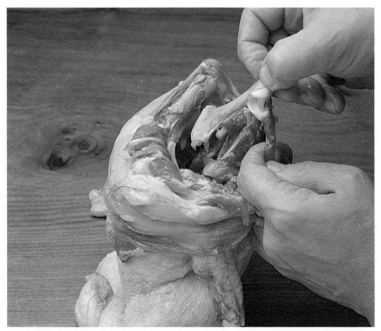

4 Pour enlever les clavicules et les omoplates. Maintenant, les clavicules ne tiennent plus qu'à l'omoplate, léger support dont l'autre extrémité est recouverte de chair. Retirez ces deux os ensemble en tirant fermement sur la jointure. Pour aider l'omoplate à sortir plus facilement de la chair sans déchirer les muscles, tirez-la en la pinçant fermement entre le pouce et l'index *(ci-dessus)*. Si l'os se brise, éliminez tous les morceaux restants avec un couteau.

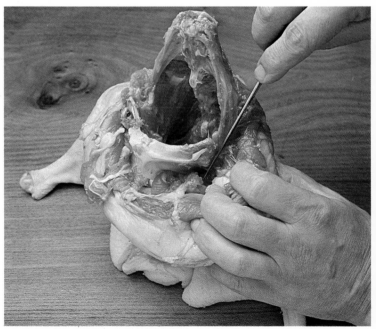

5 Mise à nu de l'ossature. Rabattez la chair tout autour des épaules pour découvrir le haut de l'ossature comprenant la cage thoracique, le bréchet et la colonne vertébrale. Grattez et coupez les chairs de l'ossature *(ci-dessus)* en vous dirigeant vers les cuisses. Pour ne pas abîmer la peau, coupez toujours vers la carcasse. La colonne vertébrale est attachée aux extrémités cartilagineuses des vertèbres: coupez ces extrémités, mais laissez-les à l'intérieur de la chair.

2 **Pour libérer les ailes.** Prenez une aile et rabattez-la, comme illustré ci-dessus, de façon à faire apparaître les tendons qui relient l'os de l'aile à la clavicule et à l'omoplate. Tranchez ces tendons pour libérer l'aile, mais n'en retirez pas l'os. Procédez de la même façon pour libérer l'autre aile du volatile.

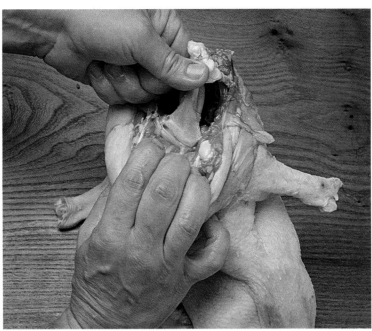

3 **Pour détacher les clavicules du bréchet.** Chaque clavicule est reliée par une extrémité à une omoplate ; l'autre extrémité tient au bréchet grâce à un léger cartilage facile à rompre. Commencez par dégager la chair qui le recouvre avec les doigts et en grattant avec un couteau aux endroits rebelles ; puis séparez les clavicules du bréchet.

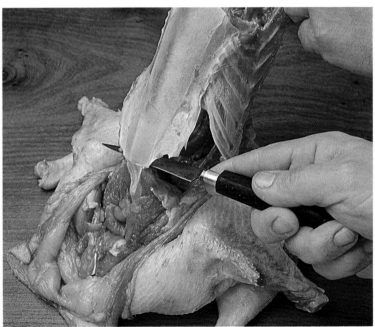

6 **Pour séparer le bréchet.** Quand vous atteindrez les cuisses avec le couteau, déboîtez-les pour les libérer de la jointure qui les relie à la colonne vertébrale et tranchez le cartilage qui les unit. Laissez les os des cuisses en place. Continuez à retourner la chair jusqu'à l'extrémité du bréchet rattaché au corps par une fine bande de cartilage. Coupez cette bande *(ci-dessus)* de façon à libérer le bréchet.

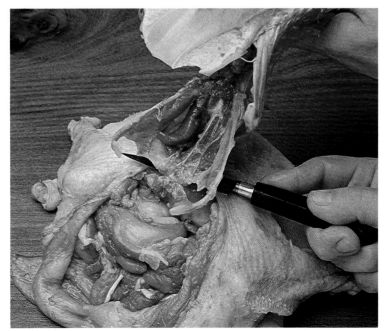

7 **Pour enlever l'ossature.** La chair est maintenant presque complètement dégagée du squelette. Soulevez l'ossature et coupez la colonne vertébrale au croupion *(ci-dessus)*, en laissant derrière les trois ou quatre dernières vertèbres. Si les basses côtes, qui ne tiennent pas très bien au reste de l'ossature, restent dans la chair, coupez-les. Ce canard désossé est prêt à être farci *(page 38)* et cuit. □

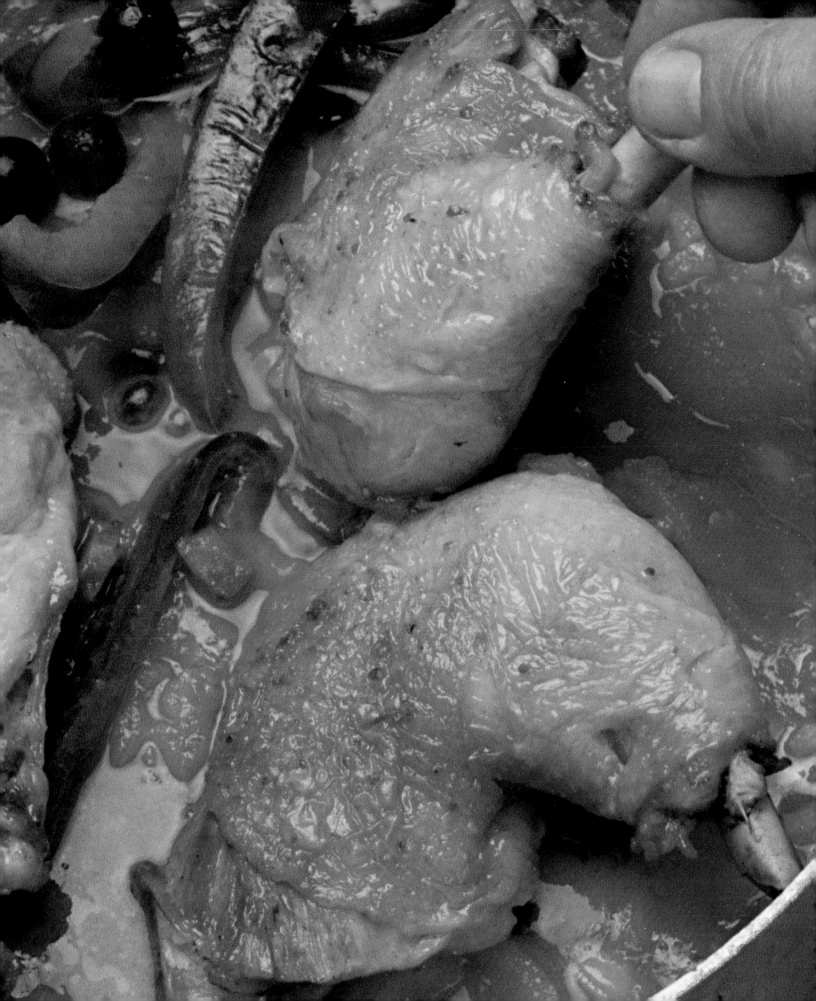

1
Le sauté
Comment garder toute sa saveur à la volaille

Pour améliorer votre sauté et l'imprégner de toute la saveur de la Provence, vous arroserez les morceaux de poulets frits d'une sauce au vin rouge et les garnirez de poivrons verts, de tomates, d'olives noires, d'oignons et d'ail.

Un jeune poulet sera au summum de sa saveur si le mode de cuisson choisi respecte sa succulence et sa tendreté. Pour cela, l'un des moyens les plus simples est de le sauter à la poêle, méthode qui se prête d'ailleurs particulièrement bien à la cuisson des morceaux de volaille. En effet, enduite d'une légère couche de matière grasse pour que le poulet n'attache pas, la poêle transmet directement la chaleur à la viande, la saisissant sur l'ensemble de ses faces et enfermant ainsi les sucs qu'elle contient.

Le résultat obtenu s'appelle un sauté, car il s'agit bien littéralement de faire sauter de menus morceaux de viande ou de légumes à feu vif dans une poêle ou une sauteuse ; lorsque l'on opère ainsi, les aliments cuisent de façon homogène et sans attacher. Mais, en général, les morceaux sont plutôt retournés que sautés, pour qu'ils ne brûlent pas extérieurement avant d'être complètement cuits. On commence par faire dorer les morceaux de volaille à feu vif, puis on diminue le feu pour terminer la cuisson. Cela prendra plus ou moins de temps selon qu'il s'agit de viande blanche ou de viande rouge.

Une seconde méthode consiste à frire les morceaux de volaille enrobés de farine assaisonnée. La matière grasse n'atteint pas directement la viande, et transforme la farine en une croûte dorée et croustillante qui concentre les sucs à l'intérieur. Contrairement au sauté proprement dit qui n'exige que peu d'huile ou de graisse, cette préparation en nécessite beaucoup — en fait, une couche suffisamment épaisse (1 cm environ) pour que les aliments puissent être à moitié immergés et que la croûte se forme rapidement, d'abord d'un côté, puis de l'autre.

Ces deux méthodes, sauté ou friture à la poêle, sont à la base d'un nombre illimité de plats de volaille. Le sauté, en particulier, est une technique si simple qu'il incite à improviser des sauces et des garnitures de toutes sortes. C'est un mode de cuisson mondialement utilisé : dans la cuisine chinoise, par exemple, les aliments sont détaillés en menus morceaux et sautés dans une grande poêle creuse, appelée « wok ».

En outre, le sauté représente une étape préliminaire essentielle pour la préparation des braisés et des ragoûts. En cela, c'est peut-être l'une des plus importantes de toutes les techniques culinaires.

Un mode de cuisson qui donne sa propre sauce

Ce mode de cuisson comporte trois étapes: on commence par faire dorer les morceaux dans la poêle, à découvert, de façon à bien saisir la viande et à empêcher que les sucs si savoureux ne s'échappent. Puis on couvre la sauteuse et on laisse cuire doucement. Enfin, lorsque les morceaux sont à point, les sucs et les résidus, caramélisés au fond de la poêle, servent de base à la sauce.

Idéalement, la sauteuse devrait être assez large pour contenir tous les morceaux de poulets côte à côte. S'ils se chevauchent, l'évaporation ne sera pas immédiate et les morceaux commenceront à cuire à la manière d'un ragoût au lieu de se colorer. En revanche, s'il y a trop d'espace entre chaque morceau, la matière grasse sera surchauffée et brûlera.

Le beurre améliore le goût du poulet et de nombreuses recettes de sauté recommandent son utilisation pour faire dorer les morceaux. L'huile d'olive et la graisse de volaille donnent également d'excellents résultats.

Au moment de la cuisson lente, vous pourrez ajouter une garniture de légumes aux morceaux de volaille — ils relèveront la saveur du plat —, mais ne le faites qu'une fois la volaille bien dorée.

La gamme des garnitures est illimitée (voir l'encadré sur cette page, et les instructions concernant leur préparation page 12). Les légumes seront ajoutés soit crus, soit partiellement cuits. Ici, les morceaux de volaille sont garnis de concombres tronçonnés et préalablement blanchis. Dans la recette de Prosper Montagné, le *Poulet sauté archiduc (recette, page 89),* les concombres sont étuvés au beurre et ajoutés en fin de cuisson.

Dès que la viande et la garniture seront cuites, vous éliminerez l'excès de matière grasse et ferez dissoudre les résidus caramélisés au fond de la sauteuse. Cette opération s'appelle « déglacer » et constitue la première étape de la sauce. Nous avons choisi ici de déglacer au vin blanc, mais un autre liquide — du bouillon ou de l'eau — conviendra parfaitement.

1 **Pour « emprisonner » la saveur.** Faites chauffer, dans une sauteuse, juste assez de matière grasse pour en recouvrir le fond. Essuyez bien les morceaux de volaille, puis disposez-les dans la sauteuse. Faites rissoler les morceaux en les retournant pour qu'ils dorent uniformément. Ceci prendra de 15 à 20 minutes.

2 **Pour cuire lentement.** Réduisez la chaleur, couvrez la sauteuse. Au bout de 8 à 10 minutes, les suprêmes seront à point. Vérifiez le point de cuisson en piquant la chair avec une brochette. Réservez-les au chaud, recouvrez la sauteuse et laissez cuire les autres morceaux encore une dizaine de minutes.

Finition d'un sauté avec des légumes et des herbes

Un sauté méditerrannéen

Un sauté garni de champignons et de poireaux

Le sauté permet la création d'un nombre illimité de plats originaux... il suffit de varier les garnitures et les liaisons finales des sauces. Avec une poignée d'herbes fraîches, par exemple, la sauce prendra une saveur aromatique qui rendra inutile la préparation d'une garniture; vous ajouterez les herbes au début de la cuisson lente, et les retirerez à la fin. Pour faire la sauce, versez du vin dans la sauteuse et faites-le bouillir et réduire de moitié.

Pour réaliser un plat dans la tradition de la cuisine provençale, garnissez la volaille de tomates, de poivrons verts, d'olives noires, d'ail et de persil *(ci-dessus, à gauche).* Ou encore mélangez des légumes aux goûts opposés, par exemple des champignons sautés et des poireaux détaillés et étuvés au beurre *(ci-dessus, à droite).* Terminez la sauce soit avec du vin blanc et du beurre, comme ici, soit avec un velouté de volaille *(recette, page 89).*

3 **Pour ajouter la garniture.** Après avoir retiré les suprêmes, ajoutez, si vous le désirez, une garniture de légumes. Le bon moment dépendra des ingrédients choisis et de leur temps de cuisson (*recettes, pages 88-92*). Ici la garniture se compose de concombres en morceaux, préalablement blanchis et mijotés au beurre.

4 **Pour éliminer l'excès de graisse.** Le jus qui s'écoule de la volaille s'harmonise délicieusement à la chair, contrairement à la graisse de cuisson. Retirez les morceaux de volaille et la garniture de légumes et placez-les dans le plat chaud où vous avez réservé les suprêmes. Enlevez la graisse mais conservez le jus de viande, plus foncé.

5 **Pour déglacer.** Ajoutez un bon doigt de liquide — ici, du vin blanc — dans la sauteuse. Remuez et raclez bien, à feu vif, à l'aide d'une cuillère en bois, jusqu'à ce que les jus de viande solidifiés qui attachent au fond de la sauteuse soient libérés et dissous. Faites bouillir vivement ce liquide enrichi pour le réduire.

6 **Pour terminer la sauce.** Les sauces des sautés de volaille sont habituellement complétées par un élément qui en relève le goût et les rend plus consistantes. Ici, nous avons incorporé de la crème fraîche au liquide de déglaçage ; il faudra remuer constamment, à feu vif, jusqu'à ce que la sauce soit suffisamment épaisse.

7 **Pour dresser le sauté de volaille.** Réduisez le feu, puis remettez les morceaux de volaille et leur garniture dans la sauteuse contenant la sauce. Recouvrez et faites réchauffer le tout pendant quelques minutes avant de servir. ☐

Poulet frit dans un enrobage croustillant

Le poulet frit est un plat très connu dans le monde. Aux États-Unis, il est considéré comme appartenant au patrimoine national, encore qu'il fasse l'objet d'une multitude de variantes d'une région à l'autre et d'une cuisine à l'autre.

Certains affirment que le poulet doit être frit dans de la graisse de poitrine de porc fumée; d'autres ne jurent que par le saindoux, d'autres encore par l'huile d'arachide. C'est surtout aux États-Unis que les cuisiniers inventifs mettent leur ingéniosité à l'épreuve, en imaginant des enrobages originaux et parfois exotiques. Bien que la recette illustrée ici n'exige que de la farine ordinaire *(recettes, page 93)*, certains y ajoutent ou la remplacent par de la farine de blé noir, de seigle ou de la farine complète; d'autres y mêlent des noix pilées et des céréales parfumées de mélanges d'herbes et d'épices.

Dans certains pays, en Grèce par exemple *(recette, page 95)*, on fait mariner le poulet avant de le frire à la poêle, ensuite on le met au four. Grâce à ce procédé, la viande se parfume tout en conservant sa tendreté.

Que l'on prépare l'enrobage d'une façon ou d'une autre, la réussite de ce plat dépend de deux facteurs: il ne faut surtout pas laisser les morceaux de volaille se dessécher, comme on le fait pour le sauté, une légère humidité favorisant une meilleure adhérence de l'enrobage, et il faut fariner les morceaux à peu près une heure avant de les frire; l'enrobage aura ainsi le temps de bien adhérer à la volaille, et on évitera que des petits morceaux ne viennent à se détacher et à brûler en cours de cuisson.

Contrairement aux sautés plus élaborés avec leur garniture et leur sauce, le poulet frit est aussi bon froid que chaud. Préparé la veille, il fera un excellent repas de pique-nique.

Pour enrober le poulet. Assaisonnez le poulet de sel et de poivre, à peu près une heure avant de le faire frire. Saupoudrez une assiette avec de la farine ou tout autre mélange de votre choix, et roulez-y les morceaux de poulet de façon à bien les recouvrir de toute part. Puis, déposez-les sur une grille pour en laisser tomber le surplus de farine.

Pour fariner dans un sac

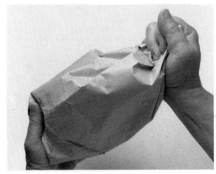

Pour fariner les morceaux du poulet, mettez l'enrobage choisi dans un sac en plastique ou en papier bien solide, puis ajoutez-y les morceaux de poulet et secouez vigoureusement. Sortez les morceaux quand ils seront complètement recouverts. Vous pourrez vous servir du reste de farine pour faire une sauce au jus de viande *(encadré, à droite)*.

Une sauce au jus de viande

Autant les cuisiniers peuvent argumenter sur les mérites de tel ou tel enrobage pour friture de poulet à la poêle, autant la plupart s'accordent pour dire que la sauce au jus de viande et au lait convient particulièrement à ce plat. Il suffit de faire brunir une pincée de farine dans un peu de jus resté dans la poêle, puis de déglacer au lait. La sauce obtenue contraste agréablement avec le poulet croustillant.

Vous pouvez améliorer cette sauce de base en substituant au lait de la crème, par exemple, comme dans la recette page 93. Vous pouvez ajouter des abattis de volaille frits ou une pincée d'herbes aromatiques. Pourquoi ne pas essayer de remplacer une partie du lait par un fond de volaille, pour en relever la saveur? Quelle que soit la sauce de votre choix, vous devez la présenter à part dans une saucière.

2 **Pour frire le poulet.** Faites chauffer dans une poêle à fond épais une mince couche de matière grasse. Mettez-y les morceaux de poulet en veillant à ne pas abîmer l'enrobage de farine. Ne remplissez pas trop la poêle, vous auriez du mal à retourner les morceaux de poulet et ceux-ci seraient inégalement cuits. Dès qu'ils commencent à dorer, retournez délicatement les morceaux.

3 **Pour cuire à point.** Continuez à retourner les morceaux de temps en temps pour leur assurer une cuisson bien homogène. Une demi-heure plus tard, les tendres suprêmes seront bien cuits ; placez-les dans un plat que vous mettrez au four pour les maintenir au chaud. Vous attendrez environ 15 minutes avant de retirer les derniers morceaux que vous disposerez à côté des autres au moment de servir. □

1 **Pour faire un roux.** Lorsque le poulet est frit, réservez dans la poêle deux cuillerées de matière grasse. Remettez la poêle sur feu doux et saupoudrez de farine. Remuez bien le tout à l'aide d'une cuillère en bois jusqu'à ce que la farine brunisse légèrement. Ce mélange, ou roux, est l'élément de liaison de nombreuses sauces.

2 **Pour ajouter le liquide.** Versez doucement dans la poêle du lait, de la crème, ou un liquide approprié, et remuez rapidement tout en raclant pour bien mélanger graisse, farine et jus. Salez et poivrez au goût.

3 **Pour éliminer le goût de farine.** Les sauces liées à la farine ont un goût pâteux si l'on n'en prolonge pas suffisamment la cuisson. En laissant mijoter un quart d'heure, ce goût farineux disparaîtra et la sauce sera réduite à la consistance désirée. Remuez de temps à autre avec une cuillère en bois, pour que la sauce n'attache pas au fond de la casserole.

Suprêmes de volaille pour sauté raffiné

Les blancs de volaille cuits, préalablement désossés, dépecés et partagés en deux ont mérité l'appellation culinaire de « suprêmes ». Les suprêmes se prêtent parfaitement au menu d'un repas léger : il suffit de les sauter rapidement et de les napper d'une sauce au beurre et au vinaigre *(page ci-contre)* ou d'une sauce au vin et aux amandes selon la recette page 91. Si le temps de cuisson est bien respecté, ils restent moelleux.

Commencez par préparer la poitrine sans la peau selon la méthode de la page 16. Les os et les cartilages ayant des formes précises, il vous sera facile de les ôter à l'aide des doigts et d'un petit couteau bien aiguisé.

1 Pour libérer le bréchet. Le bréchet est attaché à la clavicule. Posez le blanc côté peau en dessous et incisez le long de la membrane qui recouvre le bréchet. Saisissez la clavicule, comme ici, et tordez le bréchet pour le séparer de la clavicule.

2 Pour dégager le bréchet. Cassez le bréchet pour le séparer du cartilage attaché à l'extrémité étroite du blanc. Dégagez doucement le bréchet du blanc. Il peut arriver, comme ici *(premier plan)*, que les côtes viennent en même temps.

3 Pour enlever les côtes. Vous enlèverez les côtes restées attachées au blanc, en les tirant avec les doigts ; si elles résistent, vous les dégagerez au couteau. Parez l'extrémité des côtes, comme sur l'illustration, le long de l'aile.

4 Pour enlever le cartilage. Introduisez les pouces sous le cartilage attaché à l'extrémité étroite du blanc. Puis forcez le cartilage pour le dégager.

5 Pour enlever la clavicule. Incisez au couteau la mince pellicule de chair qui recouvre le bréchet, en suivant bien les contours de l'os. Quand l'os ne tient plus au bréchet que par ses deux extrémités, tirez-le pour le dégager.

6 Pour retirer la fourchette. Palpez pour repérer la forme de la fourchette sous la chair, puis incisez délicatement au couteau cette enveloppe de chair. La fourchette étant dégagée, saisissez-la fermement par ses extrémités et retirez-la.

7 Pour parer le blanc. Coupez le blanc en deux, le long de la fente qui cachait le bréchet. Éliminez toute la graisse et les parties nerveuses, pour donner à ces morceaux le bel aspect d'un filet.

8 Pour cuire les suprêmes. Faites chauffer une ou deux cuillerées de matière grasse dans une petite sauteuse ; puis mettez-y les suprêmes ; faites cuire à feu modéré de chaque côté, jusqu'à ce qu'ils deviennent fermes et moelleux.

Une sauce piquante au vinaigre et au beurre

Une bonne sauce doit mettre en relief les qualités du mets qu'elle accompagne, sans en masquer le goût. Les suprêmes de volaille, d'agréable consistance et délicats au goût, sont relevés d'une sauce veloutée, à la saveur légère, avec un soupçon de piquant qui donne du carac-

tère à ce plat. La sauce au beurre illustrée ici est aromatisée de vinaigre de vin et d'échalotes hachées *(recette, page 92)*. Un tel déglaçage monté au beurre se marie merveilleusement bien à tous les sautés de poulet simples.

Vous ferez réduire le vinaigre pour

mieux en concentrer le goût et en accentuer le corps. Pour lui donner une consistance veloutée, incorporez du beurre hors du feu dans le vinaigre chaud — mais non bouillant; il se met en suspension. Dès que le beurre est bien incorporé, nappez-en la volaille et servez.

1 **Pour déglacer au vinaigre.** Enlevez l'excès de matière grasse. Faites sauter à feu doux les échalotes hachées et faites-les cuire en remuant jusqu'à ce qu'elles se colorent légèrement. Ajoutez le vinaigre et déglacez.

2 **Pour transférer dans une casserole.** Versez le mélange vinaigre-échalotes dans une petite casserole dont le diamètre réduit vous permettra plus facilement de contrôler le taux de réduction du liquide.

3 **Pour réduire le liquide.** Faites réduire le vinaigre à feu vif afin de lui donner la consistance d'un léger sirop. Vous en vérifierez l'évolution à l'aide d'une cuillère en bois ou d'un fouet.

4 **Pour enrichir ce mélange de beurre.** Coupez le beurre en petits morceaux pour qu'il fonde plus vite. Retirez le vinaigre du feu et mettez le beurre dans la casserole. Fouettez *(à gauche)* jusqu'à ce que le beurre soit incorporé au vinaigre. Salez et poivrez puis nappez les suprêmes de cette sauce *(ci-dessous)*.

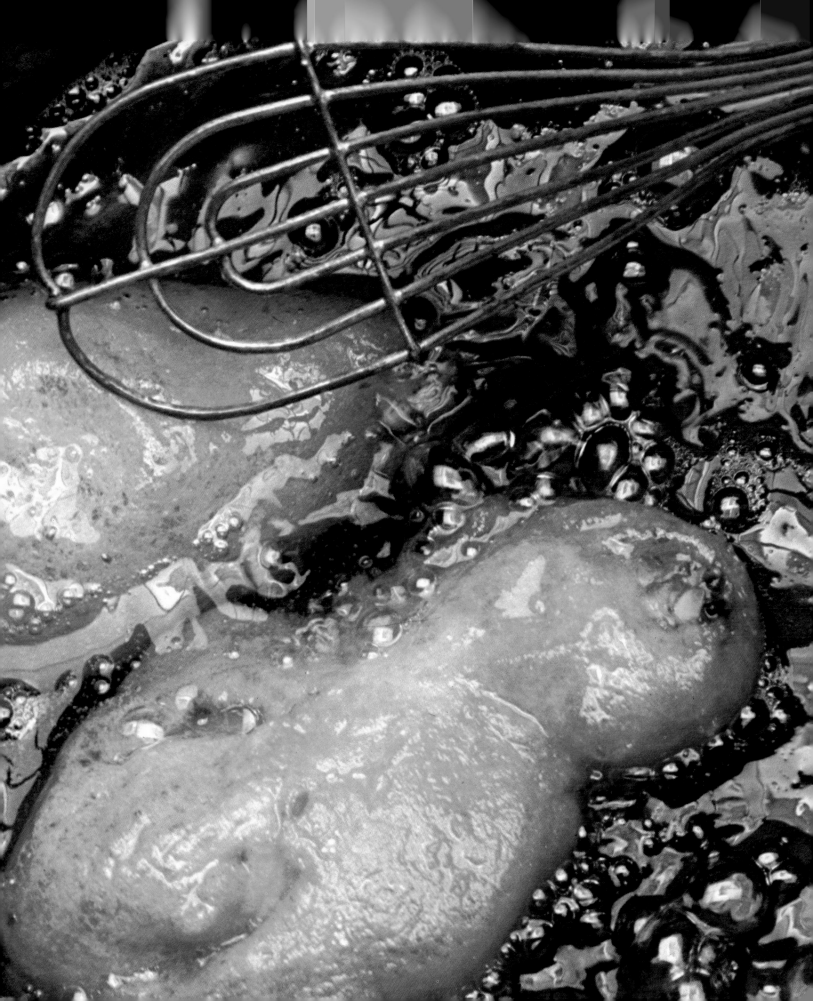

2
La friture
Une méthode simple pour la réussir

Lorsque les morceaux de volaille mis à frire dans l'huile grésillante prennent une belle couleur dorée, retournez-les à l'aide de l'écumoire à friture ou de « l'araignée ». Grâce à ces ustensiles, vous n'abîmerez pas l'enrobage quand vous sortirez les morceaux de poulet, et l'excès de graisse sera immédiatement égoutté.

Dans son livre la *Physiologie du Goût*, le gastronome du XIXe siècle Jean Anthelme Brillat-Savarin expose une théorie perspicace, bien qu'inattendue, sur la friture. «Tout le mérite d'une bonne friture, écrit-il, provient de la surprise» — un terme qu'il utilise pour décrire le roussissement instantané d'un corps immergé dans le liquide brûlant. «Au moyen de la surprise, explique Brillat-Savarin, il se forme une espèce de voûte qui contient l'objet, empêche la graisse de le pénétrer et concentre les sucs.»

Brillat-Savarin fait remarquer que la réussite d'une friture est liée à la haute température de la matière grasse. «Il faut que le liquide brûlant, souligne-t-il, ait acquis assez de chaleur pour que son action soit brusque et instantanée; mais il n'arrive à ce point qu'après avoir été exposé assez longtemps à un feu vif et flamboyant.» En termes précis, «assez de chaleur» correspond à une température de 180° à 195°. L'huile végétale, le saindoux et la graisse de rognon conviennent mieux que le beurre à la friture: ils ne brûlent pas à ces hautes températures.

Une façon simple de vérifier la température de la matière grasse consiste à y laisser tomber un petit morceau de pain; s'il roussit en l'espace d'une minute à peine, c'est que la matière grasse a atteint au moins 180°. Autre moyen de contrôle: lorsque vous vous apprêtez à plonger dans la friture des morceaux de poulet enrobés de pâte à frire, commencez par y jeter une goutte de cette pâte *(page suivante)*. De nombreux cuisiniers préfèrent mesurer la température de la friture de façon plus précise, à l'aide de thermomètres très spéciaux; d'autres se passent de toute vérification en utilisant des friteuses à contrôle thermostatique.

Faire chauffer la graisse n'est qu'une première étape. Rappelez-vous que, lorsque vous plongez des morceaux de volaille dans la graisse chaude, la température de celle-ci baisse; pour compenser, vous devrez augmenter la chaleur de façon que les aliments cuisent uniformément sans trop roussir. Les morceaux de poulet non désossés cuiront en 15 ou 20 minutes. Vous baisserez donc le feu s'ils brunissent trop vite et l'augmenterez dans le cas contraire. De gros morceaux, tels que les cuisses de dinde, ne se prêtent pas à la friture, car ils brûlent en surface avant d'être cuits à l'intérieur. Le canard et l'oie sont également trop gras pour ce mode de cuisson.

Poulet mariné enrobé de pâte à frire

La variété des plats de volaille frite que vous pourrez créer dépendra surtout de la préparation. Le poulet se découpe en morceaux *(pages 18-21)* et se frit avec les os. La dinde se débite aussi en gros morceaux, mais débarrassés de la peau et des os. Selon vos goûts, vous les assaisonnerez d'épices ou les mettrez à mariner avant de frire. Pour obtenir les plats les plus appétissants, cependant, vous enroberez les morceaux d'une pâte à frire, comme celle décrite ici, qui deviendra légère, dorée et croustillante.

Afin d'éviter toute éclaboussure, utilisez un récipient très profond, spécialement conçu pour la friture ; ne le remplissez jamais plus qu'à mi-hauteur, et posez-le, pour plus de sécurité, sur un brûleur à l'arrière de votre cuisinière.

Essuyez bien vos ustensiles avant de les utiliser ; en effet, l'eau au contact de la graisse brûlante se vaporise instantanément et provoque des éclabloussures. Si vous réglez bien la chaleur, il y a peu de risques pour que la matière grasse prenne feu ; néanmoins, ayez toujours un couvercle hermétique près de la friteuse, de façon à pouvoir éventuellement étouffer les flammes au plus vite.

1 **Pour faire mariner un poulet.** Découpez le poulet *(voir pages 18-21)*. Salez et poivrez ou, comme ici, aromatisez-le d'une marinade. Dans ce cas, hachez oignons et herbes, mouillez de jus de citron et de vin blanc. Les directives pour préparer les marinades figurent page 14.

2 **Pour faire chauffer la matière grasse.** Versez de 8 à 10 cm de matière grasse dans une friteuse bien profonde et mettez-la à feu vif. Vérifiez la température de la graisse en y jetant un peu de pâte à frire : si elle grésille, c'est que la graisse est assez chaude (environ 180°).

Les secrets de la pâte à frire

La pâte à frire se prépare au moins une heure à l'avance. Utilisée immédiatement, elle n'adhérerait pas bien aux morceaux de volaille, du fait de son élasticité ; par ailleurs, plongée dans la graisse brûlante, la viande se contracterait et se fendillerait. Une heure de repos permet à la pâte à frire de se « détendre » littéralement.

Une pâte à frire simple se fait avec de l'eau, de la farine et des œufs ; mais vous pouvez remplacer l'eau par du lait ou du vin. Vous allégerez la pâte en mouillant la farine avec de la bière et en incorporant au mélange des blancs d'œufs battus juste avant d'en enrober le poulet et de commencer la friture *(recette, page 166)*. La bière fera légèrement fermenter la pâte à frire et la rendra ainsi légère et aérée.

1 **Pour préparer la pâte à frire.** Mettez la farine, le sel et l'huile dans un saladier. Prenez des œufs : mettez les jaunes dans le saladier et réservez les blancs. Versez doucement la bière et mélangez bien les ingrédients au fouet. Recouvrez d'un torchon propre et laissez reposer une heure.

2 **Pour incorporer les blancs d'œufs.** Battez bien les blancs en neige. Incorporez-les délicatement à la pâte à frire, à l'aide d'une cuillère en bois ou d'une spatule.

3 **Pour enrober les morceaux de poulet.**
Retirez les morceaux de poulet de la marinade et essuyez-les à l'aide d'une serviette. Saisissez un morceau par une extrémité et plongez-le dans la pâte à frire, puis faites-le glisser avec précaution dans la friteuse. Manipulez les morceaux avec soin pour ne pas abîmer la pâte. Répétez cette opération avec chaque morceau, mais ne remplissez pas trop la friteuse ; vous devrez probablement faire frire le tout en deux fois.

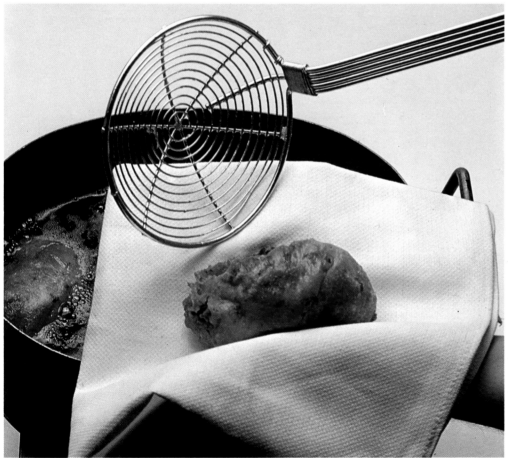

4 **Pour cuire les morceaux de volaille.**
Réglez la chaleur de façon que la pâte à frire se teinte progressivement pendant les 15 ou 20 minutes nécessaires à la cuisson du poulet. Les morceaux flotteront dans la graisse ; retournez-les de temps en temps, à la fourchette ou à l'écumoire, pour leur assurer une cuisson homogène. Dès qu'ils sont à point, retirez-les en vous servant d'une écumoire. Placez-les sur un linge qui absorbera l'excès de graisse. Mettez-les au fur et à mesure qu'ils sont prêts dans un four chaud (mais éteint), le temps de terminer votre friture. ☐

Suprêmes de volaille farce surprise

Quelle que soit la préparation, les suprêmes de volaille garnis d'une farce savoureuse constituent une spécialité délectable. La recette russe, les *Suprêmes de volaille à la Kiev (page 100)*, est la plus connue : elle requiert des suprêmes bien aplatis que vous roulerez en les garnissant d'un doigt de beurre à l'intérieur ; vous les tremperez ensuite dans de la farine puis dans un œuf battu, et les enroberez de chapelure, avant de les faire frire. En Italie, on remplace le beurre par des tranches de *prosciutto* (jambon cru) ou du fromage. Essayez aussi de créer votre propre mélange — avec des herbes, du beurre, de la mie de pain et des œufs. La préparation adoptée ici ressemble au traditionnels *Suprêmes de volaille à la Kiev*, mais le suprême est incisé pour former une poche que nous garnirons avec de la farce au beurre.

1 **Pour détacher le bréchet des clavicules.** Découpez les poulets entiers selon les illustrations des pages 18 à 21, mais n'enlevez pas les ailes, celles-ci servant à donner aux suprêmes la forme nette d'une côtelette. Enlevez la peau du blanc, puis retournez-le, côté paré en dessous, et coupez la jointure extérieure de chaque aile. Incisez la membrane qui recouvre le bréchet et le cartilage qui s'y rattache. Prenez la poitrine par l'extrémité la plus large, puis faites céder le bréchet en le rabattant en arrière *(ci-dessus)*, de façon qu'il se détache des clavicules.

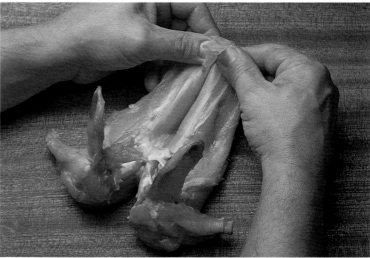

2 **Pour enlever le bréchet et le cartilage.** Séparez le bréchet du morceau de cartilage blanc enfoui dans l'extrémité droite de la poitrine, en le cassant. Avec les doigts, forcez le bréchet pour le retirer de la chair. Du bout des pouces, appuyez en dessous du cartilage pour l'extraire plus facilement *(ci-dessus)*. Dans le cas où des côtes seraient restées attachées au blanc, enlevez-les au couteau.

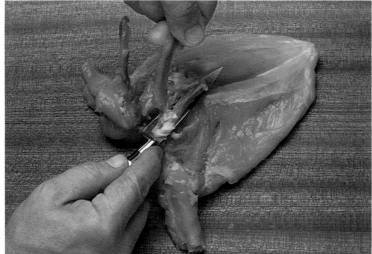

3 **Pour enlever les clavicules.** Tordez l'aile pour la séparer de la jointure qui relie les omoplates. Coupez les tendons au couteau. Incisez la chair qui recouvre l'omoplate pour dégager la jointure qui la relie aux autres os. Tranchez cette jointure pour libérer la clavicule et l'omoplate de la fourchette *(ci-dessus)*. Retirez la clavicule en même temps que l'omoplate qui s'y rattache. Faites de même avec l'autre aile.

4 **Pour enlever la fourchette.** Retournez la poitrine, puis repérez la forme de la fourchette dissimulée sous la chair et découpez au couteau la chair qui l'entoure *(ci-dessus)*. L'ayant découverte, pressez à l'angle formé par les branches et retirez-la. Retournez le blanc et coupez-le en deux le long de la fissure qui enserrait le bréchet. Chaque portion a maintenant la forme d'une côtelette.

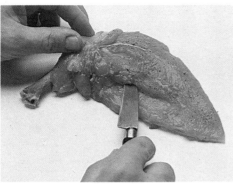

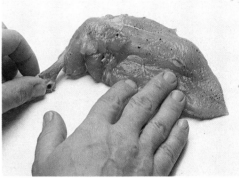

5 **Pour découper une poche à farcir.** Avec la pointe d'un couteau, entaillez chaque côtelette sur l'épaisseur. Veillez à ne pas faire ressortir le couteau de l'autre côté.

6 **Pour farcir les suprêmes.** Prenez deux morceaux de beurre, tel quel ou assaisonné, donnez-leur la forme d'un doigt que vous insérerez facilement dans les poches. Vous aurez moins de mal à manipuler le beurre si vous le sortez du réfrigérateur à la dernière minute.

7 **Pour refermer les suprêmes farcis.** Il vous suffira de bien rassembler les bords des poches en les pinçant fortement du bout des doigts. Les surfaces de chair crue resteront bien attachées l'une à l'autre ; vous n'aurez pas besoin de brochettes.

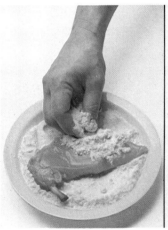

8 **Pour paner les suprêmes.** Posez chaque côtelette sur une assiette contenant de la farine ; retournez-la et rajoutez de la farine *(extrême gauche)*, si nécessaire, pour qu'elle en soit bien enrobée. Plongez-la dans un œuf battu *(au centre)*. Posez-la ensuite sur un petit tas de chapelure et veillez à ce qu'elle en soit bien recouverte. Mettez-la au réfrigérateur pendant une heure pour permettre à l'enrobage de bien adhérer.

9 **Pour faire cuire et servir les suprêmes.** Pour éviter d'abîmer l'enrobage, tenez chaque côtelette par l'aile et faites-la glisser dans l'huile chaude. Les côtelettes seront à point au bout de 8 à 10 minutes. Servez-les sans attendre. □

3
Rôtir et griller
Chaleur sèche
pour viande juteuse

La peau d'une oie dodue arrosée avec le jus de cuisson devient dorée et se glace de façon appétissante. Sous cette couche croustillante, la viande conserve ses sucs naturels pendant la cuisson.

Une volaille rôtie bien dodue et croustillante placée au milieu d'une table familiale transforme le repas le plus simple en festin — surtout si l'appétit des convives a déjà été stimulé par le fumet de la broche ou du four.

La cuisson au four, ou rôti, s'effectue sous une chaleur intense et sèche qui saisit la peau et la partie supérieure de la chair de la volaille. Protégé par cette couche croustillante, le jus se réchauffe et la chaleur se diffuse à l'intérieur. La grillade est un procédé analogue, mais la chaleur sèche ne vient que d'une seule direction — du dessus ou du dessous de la viande en général —, de manière à ne saisir et à ne cuire qu'un seul côté à la fois. En fixant la viande sur une broche qui tourne pendant la cuisson, on la fait bénéficier à la fois de la chaleur directe du gril et de celle, diffuse, du four qui assure une cuisson homogène. A l'époque où on faisait la cuisine dans la cheminée, on utilisait souvent du bois parfumé pour aromatiser la viande pendant qu'elle rôtissait. On obtenait ainsi des résultats qu'il est difficile d'égaler avec un matériel prétendu plus perfectionné.

La cuisson au four est, cependant, légèrement différente de la grillade sur la flamme ou sur un gril garni de braises, ou encore d'un rôti tourné à la broche devant la cheminée, car l'humidité que la viande dégage dans l'enceinte du four l'empêche d'être parfaitement saisie. De nos jours, les cuisines sont rarement équipées de cheminées et les fours modernes offrent certains avantages (isolation efficace, thermostat) qui compensent en partie leurs inconvénients.

La cuisson au four est simple mais exige beaucoup d'attention. Tous ceux qui ont déjà mâché avec difficulté la chair desséchée d'une volaille rôtie sans soin peuvent témoigner qu'un four perfectionné ne constitue pas en soi une garantie de succès. Le plus important est de savoir choisir les volailles: on ne devrait rôtir que les jeunes, car les vieilles ont tendance à se dessécher bien avant que la cuisson ait eu le temps de les attendrir. Nombre de techniques présentées dans ce chapitre — farce, troussage et mouillement — ont pour but de préserver et de compléter la saveur naturelle des jeunes volatiles. Appliquées avec imagination, elles donneront d'excellents résultats aussi bien avec une oie pour dix personnes, qu'avec un poulet familial, ou un pigeonneau pour un seul convive.

Cinq farces pour une volaille

Une des façons les plus simples de varier la préparation d'une volaille rôtie consiste à employer des farces différentes. Les cinq encadrés de droite vous montrent comment réaliser un certain nombre de farces et vous suggèrent quelques idées pour mieux tirer parti des techniques les plus courantes qui permettent d'utiliser les ingrédients de manière judicieuse, parfois même inattendue.

Les résultats que l'on obtient avec les farces au pain dépendent autant du mode de préparation que du choix des ingrédients. Des croûtons de pain sec passés au four ou rissolés au beurre pour devenir croustillants constituent la base d'une farce *(premier encadré)*. Bien que l'on ne mouille pas la volaille avant de la farcir, cette farce rugueuse n'est absolument pas desséchée après rôtissage; au contraire, elle a absorbé le jus et la saveur de la viande, et s'en est imprégnée, tout en conservant un certain croustillant.

Vous obtiendrez une farce plus onctueuse et plus homogène en mélangeant le pain et d'autres ingrédients à un liquide *(deuxième encadré)*. Pour augmenter la saveur de votre farce, remplacez l'eau ou le lait habituel par un fond de volaille préparé avec le cou, le gésier et le cœur, auxquels vous aurez ajouté une carotte et un bouquet de persil. Passez ce fond avant de l'incorporer à la farce.

Les farces aux légumes *(troisième encadré)* changent agréablement de celles à base de pain. Préparez et hachez les légumes *(voir encadré)* et mélangez-les à du fromage blanc, du caillé, du yogourt ou des petits-suisses, afin d'obtenir une consistance lisse et légère.

Toute farce gagnera à être enrichie des foie, cœur et gésier de la volaille *(quatrième encadré)*. Avant de les incorporer, nettoyez-les bien, puis hachez-les et faites-les sauter rapidement.

Il vaut toujours mieux beurrer le poulet ou la dinde avant de les faire rôtir; mais, si vous voulez améliorer votre plat, mettez une couche de beurre assaisonné d'herbes ou autres aromates sous la peau de la poitrine *(cinquième encadré)*.

Farce au pain rassis

Préparez les croûtons avec un pain rassis de deux jours. Puis ajoutez d'autres ingrédients qui s'harmonisent bien avec la volaille: dans l'exemple choisi ici, nous avons pris du céleri, du persil et des herbes pour compléter la farce de la dinde rôtie illustrée aux pages 40-42.

1 **Pour faire rissoler les croûtons.** Faites fondre le beurre dans une poêle et mettez les croûtons à rissoler à feu doux, en les remuant. Ajoutez du beurre au fur et à mesure qu'ils l'absorbent, jusqu'à ce qu'ils soient bien dorés. Vous pouvez aussi les mettre à four modéré dans un plat bien beurré pendant une demi-heure.

2 **Pour mélanger la farce.** Mettez les croûtons dans un grand saladier avec tous les autres ingrédients. Ce n'est qu'avec les mains que vous parviendrez à bien mélanger vos farces et à leur donner une consistance légère.

Farce au pain trempé

S'il existe de nombreuses façons d'assaisonner le pain trempé, l'une des plus anciennes (et spécifiquement anglaise) est à base de sauge et d'oignons *(recette, page 164)*. Cette herbe au goût très fort et l'oignon précuit à la saveur sucrée communiquent à la farce un agréable parfum.

1 **Pour préparer les ingrédients.** Faites blanchir un oignon environ 10 minutes. Hachez-le *(ci-dessus)*. Utilisez de la sauge fraîche ou une demi-cuillerée à café de sauge sèche. Mettez-la dans un saladier avec l'oignon, du pain frais émietté, du persil haché, du sel, du poivre, du beurre et un jaune d'œuf pour lier.

2 **Pour mouiller et mélanger la farce.** Versez un liquide — ici un fond de volaille — en quantité suffisante pour imprégner tous les ingrédients. Mélangez avec une cuillère ou une fourchette, ou mieux avec les doigts.

Farce aux légumes

Faites blanchir les légumes à feuilles, les épinards par exemple; pressez-les bien et hachez-les. Faites dégorger les légumes aqueux, tels que les courgettes *(recette, page 100)* et les navets *(ci-dessous)* avant de les mélanger avec les autres ingrédients.

1 **Pour faire dégorger les légumes.** Émincez grossièrement les courgettes ou les navets avec une râpe ou un coupe-julienne. Mettez-les ensuite dans un saladier, en couches de 2,5 cm d'épaisseur, que vous salerez chacune abondamment. Laissez-les dégorger 30 minutes. Retirez-les et exprimez-les bien *(ci-dessus)*.

2 **Pour faire cuire les légumes.** Faites revenir les courgettes dans du beurre pendant 7 ou 8 minutes à feu modéré. Secouez-les *(ci-dessus)*, ou remuez-les afin d'obtenir une cuisson homogène. Dès que les courgettes sont sèches et légèrement colorées, retirez la casserole du feu. Laissez-les refroidir avant de les mélanger à la farce.

Farce aux abattis

Réservez le gésier, le cœur et le foie de la volaille pour les incorporer à la plupart des farces à base de pain. Lavez-les à l'eau froide pour en enlever le sang avant de les couper. On voit ici des abattis d'oie, mais vous préparerez ceux des autres volailles de la même façon.

1 **Pour couper les abattis.** Retirez les lobes de chair brune de la membrane dure et épaisse qui recouvre le gésier. Coupez ensuite le gésier, le cœur et le foie en morceaux.

2 **Pour faire cuire les abattis.** Faites fondre du beurre dans une casserole et ajoutez les morceaux d'abattis. Faites-les sauter rapidement à feu modéré: dès qu'ils virent du rose au gris-rose, vous pouvez les ajouter aux autres ingrédients de la farce. Ils finiront de cuire avec la volaille.

Farce aux aromates

Si vous placez des aromates et une bonne quantité de beurre sous la peau de la volaille à rôtir, le blanc s'imprégnera des parfums. Nous utilisons ici des anchois et des amandes, mais vous pouvez mettre des truffes ou des pistaches et des rondelles d'oignon ou de poivron.

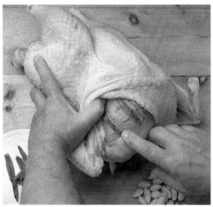

1 **Pour insérer les aromates sous la peau.** Rabattez la peau du cou d'un côté pour dégager une partie du blanc. Avec un petit couteau pointu, entaillez la chair de la poitrine pour insérer les amandes. Recouvrez le tout de filets d'anchois *(ci-dessus)*. Vous ferez la même chose avec l'autre partie du blanc.

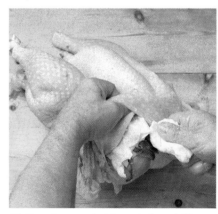

2 **Pour beurrer le blanc de la volaille.** Laissez ramollir le beurre à la température ambiante. Étalez ensuite le beurre à la main, sous la peau, en recouvrant abondamment les anchois et les amandes.

Enlever la fourchette et trousser la volaille

De tous les modes de cuisson, le rôtissage au four est peut-être le plus simple: il suffit de mettre la volaille au four (voir les températures et les temps de cuisson, page 43), de l'arroser, de la retourner pour qu'elle se colore de toute part, et la voilà prête à être dégustée. Mais vous pouvez encore améliorer ce plat par quelques soins préliminaires.

Ainsi, avant la cuisson, vous enlèverez la fourchette (*à droite*) pour découper le blanc plus facilement après rôtissage. Si la poitrine de la volaille, ici une dinde, est très bombée, aplatissez-la avec une batte pour qu'elle ne se colore pas trop vite.

La farce, bien sûr, a un rôle à jouer: elle dote la volaille d'une saveur supplémentaire (voir la préparation des farces aux pages précédentes et les recettes pages 163-165).

L'étape suivante, le troussage, permet à la volaille de cuire de façon homogène et régulière.

La peau d'une volaille maigre sera badigeonnée de matière grasse (*page suivante*) ou bardée pour être protégée de la chaleur sèche du four. Si la coloration est trop rapide, recouvrez la volaille d'un papier d'aluminium.

Pour bien rôtir les volailles grasses, le canard ou l'oie, par exemple, suivez les directives de la page 46.

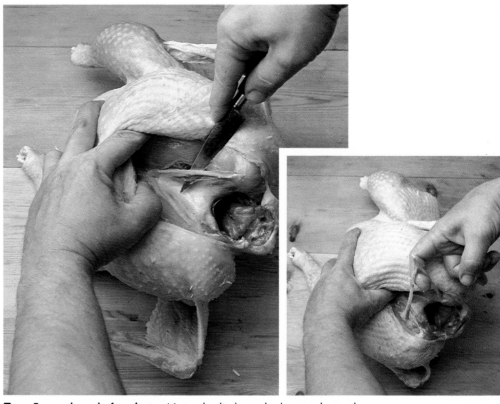

1 Pour enlever la fourchette. Mettez la dinde sur le dos et rabattez la peau du cou en arrière afin de localiser la fourchette avec les doigts. De la pointe d'un petit couteau, incisez la chair en suivant le contour de l'os de chaque côté, juste assez profondément pour le libérer (*ci-dessus, à gauche*). L'os ne tenant plus que par ses extrémités, passez votre doigt par-dessous et tirez pour le dégager (*à droite*).

3 Pour refermer le croupion. Enfilez une aiguille à brider d'un fil de boucher ou d'une ficelle fine. Commencez à coudre l'ouverture, en laissant une longueur de ficelle de 10 cm environ; faites aller et venir l'aiguille d'un bord à l'autre de la chair, puis coupez la ficelle environ 10 cm plus bas.

4 Pour maintenir le pan du cou et les ailes. Après avoir renfilé l'aiguille — au moins 60 cm de fil, longueur convenant à tous les types de volaille —, repliez les ailerons, comme illustré ici, et rabattez le pan du cou sur le dos. Passez l'aiguille à travers l'aile, l'épaule et le pan du cou, et faites-la ressortir par l'autre aile.

5 Pour maintenir le haut-de-cuisse. Retournez la dinde sur le dos. Utilisez la même aiguillée qu'à l'étape 4, passez-la dans le haut-de-cuisse et dans le corps, et ressortez-la au même point du haut-de-cuisse opposé.

Pour trousser avec une seule longueur de ficelle

On peut trousser tous les types de volaille, quelle que soit leur taille, d'une façon à la fois très simple et très rapide. Pour ce faire, pas besoin d'aiguille : une ficelle de coton, fine de préférence, deux fois plus longue que la volaille, suffira. Vous pourrez serrer le volatile plus facilement et, votre tâche terminée, vous n'aurez plus qu'à couper l'excédent de fil.

Avant de commencer à trousser la volaille, rabattez le pan du cou pour bien en refermer l'ouverture. Veillez à ne pas laisser s'échapper la farce.

1 **Pour maintenir les cuisses.** Couchez la volaille sur le dos, la ficelle passant sous le croupion. Croisez les extrémités de la ficelle et nouez chacune d'elles par-dessus et autour de la cuisse opposée. Tirez chaque extrémité de la ficelle de façon à la tendre *(ci-dessus)* et à assembler ainsi fermement les cuisses et le croupion, au-dessus de l'ouverture.

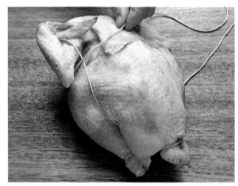

2 **Pour terminer le troussage.** Retournez la volaille sur le ventre. Laissez pendre une extrémité de la ficelle, ramenez l'autre brin sur la cuisse, faites un nœud autour de l'aile au-dessus et tirez-la par-dessus le pan du cou *(ci-dessus)*. Avec le même brin, faites une boucle autour de l'autre aile, nouez-le bien avec l'autre extrémité de la ficelle et coupez l'excédent.

2 **Pour farcir la volaille.** Remplissez la cavité de la dinde par le croupion *(ci-dessus)* et par l'ouverture du cou. Ne tassez pas trop la farce : elle se gonfle à la cuisson et la peau de la volaille risquerait de craquer.

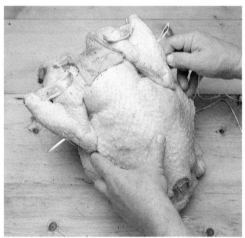

6 **Pour nouer la première ficelle.** Retirez l'aiguille de la ficelle. Couchez la volaille sur le côté, puis tirez bien les deux brins de ficelle et faites un nœud tout près de l'aile *(ci-dessus)*. Coupez le surplus de ficelle.

7 **Pour maintenir les articulations des ailes.** Préparez une aiguillée de 60 cm. Couchez la dinde sur le ventre. Faites passer l'aiguille à travers l'aile, près de la jointure intérieure, poussez-la à travers le corps et faites-la ressortir par l'autre aile *(ci-dessus)*. Laissez pendre une longueur de fil. Gardez l'aiguille enfilée.

8 **Pour maintenir les pilons.** Tirez le fil et passez-le à travers la partie inférieure du pilon et le corps pour le faire ressortir au pilon opposé *(ci-dessus)*. Enlevez l'aiguille. Pour terminer le bridage, couchez la dinde sur le côté, les deux brins de ficelle à portée de votre main. Tirez bien fort, nouez-les soigneusement à l'aile et coupez le surplus de ficelle. ▶

9 **Pour badigeonner de graisse une volaille.** Le fait de la recouvrir de beurre *(ci-dessus)* ou d'huile rendra la peau de votre volatile croustillante et dorée. Choisissez un plat à four assez grand pour que la volaille puisse être retournée facilement.

10 **Pour vérifier le point de cuisson.** Le temps de cuisson écoulé, piquez une aiguille à brider dans le gras de la cuisse. Si le jus est clair, la volaille est à point ; s'il est rose, remettez-la au four 10 minutes et vérifiez à nouveau.

11 **Pour retirer les ficelles.** Sortez la dinde du plat. Avant de la découper, laissez-la reposer au chaud pour que la chair se détende et réabsorbe un peu de jus (comptez 20 minutes pour une dinde, un peu moins pour des sujets plus petits). Coupez les ficelles près des nœuds et retirez-les *(ci-contre)*. Pour découper la volaille, reportez-vous à la page 44. □

Bien choisir la température du four et le temps de cuisson

Le tableau ci-dessous vous indique les temps de cuisson et les températures pour le rôtissage de volailles entières et non farcies (vous compterez de 20 à 25 minutes de plus pour une volaille farcie).

Nous vous présentons ici deux méthodes: une rapide et une lente. Pour le rôtissage rapide, mettez la volaille à four très chaud, réduisez ensuite la température jusqu'à cuisson complète. Ce premier temps de chaleur intense est essentiel à l'élimination de la graisse en excès des volailles grasses, telles que le canard

et l'oie, et suffit amplement pour la cuisson des petites volailles maigres, comme la pintade et le pigeon. Les volailles maigres de plus grande taille se font aussi bien rôtir selon l'une ou l'autre méthode; la méthode lente nécessite cependant beaucoup moins de surveillance dans un four dont la température est modérée et constante.

Que vous choisissiez l'une ou l'autre méthode, retournez la volaille plusieurs fois en cours de cuisson pour qu'elle se colore et cuise de façon homogène. Met-

tez-la sur un côté pendant environ un tiers du temps total de cuisson, puis aussi longtemps sur l'autre côté; enfin, couchez-la sur le dos jusqu'à ce qu'elle soit cuite à point.

Pour que la chair ne se dessèche pas et que la peau prenne une belle couleur, arrosez la volaille régulièrement toutes les 10 ou 15 minutes avec le jus de cuisson. Si vous constatez qu'elle se colore plus vite qu'elle ne cuit, protégez-la avec une feuille de papier d'aluminium ou réduisez la température du four.

TYPE DE VOLAILLE	TAILLE	CUISSON RAPIDE		CUISSON LENTE
		Temps de cuisson à haute température	Temps de cuisson à température moyenne	Temps de cuisson à température constante
POULET 	1 -1,5 kg	20 mn à { 220° Therm.: 7	15-20 mn à { 170° Therm.: 3	1-1½ h à { 170° Therm.: 3
	1,5-2,5 kg		30 mn-1 h	
CHAPON 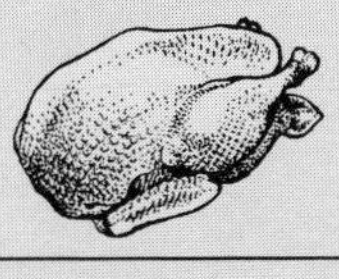	2,5-4 kg	30 mn à { 220° Therm.: 7	45 mn-1¾ h à { 180° Therm.: 4	2-3 h à { 170° Therm.: 3
DINDE	4-6 kg	30 mn à { 220° Therm.: 7	1½-2 h à { 180° Therm.: 4	2½-3 h { 170° Therm.: 3
	6-8 kg		2-2½ h	4-4½ h à
	8-10 kg		2½-3 h	4½-5 h
CANARD 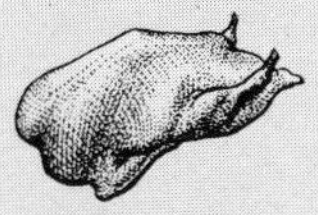	2-3 kg	45 mn à { 220° Therm.: 7	30 mn-1 h à { 180° Therm.: 4	
OIE 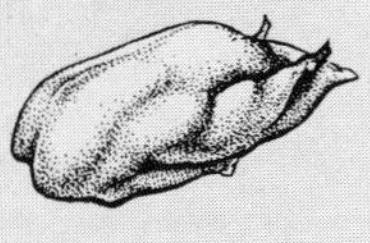	4-5 kg	45 mn à { 220° Therm.: 7	1¾-2 h à { 170° Therm.: 3	
	5-6 kg		2-2½ h	
PINTADE 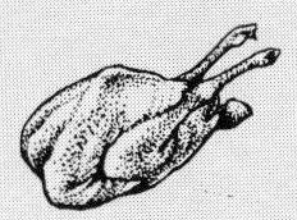	0,75-1,5 kg	30 mn-1 h à { 220° Therm.: 7		
POULET DE GRAIN PIGEON 	0,5-0,75 kg	20-30 mn à { 220° Therm.: 7		

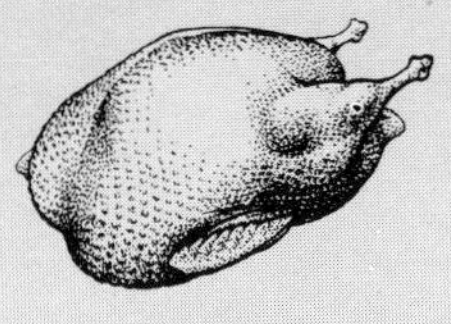

Apprendre à découper avec habileté et assurance

Il est facile de découper une volaille, en l'occurrence une dinde, à condition de disposer de deux bons instruments: une grande fourchette à deux dents et un couteau pointu au fil tranchant et à la lame longue et flexible pouvant sectionner une articulation tout en contournant l'ossature de la volaille.

Découpez d'abord la cuisse, l'aile et le blanc d'un côté de la dinde, puis de l'autre. Travaillez avec le dos de la fourchette pour le premier côté, pour ne pas percer la peau. Puis enfoncez solidement la fourchette dans la carcasse pour la stabiliser pendant que vous découpez l'autre côté. Si la dinde est farcie, retirez la farce à la cuillère par le cou et le croupion.

Le poulet et la pintade se découpent à peu près comme la dinde, mais les sujets plus petits se divisent simplement en deux (encadré ci-dessous); par contre, le canard et l'oie exigent une méthode de découpage différente (voir page 46).

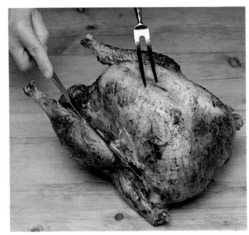

1 **Pour enlever une première cuisse.** Couchez la dinde sur le dos, sur une planche à découper ou dans un grand plat. Maintenez-la avec le dos de la fourchette. Coupez la peau entre la cuisse et le blanc. Inclinez la cuisse vers l'extérieur et tranchez-la à l'articulation (ci-dessus).

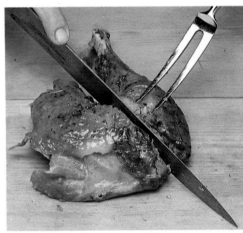

2 **Pour séparer le haut-de-cuisse du pilon.** Placez le couteau à l'angle formé par le haut-de-cuisse et le pilon, puis coupez la cuisse en deux, en appuyant fortement pour sectionner l'articulation.

Découpage des petites volailles

Découpez le poulet rôti avec ce même long couteau flexible qui a servi pour la dinde — et selon la même méthode, sauf pour les cuisses. Si le poulet est gros, coupez la cuisse en deux et servez chaque moitié séparément; s'il est petit, servez la cuisse en un seul morceau.

Pour découper les petits poulets de grain et autres petits volatiles, il vous faudra un couteau long mais rigide, et la méthode sera différente et beaucoup plus facile. Une moitié de poulet correspond exactement à une portion. Coupez simplement la volaille en deux.

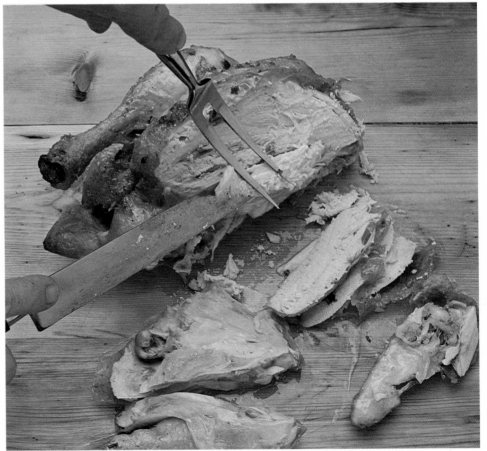

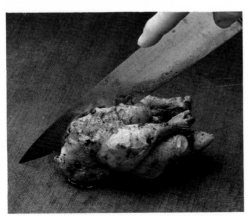

Une lame rigide peut couper les petits volatiles.

Une lame effilée et flexible se courbe en traversant le blanc du poulet.

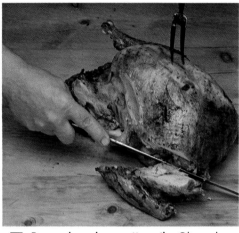

3 **Pour détailler le pilon.** Découpez le long du pilon *(ci-dessus)* une belle tranche épaisse, en gardant la peau. Puis coupez trois autres tranches de chaque côté du pilon, en le faisant pivoter.

4 **Pour détailler le haut-de-cuisse.** Placez la lame perpendiculairement à l'os du haut-de-cuisse, et coupez de haut en bas quatre tranches ou plus, en vous aidant d'une fourchette *(ci-dessus)*.

5 **Pour enlever la première aile.** Glissez la lame dans l'angle formé par la poitrine et l'aile. Faites bouger l'aile pour en trouver l'articulation ; tranchez-la *(ci-dessus)*. Puis enlevez l'aile et le blanc qui s'y rattache, pour former une portion.

6 **Pour détailler le blanc en aiguillettes.** Maintenez la fourchette appuyée du côté du sternum où vous allez découper, et faites glisser le couteau à la diagonale. Soulevez chaque aiguillette en la prenant entre la fourchette et le couteau *(ci-contre)*. Si vous avez retiré la fourchette avant de faire rôtir la volaille *(page 40)*, vous obtenez alors de belles et grandes aiguillettes comme illustré ici. □

Rôtissage et découpage des volailles grasses

Le rôtissage de l'oie et du canard, à la peau épaisse et grasse, diffère de celui des volailles maigres, comme la dinde et le poulet. Il est inutile de les barder ou de les graisser : au contraire, on fera en sorte que la graisse soit éliminée en cours de cuisson pour que la chair — ici celle de l'oie — ne soit pas trop grasse.

Pour commencer, piquez légèrement la peau sur toute sa surface, à l'aide d'une aiguille à brider (ou de tout autre instrument pointu) puis mettez l'oie farcie et troussée à four chaud. Vous l'arroserez toutes les 15 ou 20 minutes de sa graisse abondante, ce qui en activera l'élimination et fera dorer sa peau.

Le découpage suppose aussi une technique légèrement différente. En effet, le corps de l'oie ou du canard est plus étroit que celui d'une volaille maigre, et les ligaments des cuisses et des ailes plus resserrés et plus résistants. Vous aurez besoin d'un couteau à lame rigide pour trancher les fibres musculaires et, pour lever le blanc de la poitrine, d'une lame longue et flexible.

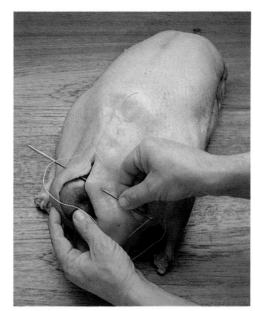

1 **Pour coudre le croupion.** Enlevez d'abord la fourchette, comme illustré à la page 40, puis emplissez l'oie d'une farce appropriée, sans trop tasser. La farce parfume la chair et l'aide à rester fondante : elle pourra se composer simplement, comme ci-dessus, de pommes entières et d'oignons. Cousez le croupion et troussez l'oie en suivant les explications données page 40.

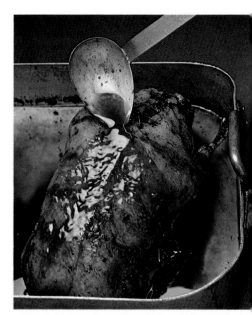

2 **Pour rôtir l'oie.** Mettez l'oie dans un plat, à four chaud : ajoutez un peu d'eau dans le fond pour que la graisse ne brûle pas pendant la cuisson (pour les températures et temps de cuisson, reportez-vous au tableau de la page 43). Retournez l'oie pour qu'elle prenne une belle couleur et que la cuisson soit homogène ; arrosez-la régulièrement dès que la graisse s'écoule.

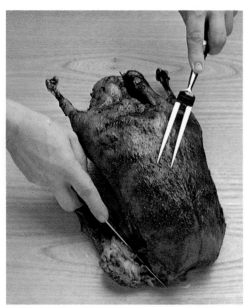

3 **Pour enlever l'aile.** Localisez la jointure en remuant doucement l'os de l'aile. Avec un gros couteau, tranchez ensuite fermement l'articulation *(ci-dessus)*.

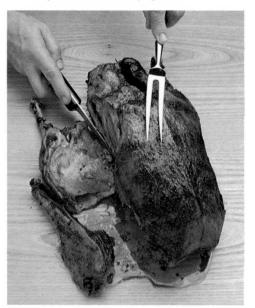

4 **Pour enlever la cuisse.** Avec ce même gros couteau, incisez la peau en arc autour de la cuisse. Coupez le plus près possible de la cage thoracique. La cuisse s'écartera du corps *(ci-dessus)*, en découvrant l'articulation. Coupez-la en écartant le haut-de-cuisse du pilon.

5 **Pour lever les aiguillettes.** Découpez le blanc de la poitrine en aiguillettes *(ci-dessus)* avec un couteau à lame longue et flexible. Commencez par la partie du devant, en tenant la lame presque à l'horizontale. Enlevez les aiguillettes en les maintenant entre le couteau et la fourchette pour ne pas percer la chair. □

Une variante peu habituelle : la farce sous la peau

La farce, qui sert d'ordinaire à garnir l'intérieur d'une volaille, peut aussi s'insérer entre la chair et la peau, ce qui fera d'une simple volaille au four un élégant festin. Bien qu'illustrée ici avec un poulet et une farce à base de courgettes et de fromage blanc *(préparation, page 39, recette, page 100)*, cette méthode permet d'utiliser de nombreuses farces et s'applique aussi à toutes les volailles maigres.

La peau d'une volaille, souple et résistante, ne tient fermement au corps qu'en quatre points : la colonne vertébrale, l'extrémité de chaque pilon et le sommet du bréchet. Partout ailleurs, ce ne sont que de fines membranes qui la retiennent à la chair, et que vous détacherez facilement en faisant doucement glisser les doigts sous la peau. Vous couperez la structure osseuse du volatile tout au long de la colonne vertébrale d'abord, puis vous l'aplatirez d'un coup sec *(ci-dessous)*. Vous glisserez entre la chair et la peau une couche de farce savoureuse de 5 cm environ d'épaisseur.

Si la peau du poulet est déchirée, prenez une grosse aiguille et du fil pour réparer le dommage.

Cette technique, qui peut paraître étrange, a néanmoins plusieurs avantages. La volaille aplatie cuit rapidement et de façon homogène, et la couche épaisse de farce, tout en protégeant la chair délicate du blanc, l'empêche de cuire prématurément et de se dessécher. Quant à la peau, souple et élastique, elle peut accueillir une très grande quantité de farce sans risquer de se fendiller au cours de la cuisson. En effet, elle se dilate et épouse les boursouflures de la farce qui se gonfle en cuisant. Humidifiée à l'intérieur par la farce et arrosée par le cuisinier, la volaille prend une belle couleur dorée.

Quelle merveille, pour vos hôtes, de découvrir, au découpage du poulet, que ces dehors si prometteurs renferment une surprise non moins succulente !

1 **Pour couper le long de la colonne vertébrale.** Posez le poulet sur le ventre. Avec des ciseaux à volaille, coupez la carcasse le plus près possible de la colonne vertébrale pour que la chair reste bien attachée de chaque côté. Si vous n'avez pas de ciseaux à volaille, posez le poulet sur le dos, prenez un grand couteau à lame longue et lourde, introduisez-le dans la cavité, appuyez fortement et coupez le long de la colonne vertébrale en lui imprimant un mouvement de levier.

2 **Pour aplatir le poulet.** Ouvrez le poulet le plus possible et posez-le sur une surface plane, la poitrine tournée vers le haut et les cuisses vers l'intérieur. Frappez-le carrément sur la poitrine, avec le plat de la main ou à l'aide d'un maillet en bois. N'hésitez pas à frapper fort, votre but étant de casser le bréchet, les clavicules, la cage thoracique et la fourchette pour supprimer la rigidité de l'ossature et gagner, de ce fait, plus de place sous la peau. ▶

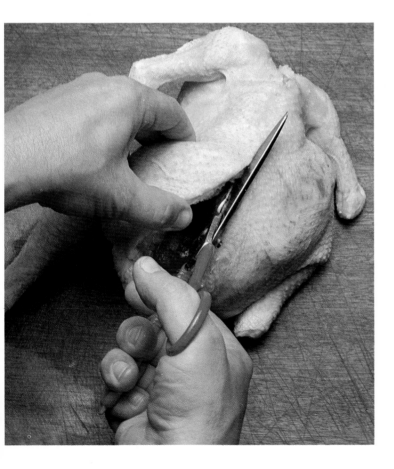
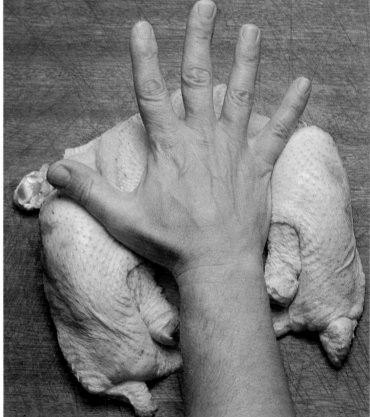

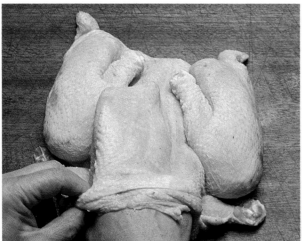

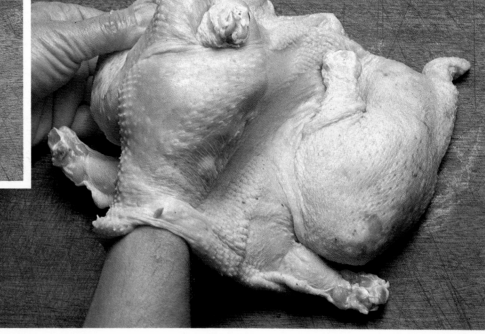

3 **Pour décoller la peau.** Insérez les doigts entre la chair et la peau, en allant du cou vers le croupion. Faites-les glisser doucement sur un **premier côté**, pour décoller la peau adhérant au blanc *(ci-dessus)*. De votre main entièrement engagée, libérez progressivement la peau de toute la cuisse en la laissant attachée à l'extrémité du pilon *(à droite)*.

4 **Pour farcir la volaille.** D'une main, introduisez la farce sous la peau, en partant du cou ; de l'autre, veillez à sa bonne mise en place *(à droite)*. Les hauts-de-cuisses et les pilons étant recouverts, garnissez la poitrine d'une couche bien épaisse. Enfin, rabattez la peau du cou pour en fermer l'ouverture et repliez-la soigneusement sous la volaille.

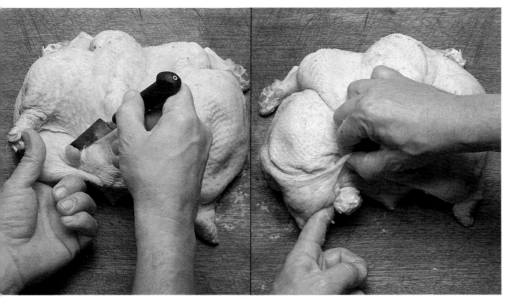

5 **Pour maintenir les pilons repliés.** Pour que les pilons ne s'écartent pas pendant la cuisson, glissez-les sous la peau. Faites une petite incision avec la pointe d'un couteau, entre les hauts-de-cuisses et la poitrine *(ci-dessus, à gauche)*, puis introduisez l'extrémité du pilon dans cette fente *(ci-dessus, à droite)*: la tête de l'os le maintiendra en place. Répétez l'opération avec l'autre pilon.

6 **Pour redonner sa forme à la volaille.** Avec les deux mains, lissez la peau de sorte que la farce épouse les formes de la poitrine et des cuisses. Dressez la volaille sur un plat que vous mettrez au four chaud. Baissez la température après 10 minutes et, au bout d'une demi-heure de cuisson, arrosez fréquemment. Laissez cuire pendant 50 à 60 minutes.

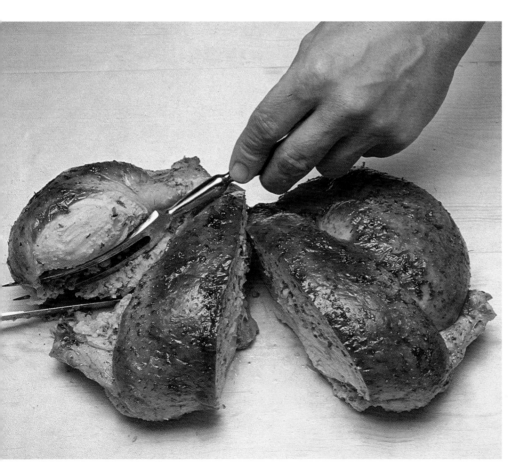

7 **Pour découper la volaille.** Commencez par diviser la volaille en deux à l'aide d'un couteau bien aiguisé en le faisant glisser délicatement à travers la peau et la farce. Les os ayant été brisés pour aplatir le poulet, vous n'aurez aucune difficulté à le fendre en travers de la poitrine. Pour détacher les cuisses, suivez le creux qui les sépare de la carcasse *(à gauche)*. □

L'art de la grillade

La grillade est un des meilleurs modes de cuisson pour apprécier une jeune volaille de qualité. Les grils à gaz et les grils électriques donnent de bons résultats mais, pour avoir une viande encore plus délicieuse, il est préférable de la cuire sur un gril à charbon de bois ou, mieux, au-dessus des braises d'un feu de bois. En jetant dans les braises quelques brindilles de poirier ou de pommier, ou des sarments de vigne, vous obtiendrez une viande particulièrement savoureuse et agréablement parfumée.

La grillade exige toujours plus de soins que la cuisson au four. Une volaille placée

Ce barbecue garni illustre les différentes préparations possibles pour ce mode de cuisson. On a aplati le poulet et la pintade (en bas, à gauche) pour les laisser entiers. Au-dessus, on a embroché des ailes de poulet pour pouvoir les retourner facilement. Des brochettes et des quarts de poulet occupent le reste du barbecue.

trop près de la braise risque de se carboniser à l'extérieur et de rester crue à l'intérieur. A l'inverse, une chaleur insuffisante la dessèchera avant qu'elle ait eu le temps de cuire. Avec les fours comportant une partie gril, on doit constamment surveiller la cuisson et modifier la température pour obtenir une viande qui ne soit ni carbonisée ni sèche. Avec les barbecues, on doit rectifier la position de la grille pour augmenter ou diminuer la chaleur au cours de la cuisson.

En règle générale, faites griller la volaille à feu modéré et à plus de 10 cm de la source de chaleur. Aplatissez les volailles à griller entières, comme les poulets et les pintades *(page 47)*, de manière à avoir le même degré de cuisson partout.

Pour préserver le moelleux et la saveur naturelle de la volaille, faites-la macérer dans une marinade à base d'huile *(page 12)* qui vous servira pour l'arrosage pendant la cuisson. Utilisez les blancs de poulet qui

se dessèchent vite en kebabs ou en brochettes. Pour cela, coupez-les en petits morceaux, faites-les mariner et placez-les sur une brochette avec des légumes (poivrons verts, champignons et oignons, par exemple), quelques feuilles de laurier et des tranches de lard roulées. Arrosez souvent les légumes pendant la cuisson pour qu'ils ne se dessèchent pas avant que la viande soit cuite.

Vérifiez la cuisson en pinçant la chair entre votre pouce et votre index. Elle doit être ferme et élastique. Ne piquez pas la chair de la cuisse comme dans la cuisson au four *(page 42)* pour ne pas perdre le jus.

1 **Macération.** Badigeonnez généreusement la volaille d'une marinade à base d'huile. Ici, on frotte des quarts de poulet avec de l'huile d'olive, des herbes aromatiques séchées, du sel et du poivre. Pour relever davantage le goût, laissez macérer au moins une ou deux heures avant la cuisson.

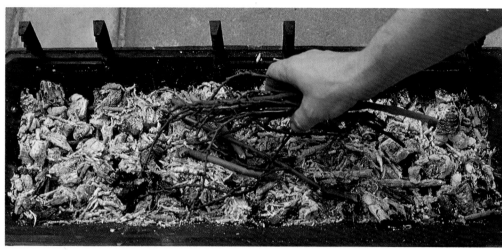

2 **Préparation du barbecue.** Espacez les morceaux de charbon pour faciliter l'aération, et allumez. Le feu sera prêt au bout de 45 minutes environ, quand les braises seront couvertes de cendres grises. Ajoutez quelques brindilles de bois aux essences parfumées *(ci-dessus)* de votre choix, puis disposez la volaille sur la grille.

3 **Arrosage.** Arrosez souvent les morceaux avec de l'huile ou avec la marinade pour qu'ils ne se dessèchent pas. Pour donner un parfum supplémentaire, effectuez l'arrosage avec un pinceau fait de brins de romarin *(à droite)*, ce qui vous permettra d'utiliser directement cette herbe très forte.

4 **Cuisson.** Comptez 20 minutes par côté pour les volailles entières préalablement aplaties et les grosses pièces, et de 10 à 15 minutes pour les brochettes et les morceaux de la taille d'une aile. Avant d'enlever la viande du barbecue, ajoutez un brin de romarin sur le feu pour donner une pointe d'arôme supplémentaire. ☐

4
Le braisage
Ou comment jouer avec les saveurs

Bien français mais adopté dans le monde entier, le mot « braise » désigne à l'origine des charbons de bois incandescents comme on en voyait autrefois dans les braseros, auprès des gardiens de nuit. Sa première apparition dans le langage culinaire remonte au temps où l'on enfermait les aliments dans une braisière que l'on enfouissait dans les cendres chaudes. La cuisson lente et progressive durait souvent toute une nuit. La plupart des anciennes marmites en cuivre possédaient un couvercle concave sur lequel on entassait des braises chaudes afin de mieux répartir la chaleur. Aujourd'hui, « braiser » est le terme général employé pour les viandes et les légumes cuits à l'étouffée dans une marmite contenant très peu de liquide, à four très doux ou sur une source de chaleur très faible. On utilise cette méthode pour les daubes, les ragoûts et les fricassées, dont la préparation peut varier dans les détails, mais reste la même à la base.

Le braisage permet des variantes succulentes, avec la volaille par exemple. Souvent, on commence par faire dorer les morceaux de volaille dans de la matière grasse, afin d'obtenir des particules croustillantes qui contribueront à l'arôme, à la consistance et à la coloration du fond de braisage. Puis on retire la volaille pour faire colorer dans cette même graisse les légumes aromatiques, généralement oignons et carottes. On mouille ensuite avec de l'eau, du bouillon ou un honnête vin de table, en remuant bien afin d'incorporer tous les résidus en dépôt et d'obtenir un fond homogène. Enfin, on remet la volaille dans la sauce et l'on referme la cocotte. La volaille cuit doucement dans ce jus qui ne doit pas bouillir : une trop haute température durcirait la viande sans pour cela écourter le temps de cuisson et le bouillonnement nuirait à l'harmonie des arômes.

Une fois la viande cuite, la sauce contient encore des graisses en émulsion, indigestes, que vous retirerez délicatement en les attirant à la surface *(page 57)*, car elles donnent aux aliments un goût pâteux. Ainsi dégraissé et clarifié, le fond de braisage sera plus léger et plus savoureux. Après cette opération, on peut réduire le bouillon pour mieux en concentrer l'arôme et lui donner plus de consistance, ou même le passer avec une partie de ses légumes. La saveur de ce plat sera d'autant plus harmonieuse que vous apporterez plus de soin à sa préparation.

Pendant la préparation d'un simple braisé, on ajoute du vin rouge aux morceaux de poulet, aux carottes et oignons légèrement dorés au préalable. Lorsque l'ensemble frémit, le vin attire les sucs du poulet et des légumes, tout en apportant son propre bouquet bien distinct.

Poulet braisé traditionnel

Le poulet braisé au vin est à l'origine d'une multitude d'autres plats; cette recette classique a été reprise dans nombre de pays avec des variations propres à chacun. L'une des plus célèbres nous vient de Bourgogne: le fameux coq au vin *(recette, page 120)*, accommodé au vin rouge et corsé de la région. Ce plat, entouré des soins et de l'attention qu'il mérite, sera un magnifique exemple de notre cuisine provinciale et le modèle tout désigné du braisage.

En Bourgogne, on préférera un coq de ferme d'environ un an. Un gallinacé de cet âge, trop dur pour être rôti ou rissolé, aura plus de saveur que ses cadets. Sa chair, ses tendons et ses cartilages rendront une gélatine qui épaissira et corsera le fond de braisage. Puisque, vraisemblablement, vous ne pourrez trouver qu'un poulet d'élevage, vous choisirez une grosse volaille à rôtir. Et, pour donner plus de corps à la sauce, vous pourrez ajouter au vin un fond de veau *(encadré ci-dessous)*.

Comme bien des braisés, le coq au vin se compose de plusieurs ingrédients. Pour mieux mettre leur goût en valeur, il vous faudra d'abord les préparer séparément. Si certaines recettes se prêtent à des variantes quant au choix des ingrédients et à leur ordre d'utilisation, le coq au vin, en revanche, se traite le plus souvent de la façon suivante: commencez par faire rissoler du lard non fumé taillé en lardons. Puis faites cuire les légumes aromatiques dans la graisse rendue et, enfin, mettez les morceaux de poulet à colorer dans la braisière. Alors, seulement, mouillez avec le liquide de braisage.

Pendant que le poulet mijote sur le feu ou au four, faites cuire partiellement la garniture de légumes (dans le cas illustré ici, des petits oignons blancs et des champignons) et réservez-les. Vous ne les ajouterez dans la braisière qu'à la dernière minute, afin de préserver leur forme, leur consistance et leur saveur.

Dès que le poulet est à point, dégraissez le fond de braisage et passez-le; vous obtiendrez ainsi une sauce riche, pure et parfaitement digeste.

1 **Pour préparer les aromates.** Faites rissoler les petits lardons dans un peu d'huile (le lard fortement salé devra d'abord être blanchi pour éliminer l'excès de sel, puis égoutté). Quand les lardons sont bien dorés, retirez-les et égouttez-les, ils feront partie de la garniture finale. Faites revenir doucement, dans la même casserole, les oignons hachés et les carottes coupées en tronçons *(ci-dessus, à droite)*. Laissez-les cuire environ 20 minutes, en les remuant souvent pour qu'ils ne brûlent pas, puis retirez-les de la casserole et réservez-les.

Les multiples avantages d'un fond de veau

Un bon bouillon sert littéralement de base à des milliers de plats, depuis les sauces les plus délicates jusqu'aux ragoûts les plus nutritifs. Rien ne vaut un bouillon accommodé d'ingrédients frais et naturels. Son rôle, en effet, est de contribuer au corps et à la saveur du plat, sans masquer le goût des ingrédients qu'il accompagne — ainsi le veau, dont la saveur est douce, constitue le meilleur bouillon tout usage, idéal pour n'importe quelle préparation de volaille.

Pour réaliser un fond de veau *(recette, page 166)*, vous aurez besoin d'un jarret de veau fracturé, qui fournira la gélatine, et de quelques morceaux de veau de second choix — bouts de côte ou crosse encore bien garnie de viande — pour la saveur. Vous accompagnerez de légumes aromatiques, carottes, oignons et bouquet garni, et porterez le tout à faible ébullition pendant 4 heures environ.

Vous enlèverez la graisse en surface et passerez ensuite le bouillon. Bien qu'il faille tout ce temps-là aux os pour donner de la gélatine, au cours des deux premières heures de cuisson la viande aura déjà rendu beaucoup de tout ce qu'elle a de bon; vous pourrez donc la retirer. Le veau froid ou chaud, servi avec du gros sel, est excellent.

Comme le temps de cuisson est très long, vous avez tout intérêt à préparer une grande quantité de fond de veau à la fois: assez pour une ou deux semaines. Vous le conserverez dans un récipient fermé au moins une dizaine de jours au réfrigérateur, à condition de le faire bouillir quelques minutes tous les trois ou quatre jours, pour empêcher la formation des bactéries. Ou, puisque le fond de veau ne perd aucune de ses qualités au congélateur, vous pouvez le surgeler en le fractionnant en demi-litres.

2 **Pour faire blondir le poulet.** Salez légèrement les morceaux de poulet. Ajoutez éventuellement un peu plus de matière grasse dans la casserole et laissez cuire à feu modéré en les retournant pour qu'ils blondissent de toute part. Saupoudrez le poulet d'un peu de farine *(ci-dessus, à droite)* et continuez à retourner les morceaux jusqu'à ce que la farine se colore légèrement. Celle-ci contribuera à épaissir le fond de braisage. Remettez les oignons et les carottes dans la casserole avec les morceaux de poulet.

3 **Pour flamber au cognac.** Le cognac n'est pas essentiel, mais vous pouvez l'utiliser même si la recette ne le mentionne pas. L'alcool disparaît en flambant et, seule subsiste la quintessence du cognac qui dote le plat d'un parfum subtil. Versez-en un peu (trop nuirait aux autres arômes), enflammez-le et remuez le contenu de la casserole jusqu'à extinction des flammes. ▶

1 **Pour clarifier le fond de braisage.** Mettez les os de veau et la viande dans une marmite et recouvrez d'eau froide. Faites chauffer doucement, de façon à n'atteindre le point d'ébullition qu'au bout d'une heure environ. Retirez l'écume qui se forme en surface (elle montera plus vite si, entre chaque écumage, vous versez un petit verre d'eau froide) à l'aide d'une cuillère, jusqu'à ce qu'il n'y en ait plus.

2 **Pour faire cuire les légumes.** Ajoutez dans le fond de braisage frémissant les carottes entières, les oignons (l'un d'eux piqué de 2 ou 3 clous de girofle) et un bouquet garni. Si vous aimez, ajoutez une tête d'ail entière mais non pelée car, en cuisant longtemps, les gousses d'ail pelées fondraient dans le bouillon.

3 **Pour passer le fond de veau.** Laissez mijoter le fond de veau pendant environ 4 heures. Passez-le ensuite délicatement et versez-le dans une soupière ou dans un autre récipient.

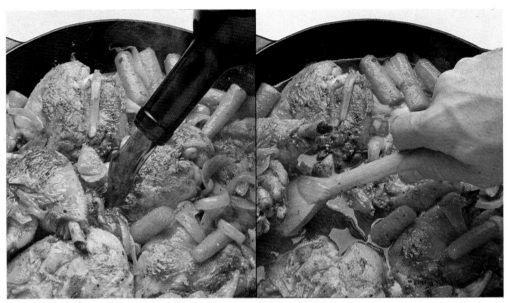

4 **Pour déglacer au vin.** Versez le vin dans la casserole (soit le même que celui que vous servirez à table, soit un autre bon vin rouge) et portez-le à ébullition. Raclez le fond de la casserole *(ci-dessous, à droite)* à l'aide d'une cuillère en bois, pour en détacher les résidus qui sont d'importants éléments de saveur. L'opération suivante, le braisage à petit feu, peut se faire dans la même casserole ou dans une marmite en terre. Si vous choisissez cette dernière, protégez-la du contact direct de la flamme au moyen d'une plaque spéciale.

5 **Pour ajouter le fond de veau.** Recouvrez le poulet avec le fond de veau chaud et ajoutez un bouquet garni *(page 15)*. Réglez le feu de façon que le jus de cuisson frémisse à peine. Si vous faites cuire un vieux coq, laissez-le mijoter pendant une heure et demie ; pour un jeune poulet, 45 minutes devraient suffire.

6 **Pour préparer la garniture.** Pendant que le poulet cuit, épluchez les petits oignons. Faites-les cuire dans le beurre, à couvert et à feu doux, pendant 20 ou 30 minutes. Remuez-les ou agitez-les souvent pour leur donner une coloration uniforme. Lavez et égouttez les champignons, coupez les queues si elles sont importantes. Lorsque les oignons sont prêts, mettez-les de côté. Dans la même casserole, mettez les champignons dans le beurre et laissez quelques minutes à feu vif, pour que le jus rendu s'évapore rapidement *(ci-dessus, à droite)* et que les champignons ne se ramollissent pas.

7 **Pour passer le fond de braisage.** Dès que les morceaux de poulet sont moelleux, retirez-les et dressez-les sur un plat chaud. Passez le fond de braisage au-dessus d'une autre casserole. Jetez ce qui reste du bouquet garni et remettez les carottes et le poulet dans la braisière. Les oignons, contrairement aux carottes, auront perdu presque toute leur consistance, mais ne les jetez pas : passez-les au tamis en les pressant au pilon *(ci-dessus, à droite)* ou à la cuillère en bois, ils donneront plus de corps à la sauce. Dégraissez bien la sauce à l'aide d'une cuillère puis d'un papier absorbant.

8 **Pour dégraisser la sauce.** Portez la sauce à ébullition, puis réduisez le feu et décalez la casserole de façon que l'ébullition ne se poursuive que d'un côté. Attendez que la peau qui se forme à la surface épaississe bien, vous l'enlèverez plus facilement. Répétez cette opération jusqu'à ce que la peau soit claire et que la sauce ait assez de consistance pour napper une cuillère.

9 **Pour préparer le plat.** Ajoutez au poulet et aux carottes, les oignons, les champignons et les lardons mis de côté. Nappez avec la sauce dégraissée. Réchauffez à faible ébullition pendant 15 ou 20 minutes.

10 **Pour finir le plat.** Faites frire au beurre des cubes de pain de mie pour en faire de beaux croûtons dorés. Utilisez du pain légèrement rassis, retirez-en la croûte et ne lésinez pas sur le beurre. Parsemez les croûtons de persil haché, ou d'une persillade composée de persil haché et d'ail pilé *(ci-dessus)*. Laissez cuire les croûtons persillés pendant une minute, puis éparpillez-les sur le plat *(à droite)*. ☐

Comment transformer un braisé en fricassée

Quand des jaunes d'œufs avec de la crème fraîche sont mélangés à un fond de braisage tiède, ils forment une émulsion et constituent une liaison qui épaissit le liquide pour le transformer en une sauce riche et onctueuse. En terminant un poulet braisé par une sauce aussi somptueuse, vous obtiendrez une fricassée de volaille *(recettes, pages 114, 122)*.

Cette préparation est presque identique à celle du coq au vin, expliquée aux pages précédentes, à cela près qu'il ne faut pas mettre de lardons, pour ne pas masquer le goût délicat de cette sauce et qu'il faut remplacer le vin rouge par du vin blanc. De plus, la préparation de la fricassée s'accompagne d'une phase supplémentaire pour mélanger les œufs et la crème au fond de braisage.

Pour réussir cette sauce, faites en sorte que les jaunes d'œufs ne cuisent pas tout à fait. Si vous donnez trop vite trop de chaleur, les protéines des jaunes se coaguleront et la sauce deviendra grumeleuse. Une fois que vous aurez bien mélangé la crème aux jaunes d'œufs, délayez cette liaison en ajoutant un peu de fond de braisage chaud avant de verser le tout dans la casserole, pour éviter tout risque de coagulation. Dès lors, veillez à ne pas surchauffer l'ensemble. Faites-le mijoter doucement sans la moindre ébullition, et vous obtiendrez une sauce onctueuse et lisse.

1 **Pour lier aux jaunes d'œufs.** Prenez un saladier et incorporez très délicatement les jaunes d'œufs à la crème à l'aide d'une fourchette. Remuez sans cesse jusqu'à ce que le mélange soit homogène.

2 **Pour délayer la liaison.** Versez une petite quantité du fond de braisage chaud (il ne doit surtout pas être bouillant) sur ce mélange aux œufs et à la crème, tout en remuant délicatement.

3 **Pour épaissir la sauce.** Mettez la casserole contenant le poulet à feu très doux. Ajoutez la liaison à l'œuf et à la crème au reste de fond de braisage. Remuez, en déplaçant les morceaux, jusqu'à ce que la sauce soit bien prise. Pour éviter une surchauffe, n'hésitez pas à éloigner la casserole du feu ou même à en plonger la base dans un peu d'eau froide. Remuez jusqu'à ce que la sauce épaississe.

Du bon usage des vins et des spiritueux en cuisine

Le vin est, certes, l'accompagnement idéal d'un bon plat, mais il est aussi l'élément savoureux de nombreuses préparations culinaires; en effet, bien des recettes lui attribuent des rôles importants et divers. Utilisé en marinade *(page 12)*, il contribuera à attendrir les morceaux de volaille et à les parfumer; dans un braisé, il sera tout ou partie du liquide; enfin, il peut être utilisé pour déglacer une casserole dans laquelle vous aurez fait un sauté: vous obtiendrez ainsi une sauce savoureuse.

Le vin utilisé en cuisine doit toujours être cuit. Car si l'alcool qu'il contient est parfaitement appréciable en tant que boisson, associé aux aliments, il est âpre et déplaisant. Par ailleurs, le vin contient des acides, du tanin et d'autres composés organiques complexes qui, non cuits, communiqueraient à la sauce un goût vineux trop prononcé et fort désagréable. L'alcool s'évapore à 80° soit en dessous du point d'ébullition de l'eau, si bien que, même pendant le lent frémissement d'un braisé, il s'évaporera peu à peu. Mais, pour les recettes dans lesquelles le vin doit cuire moins de 45 minutes, vous devrez le faire réduire, en le portant vivement à ébullition, pour en éliminer l'alcool et adoucir l'âpreté des autres composants. Par ce traitement, seul l'arôme essentiel du vin subsiste et imprègne le plat.

Il convient donc d'utiliser un vin de bonne qualité. Les vins les plus fins, cependant, perdent trop leurs précieuses qualités pour convenir en cuisine.

Vous pourrez choisir indifféremment un vin rouge ou blanc. Le vin rouge corse davantage une sauce et lui donne une couleur plus soutenue, tandis que le blanc est généralement plus acide et d'un bouquet plus délicat. La volaille se cuit presque toujours au vin blanc — sauf exceptions, tel le coq au vin *(pages 54-57)*. Si vous substituez un vin à un autre, vous obtiendrez un plat différent mais non de qualité inférieure.

Étant donné leur saveur particulièrement corsée, les vins très alcoolisés comme le xérès, le porto et le madère sont relativement moins utilisés pour la cuisson des volailles — ils peuvent servir à parachever un aspic de volaille froid *(page 86)*, ou à enrichir certaines sauces

Du madère versé dans une casserole où l'on a fait sauter des morceaux de poulet et des champignons donne une sauce veloutée et légèrement sucrée. Une ébullition rapide épaissira la sauce et éliminera l'alcool du vin.

à la dernière minute, comme dans la recette donnée page 112. En revanche, plus que toute autre volaille, le canard s'accommode parfaitement bien de la saveur forte du porto que vous pouvez utiliser comme marinade ou fond de braisage dans des recettes telles que *le Canard à la mantouane (page 156)*.

Les eaux-de-vie ainsi que les liqueurs (whisky, rhum, gin, cognac, etc.) ont un arôme encore plus fort. Si le whisky, ou même le gin, entrent dans la composition de certains plats, le cognac est plus particulièrement recommandé pour la volaille. Mais, étant donné son goût très prononcé, rares sont les recettes qui en exigent plus d'un demi-verre. Comme pour le vin, vous n'utiliserez qu'un cognac de bonne qualité; s'il est très vieux, vous le garderez comme digestif.

On ajoute généralement le cognac en début de cuisson, puis on le chauffe à feu vif et on le fait flamber pour éliminer l'alcool. Le côté spectaculaire du flambage enchante certains, et d'autres ont la conviction que, flambé, le cognac diffuse

son arôme aux aliments et les imprègne de toutes parts. Pour flamber, penchez la casserole vers la flamme, ou approchez une allumette enflammée du liquide en ébullition. Toutefois, il n'est pas absolument nécessaire de flamber le cognac, puisque l'alcool s'évaporera de lui-même.

Des eaux-de-vie blanches peuvent aussi apporter des saveurs très délicates où s'exhale le parfum des baies avec lesquelles elles sont faites. La bière et le cidre s'utilisent également. Comme le vin, ils résultent d'une fermentation longue et complexe. Les bières blondes légères sont préférables pour la cuisson de la volaille mais, dans certains cas, on recommande les brunes *(recette, page 116)*. Le cidre sec (le non gazeux est le meilleur) constitue un excellent fond de braisage pour la volaille, et son goût délicat convient particulièrement bien au poulet. Un bon cidre peut éventuellement remplacer le vin blanc utilisé dans certaines recettes, par exemple pour la *Poule au mouton (recette, page 111)*, et donner un arôme tout aussi délicat.

La daube : un lent braisage pour la dinde et l'oie

La daube est un ancien mode de braisage qui consiste à faire mijoter à couvert viande et légumes dans un peu de liquide pendant plusieurs heures. Ce type de cuisson s'applique aussi bien au canard, au gibier à plumes, à la dinde *(recette, page 144)* qu'à l'oie (que nous avons choisie ici), car ces viandes peuvent supporter une cuisson assez longue sans pour autant perdre ni leur goût ni leur consistance.

Afin que votre daube soit encore meilleure, vous y ajouterez des couennes de lard frais et autres parures qui donneront une gélatine naturelle. Par ailleurs, leur longue cuisson apportera à la sauce une richesse incomparable. Pour lui donner plus de consistance, vous pourrez ajouter deux pieds de veau *(en bas, à gauche)*.

Pour préparer une daube, disposez successivement les morceaux d'oie, les parures, les pieds de veau et un assortiment de légumes coupés en carrés. Ce plat se prépare, traditionnellement, dans une daubière. Cependant, n'importe quelle autre casserole conviendra pourvu qu'elle soit suffisamment profonde pour contenir tous les ingrédients.

1 **Pour préparer la volaille.** Découpez la volaille selon la méthode illustrée page 16. S'il s'agit d'une oie ou d'une dinde, vous diviserez la poitrine en six morceaux. Dans le cas de l'oie et du canard, vous mettrez les morceaux sur le gril pendant 20 minutes, la partie peau au-dessus, pour éliminer la graisse en excès.

2 **Pour préparer les pieds de veau.** Fendez les pieds de veau dans le sens de la longueur pour qu'ils rendent leur gélatine plus facilement. Détaillez la couenne de lard en carrés de 5 cm. Faites blanchir ces parures pendant 5 minutes, puis égouttez-les et rincez-les à grande eau.

3 **Pour remplir la daubière.** Hachez menu divers légumes : oignons, échalotes et carottes, ainsi que des tomates et des champignons si vous le désirez, comme ici. Tapissez le fond de la daubière avec des lardons et les pieds de veau. Superposez ensuite, en couches successives, les morceaux d'oie, les légumes et les lardons, et saupoudrez-les légèrement de sel. A mi-hauteur, ajoutez un gros bouquet garni, ainsi qu'un petit morceau de zeste d'orange séché. Continuez à disposer les éléments en couches successives ; terminez avec une couche de légumes et de couenne de lard.

4 **Pour cuire avec le vin.** Versez alors suffisamment de vin, rouge ou blanc, pour couvrir les ingrédients. Couvrez et portez à très faible ébullition, soit sur le feu, avec une plaque protectrice entre le récipient et la flamme, soit au four. Laissez cuire pendant 5 heures à feu extrêmement doux. La dinde et le gibier demanderont moins de temps, de 2 à 4 heures selon l'âge.

5 **Pour dégraisser.** Si vous désirez servir la daube le jour même, vous pourrez retirer la graisse à l'état liquide. Mais le dégraissage sera plus aisé si le plat peut refroidir toute une nuit, car la graisse sera alors figée. Le fait de laisser refroidir le plat et de le réchauffer présente un autre avantage, celui d'en parfaire la saveur.

6 **Pour parfaire la daube.** Réchauffez la daube très doucement pour que la viande ne se défasse pas — 1 heure et demie de cuisson devrait suffire. Si le jus vous semble trop liquide, passez-le dans une petite casserole, faites-le réduire et dégraissez-le. Servez le tout dans la daubière. □

Comment braiser un canard désossé et farci

Des générations de gourmets ont apprécié la saveur succulente du canard, mais de tout temps on a été embarrassé pour trouver une préparation permettant d'accroître le nombre de parts. Le canard est souvent assez cher et il offre proportionnellement moins de viande et plus d'os que la plupart des autres volailles.

On peut pallier cet inconvénient en désossant le canard *(page 20)*, et en remplaçant le squelette par de la farce. Celle-ci représentant, de ce fait, une partie importante du plat, un canard qui normalement conviendrait pour deux personnes devient amplement suffisant pour six. Débarrassé de ses os, il se découpera aussi aisément qu'un rôti, si bien que sa présentation et son découpage à table ne manqueront pas de provoquer un effet de surprise teintée d'admiration.

Ce qui importe, c'est de choisir une farce qui s'harmonise bien avec la saveur de cette volaille. Une farce à base de légumes, des bettes ou des épinards par exemple *(page 39)*, conviendra parfaitement: sa saveur franche, nette et simple ne sera pas dominée par celle du canard. Un fromage blanc frais (type Saint Florentin) apportera à la farce une consis-

tance crémeuse, tandis qu'une liaison aux œufs assurera une coupe bien nette du canard au moment de le servir.

Le canard désossé et farci peut être rôti ou braisé, ou cuit selon un mode de cuisson qui combine le rôtissage et le braisage, comme on le voit ici. On commence par le rôtir partiellement, ce qui facilite l'élimination de la graisse en excès et donne à la peau de la volaille une teinte d'un brun appétissant; ensuite on le braise, ce qui permet d'utiliser les os prélevés. Vous ferez bouillir ces derniers doucement, plusieurs heures, dans un fond de veau *(page 54)* ou dans de l'eau avec des légumes aromatiques, pour en extraire la gélatine et la saveur. La réduction de ce fond de braisage permet d'obtenir une sauce somptueuse. Vous préparerez le fond de veau bien à l'avance pour disposer de tout le temps nécessaire à la préparation du plat.

Bien que cette recette demande beaucoup de soins et une bonne organisation, aucune des opérations qui consistent à désosser, farcir et brider ne présente de difficulté. L'infinie variété des farces qui peuvent se marier au canard donne à ce plat toute son originalité.

Arrosage de précision

La poire d'arrosage, conçue pour aspirer le jus de cuisson, est un accessoire pratique pour arroser les volailles qui cuisent à couvert et à court mouillement.

1 **Pour farcir le canard.** Remplissez le canard désossé en lui redonnant sa forme première et les deux tiers de sa taille initiale. Pendant la cuisson, la volaille se contractera légèrement, tandis que la farce aura tendance à se dilater; ne la tassez donc pas trop car elle pourrait percer la peau et se répandre.

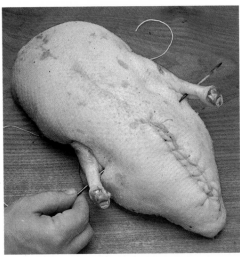

2 **Pour brider le canard.** Pour que le canard conserve bien sa forme pendant la cuisson, vous le briderez selon la méthode utilisée pour la dinde *(page 40)*, en maintenant bien le pan du cou pour que la farce reste à l'intérieur de la volaille.

3 **Pour rôtir le canard.** Piquez tout le corps du canard pour faciliter l'écoulement de l'excès de graisse. Disposez-le sur le côté dans un plat et laissez-le cuire 45 minutes à four préalablement chauffé en le retournant toutes les 15 minutes, et en terminant par la poitrine. Pour stimuler l'élimination de la graisse, arrosez-le souvent avec le jus qu'il a rendu.

4 **Pour braiser le canard.** Enlevez le canard du plat et retirez l'excès de graisse. Déglacez avec un peu de vin. Mettez le canard dans une cocotte à couvercle hermétique et remplissez-la du fond de veau chaud jusqu'à une hauteur d'environ 7,5 cm. Ajoutez le jus du déglaçage, couvrez la cocotte et mettez-la à four chaud. Faites braiser pendant 20 minutes. Puis retirez le couvercle et laissez braiser encore 30 minutes, en arrosant souvent *(à gauche)*; au fur et à mesure que le fond réduit, le canard, arrosé du jus de cuisson, prend une belle teinte glacée.

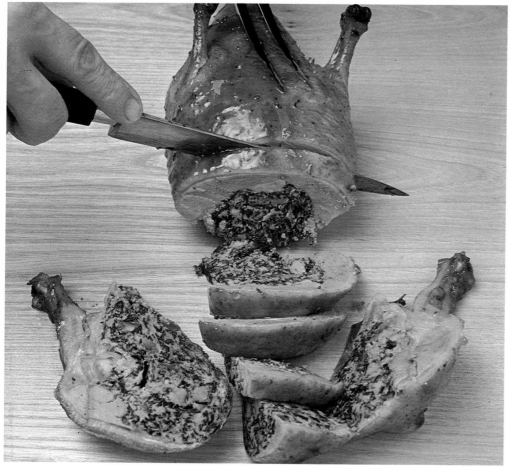

5 **Pour découper le canard.** Éteignez le four. Versez le fond de braisage dans une petite casserole, recouvrez la cocotte et remettez le canard dans le four tiède. Préparez une sauce en faisant réduire le fond de braisage et en le clarifiant *(page 57)*. Placez le canard sur un plat ou une planche à découper et retirez les ficelles. Si vous apportez le canard entier sur la table, vos invités seront émerveillés de voir avec quelle facilité vous le découpez. □

5
Le pochage
Simple et délicieux

Au début du XVIIe siècle, le poulet était un tel luxe que sa présence sur la table symbolisait véritablement une grande richesse. C'est alors que le roi Henri IV déclara : «Je souhaite que mon bon peuple puisse mettre la poule au pot tous les dimanches !» C'est à la cuisson «au pot» que Henri IV faisait allusion (voir pages suivantes), c'est-à-dire au pochage d'une poule dans un bouillon de légumes. La poule au pot est restée un plat très apprécié, ce qui se justifie par les qualités de cette délicieuse recette à la fois simple, savoureuse et économique.

La différence entre le pochage et le braisage réside surtout dans le dosage du mouillement. Braisée, la volaille prend un goût succulent en mijotant dans une quantité de liquide relativement faible. Pochée, elle nécessite une plus grande quantité de liquide qui n'est, en général, que de l'eau ou du bouillon. En outre, le liquide de pochage est rarement réduit, contrairement à celui du braisage ; on peut en réserver une petite quantité et le transformer en sauce suprême, et servir le reste en potage ou l'utiliser comme fond pour la préparation d'autres plats.

La plupart des recettes de pochage s'appliquent au poulet, farci et entier, accompagné de légumes aromatiques : carottes, oignons et navets, soit entiers, soit coupés en gros morceaux pour qu'ils ne se défassent pas pendant leur longue cuisson. Vous pouvez également choisir d'autres types de volailles, la dinde ou l'oie par exemple *(recette, page 160)* à condition toutefois de posséder un récipient assez grand. N'hésitez pas non plus à apporter des variantes dans le choix des légumes.

Quels que soient la volaille et les légumes que vous avez sélectionnés, tout l'art du pochage réside dans la régulation de la température du liquide au cours de la cuisson. La poule devra être plongée dans une marmite d'eau froide ou tiède, et le liquide sera porté à un degré d'ébullition à peine perceptible. Si la poule était plongée directement dans le liquide bouillant, la peau risquerait de se fendiller. Le bouillon doit à peine frémir pendant la cuisson afin que la poule ne se dessèche pas et ne devienne pas filandreuse. Pour Escoffier, ce point était si important qu'il a écrit : «La meilleure définition à donner à ces préparations serait celle de *Bouillis sans ébullition*, si cette expression ne constituait pas un non-sens.»

Une poule dodue apparaît étincelante quand on la sort du liquide de pochage. Les légumes qu'on aperçoit à la surface du bouillon en ont merveilleusement corsé la saveur : ils constitueront une délicieuse garniture pour la volaille.

Réaliser tout un repas à partir d'un plat unique

Une poule pochée et les légumes qui l'accompagnent peuvent constituer un véritable repas. Ils seront servis en plat principal et le liquide de pochage, transformé en délicieux bouillon grâce à la cuisson prolongée, trouvera sa place, en entrée, avec des croûtons ou une tranche de pain et, éventuellement, saupoudré de fromage râpé.

Ce mode de cuisson s'est développé chez les paysans qui pouvaient ainsi servir de vieilles poules dures, mais vous pouvez remplacer la poule par un gros poulet à rôtir (recette, page 127). Il faudra compter environ 1 heure un quart de cuisson pour ce genre de volaille — soit à peu près la moitié du temps requis pour une poule plus âgée. Et, si la viande gélatineuse d'une poule âgée fournit un bouillon plus savoureux, celle d'un jeune sujet est incomparable pour sa tendreté.

Toutes les volailles gagnent à être farcies avant d'être pochées. La farce, en effet, augmente leur saveur et constitue une délicieuse garniture. Vous pouvez très bien utiliser les farces recommandées pour les volailles à rôtir (recettes, page 164), en prenant soin de coudre les ouvertures pour que la farce ne s'échappe pas. Si vous prévoyez un repas économique, préparez plus de farce qu'il n'en faut pour la poule et prenez le surplus pour farcir des feuilles de choux préalablement blanchies que vous cuirez ensuite 30 minutes dans le fond de pochage frémissant.

Bridez la poule et recouvrez-la d'eau. Portez à ébullition et écumez le liquide. Une fois ces opérations terminées, ajoutez les légumes aromatiques — ici des poireaux, des carottes, des oignons et un bouquet garni, plus une tête d'ail entière. En général, la poule se sert avec les légumes; mais si vous pochez une vieille poule, les 2 heures requises pour rendre la chair fondante vont amollir et tarir les légumes dont les sucs seront passés dans le bouillon. Si vous les remplacez par des légumes frais, environ 30 minutes avant la fin de la cuisson de la poule, vous obtiendrez une garniture qui aura conservé sa saveur et sa consistance.

1 **Pour immerger la poule.** Farcissez et bridez la poule comme pour la rôtir (page 40). Mettez-la dans une marmite et versez-y juste assez d'eau pour la recouvrir. Ajoutez du sel et portez doucement à ébullition, puis écumez la surface.

2 **Pour ajouter les légumes.** Dès qu'il ne se forme plus d'écume, baissez le feu pour que le liquide frémisse à peine, sans bouillir, et ajoutez les légumes de votre choix ainsi que le bouquet garni et, éventuellement, une tête d'ail entière. Si vous mettez des poireaux, comme ici, n'utilisez que les blancs et ficelez-les bien.

3 **Pour pocher la poule.** Réglez la chaleur afin d'assurer un frémissement à peine perceptible. Le temps de cuisson peut varier entre 1 et 3 heures, selon l'âge et le poids de la poule. Vérifiez le temps de cuisson en piquant le gras de la cuisse avec une aiguille : si le jus qui sort est clair, la volaille est à point.

4 **Pour présenter le bouillon.** La poule étant à point, dégraissez le bouillon. Mettez une tranche de pain rassis dans chaque assiette garnie d'une rondelle de carotte cuite. Versez le bouillon, saupoudrez-le de fromage fraîchement râpé. Laissez-en un peu dans la marmite avec la poule et les légumes, pour les conserver chauds et tendres. Couvrez la marmite jusqu'au moment de servir.

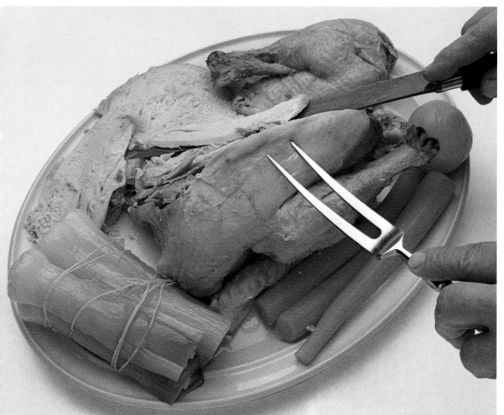

5 **Pour dresser la poule.** Retirez la poule de la marmite et débridez-la selon les indications données page 42. Dressez la poule sur un plat chaud et garnissez-la avec les légumes avant de la découper *(page 44)*. Ce plat s'accompagne généralement de cornichons et de gros sel, mais vous pourrez aussi servir du raifort ou de la moutarde.

Pour éviter à une poularde de se défaire

Une poularde pochée dans un bouillon de volaille ou de veau s'imprégnera de toute la saveur de ce bouillon et aura un goût aussi riche qu'une vieille poule, mais sa chair sera plus tendre.

Contrairement au bouillon de la *poule au pot*, son bouillon de cuisson ne se sert pas en potage; il gagnera à être lié à un roux blanc et cuit longuement ensuite pour donner une sauce veloutée. Pour mieux développer la concentration du goût et la consistance de la sauce, vous

aurez soin de faire pocher la poule dans un minimum de bouillon, en utilisant un récipient pouvant juste la contenir et couvert aux trois quarts.

Avant de la mettre dans la marmite, vous envelopperez la poule d'une mousseline pour éviter qu'elle ne se défasse durant la cuisson. Cette protection, tout imbibée de liquide, assure en quelque sorte un arrosage continu à la volaille, ce qui compense la faible quantité de liquide de cuisson utilisé.

Le velouté est une sauce de base facile à faire *(recette, page 167);* la poularde étant cuite, vous lierez le fond à un roux blanc (mélange de beurre et de farine). Pour obtenir une *sauce suprême,* il vous suffira d'ajouter de la crème fraîche et de laisser réduire un peu; pour obtenir une sauce plus somptueuse, vous n'aurez qu'à additionner le bouillon de crème fraîche et de jaunes d'œufs. Nous vous présentons deux autres variantes du velouté, page ci-contre.

1 **Pour préparer la poularde.** Farcissez la poule *(recettes, pages 164-165).* Cousez les orifices et bridez *(page 40).* Pour que la volaille reste blanche, frottez- en l'extérieur avec un demi-citron ou badigeonnez-la de jus de citron.

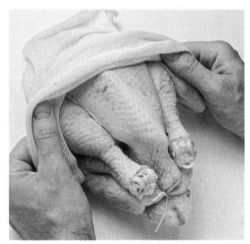

2 **Pour enrober la poularde.** Coupez la mousseline à la longueur voulue. Posez la poule dessus et enveloppez-la en ficelant les deux extrémités de la mousseline.

3 **Pour cuire la poularde dans le bouillon.** Déposez la volaille dans la marmite, poitrine au-dessus. Ne la recouvrez pas entièrement de bouillon. Portez doucement à ébullition à peine perceptible, puis écumez. Dès que vous aurez bien réglé le frémissement, fermez la marmite et laissez cuire environ 1 heure.

4 **Pour faire le velouté.** Versez le bouillon dans une casserole en en conservant un peu pour garder la poule au chaud. Préparez un roux dans une autre casserole en mélangeant du beurre fondu et de la farine à feu doux. Ajoutez le bouillon d'un coup en tournant au fouet jusqu'à ébullition. La casserole à moitié sur le feu, laissez frémir pendant 30 minutes pour éliminer le goût de farine et fouettez bien.

5 **Pour dégraisser la sauce.** En cours de cuisson, il se formera une pellicule contenant des impuretés et de la graisse qu'il faudra éliminer à intervalles réguliers. Quand elle ne contient plus de graisse, servez la sauce telle quelle, ou bien additionnée de crème fraîche : c'est alors une *sauce suprême (ci-dessus)*.

6 **Pour napper la sauce.** Retirez la poularde de la marmite et débarrassez-la de sa mousseline en la déficelant ou en la coupant. Servez-la nappée de sauce sur un plat de service chaud, entière ou débridée et découpée en morceaux. Servez le reste de sauce à part. □

Variations sur un velouté

Le velouté est une base que l'on emploie pour préparer diverses sauces excellentes avec la volaille pochée.

La fraîche acidité de l'oseille s'harmonise bien avec la volaille. Pour réaliser la *sauce à l'oseille (à droite)*, enlevez les tiges des feuilles et, si celles-ci ne sont pas très jeunes, faites-les blanchir rapidement. Puis laissez-les fondre dans du beurre jusqu'à obtention d'une purée. Mélangez celle-ci au velouté en fouettant bien, puis ajoutez la crème fraîche. (Un bon conseil : pour faire cuire l'oseille, ne choisissez pas une casserole en aluminium : les acides naturels de cette plante réagissent à ce matériau et la saveur de l'oseille serait gâchée.)

Vous pouvez aussi ajouter des tomates pelées et épépinées, réduites en purée, dans une petite casserole. Bien mélangée à une sauce veloutée et additionnée de crème fraîche, cette purée de tomates vous permettra d'obtenir une *sauce Aurore (extrême droite)*, qui doit son nom à ses teintes nuancées de rose.

Sauce à l'oseille

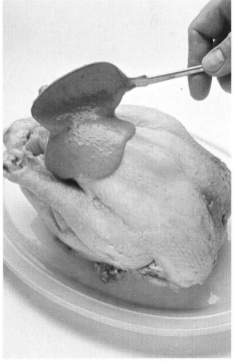

Sauce Aurore

6
Modes de cuisson divers

Tandis qu'à l'aide d'une cuillère on brise la croûte dorée d'une tourte de volaille, on a la merveilleuse surprise de voir apparaître des morceaux de poulet qu'accompagnent des champignons et des quartiers d'artichauts, mouillés d'un fond de veau bien corsé. La garniture d'une tourte se réalise avec n'importe quelle volaille.

Grâce aux chapitres précédents, vous avez acquis une certaine dextérité dans l'art de frire, rôtir, braiser et pocher la volaille. En appliquant ces principes de base, vous pouvez déjà réaliser des centaines de plats. Mais il existe évidemment bien d'autres façons d'accommoder la volaille. Certaines sont abordées dans ce chapitre qui vous révèle, en outre, quelques « secrets » de cordon bleu.

Certaines préparations de volaille auxquelles il est fait allusion ici impliquent qu'on ne suive pas à la lettre la méthode de base : par exemple, le poulet en casserole *(page 72)*, genre de braisé, constitue un véritable repas en soi. D'autres méthodes ont leur caractère propre : ainsi, la volaille entière, enfermée dans de la terre glaise, ou « brique », ou dans du papier aluminium, cuit au four dans la vapeur de son propre jus *(page 74)*. Par ailleurs, conserve et volaille ne vont généralement pas de pair, mais les explications données page 84 vous suggèrent une méthode traditionnelle fort utile pour conserver une oie ou un canard préalablement cuits, sans l'aide d'un congélateur.

D'autres façons de procéder, expliquées aux pages suivantes, nécessitent un peu plus d'habileté. Par exemple, quand vous saurez faire une belle sauce béchamel onctueuse *(page 78)*, vous réaliserez un superbe gratin avec des morceaux de poulet nappés de sauce ; parsemé de fromage râpé et de chapelure, il se couvrira d'une belle et riche croûte.

La béchamel peut aussi être associée à la volaille pour farcir délicieusement crêpes ou croustades (les techniques pour obtenir des crêpes fines ou pour bien creuser le pain de mie en forme de caisse sont indiquées à la page 80). La pâtisserie est un art en soi mais, lorsque la pâte demi-feuilletée *(page 76)* n'aura plus de secret pour vous, vous réussirez toutes sortes de tourtes avec n'importe quelle volaille.

De nombreuses recettes, dans ce chapitre, se prêtent bien à l'utilisation des restes et prouvent qu'ils peuvent être autre chose qu'une triste réapparition des mêmes mets sur la table. Les gratins, les crêpes et le pilaf de volaille présenté page 82, sont si délicieux que vous serez peut-être tenté de préparer un poulet exprès pour confectionner l'une ou l'autre de ces recettes.

Un poulet en casserole

Un poulet accompagné de légumes mijote doucement dans une casserole bien close: c'est tout un repas qui se prépare! Le poulet et les légumes, le plus souvent un mélange d'oignons et de carottes, exhalent leurs sucs en un jus de cuisson qui n'aura besoin d'être complété que par très peu de liquide afin que les aliments n'attachent pas. Ces mêmes légumes feront une excellente garniture pour le poulet.

Cette préparation porte diverses appellations: «poulet en casserole», «poulet en cocotte» ou «poulet rôti en marmite», cette dernière ne convenant pas vraiment puisque le propre d'un rôti est de cuire à sec et à chaleur rayonnante, ce qui, en l'occurrence, n'est pas le cas. En outre, le poulet en casserole peut se faire aussi bien sur le feu qu'au four. A proprement parler, le rôtissage en casserole est une forme de braisage et, si le poulet a l'aspect d'un rôti en fin de cuisson, c'est la coloration qu'on lui fait prendre au début qui en est surtout la cause. Cette chair dorée va aussi contribuer à enrichir et à colorer le jus de cuisson. Dans la version simple du poulet en casserole présentée ici, des lardons améliorent encore la saveur du plat.

Le liquide concentré résultant de la cuisson peut être servi en sauce sans qu'il faille le réduire davantage ou le lier, bien que de nombreuses recettes le préconisent. Vous pourrez varier la préparation d'un poulet en casserole en lui adjoignant d'autres légumes, en le garnissant d'une farce ou en choisissant un vin ou un bouillon comme agent de mouillement, au lieu de l'eau utilisée ici *(recettes, pages 122-124-125).*

Quant au choix du récipient, la terre cuite est sans doute la matière la mieux appropriée, car elle diffuse bien la chaleur, de façon homogène, et est généralement assez esthétique pour qu'on la présente à table. Vous pourrez la mettre sur le brûleur en intercalant une plaque protectrice pour la séparer de la flamme. De toute façon, quelle que soit la matière du récipient, choisissez-le assez vaste pour contenir le poulet et les légumes, et pourvu d'un couvercle hermétique: ainsi, la cuisson se fera dans la vapeur savoureuse de cette préparation.

1 **Pour préparer les lardons.** Coupez en dés quelques tranches de poitrine de porc. Si celle-ci est fortement salée, faites-la blanchir 2 minutes dans l'eau bouillante. Placez les lardons dans une poêle avec un peu de beurre, à feu moyen, et remuez souvent jusqu'à ce qu'ils soient légèrement colorés. Retirez-les, et réservez la graisse pour faire dorer le poulet.

2 **Pour faire dorer le poulet.** Prenez un jeune poulet, essuyez-le bien et assaisonnez-le de sel et de poivre. Garnissez sa cavité d'un bouquet garni, ou bien choisissez une farce parmi les recettes figurant pages 164-165. Faites dorer le poulet sur toutes ses faces, à petit feu *(ci-dessous).*

3 **Pour éliminer la graisse en excès.**
Transférez le poulet dans la casserole, couvrez et mettez à four chaud. Au bout de 10 minutes, sortez le poulet du four et éliminez la graisse écoulée dans la casserole *(ci-dessus)*.

4 **Pour ajouter le liquide.** Sortez le poulet et couvrez le fond de la casserole avec les lardons et une partie des légumes — ici, pommes de terre nouvelles, petits oignons et carottes préalablement rissolés dans de la graisse. Mouillez avec très peu de liquide — ici, de l'eau *(ci-dessus)*.

5 **Pour terminer le plat.** Mettez la casserole bien fermée à four modéré ou sur la flamme faible d'un brûleur, en intercalant une plaque protectrice, pendant environ 1 heure. Retournez la volaille de temps en temps. Vers la fin, vérifiez le point de cuisson selon la méthode indiquée à la page 42. Vous pouvez servir directement dans la casserole, ou dresser le poulet sur un plat de service en l'entourant avec les légumes et en le nappant du jus de cuisson. Servez les légumes avant de découper la volaille. □

Cuire la volaille dans son propre jus

On considère depuis fort longtemps que la cuisson au four d'une volaille bien enveloppée est un bon moyen d'obtenir à la fois le mouillement et la tendreté désirés, sans avoir à arroser la viande ou à suppléer au manque de jus de cuisson. On peut, par exemple, recouvrir entièrement le volatile non plumé de terre glaise humide avant de l'enfouir sous la braise. En cuisant, les plumes se prennent dans la glaise qui se solidifie en une coque fragile qui sera cassée en fin de cuisson.

La « brique », version simplifiée de cette méthode, a été conçue pour une cuisine rationnelle. C'est un plat en terre cuite, doté d'un couvercle et dont la forme est spécialement étudiée pour la volaille *(à droite)*. Vous prendrez soin d'immerger cette brique dans l'eau avant d'y déposer le volatile, car l'eau ainsi absorbée par l'argile poreuse empêchera la viande de se dessécher. Et, pendant la cuisson, les sucs naturels de la volaille procureront un mouillement supplémentaire.

Il existe d'autres façons de cuire la volaille, en l'enveloppant dans une feuille de papier aluminium et en la cuisant à la vapeur, au four. Pour qu'aucun liquide ne s'échappe pendant la cuisson, vous veillerez à ce que l'emballage soit parfaitement hermétique *(ci-dessous, à droite)*, mais lâche, permettant à la vapeur de circuler.

Les récipients en terre cuite

Si l'on cuit directement les aliments dans une brique neuve, ceux-ci prennent un goût de terre. Aussi, frottez l'intérieur et l'extérieur du récipient avec des gousses d'ail pelées. Remplissez également le récipient et son couvercle d'eau, de feuilles de céleri, d'oignons grossièrement hachés, puis du vert d'un poireau et de carottes coupées en morceaux. Vous mettrez le récipient sur une plaque protectrice et laisserez mijoter le tout pendant au moins 2 heures.

Il est évident qu'une brique traitée de cette façon ne pourra servir que pour la cuisson de plats salés.

Cuisson dans une brique

1 **Pour préparer la brique pour le four.** Faites tremper la brique dans l'eau pendant 30 minutes. Pendant ce temps, troussez le poulet *(page 40)*. Vous pourrez farcir la volaille, ou bien, comme ici, la frotter simplement de citron, d'huile d'olive, de sel, de poivre et d'ail. Assaisonnez l'intérieur de sel et de poivre, et ajoutez, si vous le désirez, un bouquet garni, de l'ail et des oignons grossièrement hachés. Égouttez la brique, puis tapissez le fond de rondelles de citrons *(ci-dessus, à gauche)* et entourez la volaille d'olives *(ci-dessus, à droite)*.

Cuisson dans du papier aluminium

1 **Pour préparer la volaille.** Mettez une grande feuille d'aluminium double dans un plat à four ou sur la plaque. Posez le poulet au centre de cette feuille et badigeonnez-le d'huile ou de beurre. Ajoutez un peu de liquide, éventuellement eau ou vin, et recouvrez la poitrine d'oignons, de carottes et de céleri, préalablement hachés et rissolés.

2 **Pour bien envelopper le poulet.** Ramenez les deux grands pans de la feuille au-dessus de la volaille. Repliez les bords en les ajustant. Puis rassemblez-les et pliez-les ensemble deux fois. Enfin, pincez tout au long de cette fermeture pour qu'elle soit bien hermétique.

2 **Pour cuire et servir.** Refermez la brique et mettez-la à four froid ; en effet, l'argile non émaillée pourrait se casser dans un four préchauffé. Réglez le four à 230° ou à 8 au thermostat, et laissez cuire pendant environ 1 heure et demie. ☐

3 **Pour bien refermer l'emballage.** Pliez et pincez de la même façon la feuille à chacune de ses extrémités, pour que l'emballage soit relativement lâche mais bien clos. Compte tenu des propriétés isolantes du papier aluminium, vous augmenterez de 15° la température de cuisson recommandée au tableau qui figure à la page 43.

4 **Pour déballer la volaille.** Avant d'enlever la feuille d'aluminium, vous commencerez par la couper dans le sens de la longueur pour en laisser échapper la vapeur. Ouvrez la feuille, enlevez le poulet, déposez-le sur un plat de service puis arrosez du jus de cuisson.☐

Pâte demi-feuilletée légère

La préparation d'une pâte feuilletée exige une véritable technique. Pour commencer, incorporez de gros morceaux de beurre à la farine et ajoutez de l'eau. Allongez ensuite la pâte obtenue au rouleau et repliez-la, puis recommencez plusieurs fois en abaissant chaque fois la pâte dans le sens opposé, jusqu'à ce que le beurre se répartisse en de très fines lamelles. A la cuisson, les abaisses du feuilletage monteront et la tourte sera légère et dorée.

Pour que le beurre ne se liquéfie pas, il faut que la pâte reste bien fraîche jusqu'au moment de la cuisson. Utilisez du beurre froid et travaillez rapidement. Dans la mesure du possible, abaissez la pâte sur une plaque de marbre farinée.

1 Pour incorporer le beurre à la farine. Mettez dans un saladier une quantité à peu près égale de farine et de beurre en morceaux. Incorporez le beurre à la farine en le coupant avec deux couteaux. Si vous le mélangiez avec les doigts, il fondrait.

2 Pour lier la pâte avec de l'eau. Dès que les morceaux de beurre sont légèrement plus petits et bien enduits de farine, versez juste assez d'eau glacée pour bien lier le mélange. Remuez vite à la fourchette en veillant à ne pas trop écraser le beurre.

3 Pour rassembler la pâte en boule. Travaillez la pâte rapidement du bout des doigts de façon à pouvoir la rassembler en une boule compacte. Enveloppez-la dans un papier sulfurisé ou un plastique et mettez-la 2 ou 3 heures au réfrigérateur.

4 Pour aplatir la pâte. Posez la pâte ferme et bien froide sur une plaque de marbre farinée. Aplatissez-la d'abord de la paume de la main, puis au rouleau, jusqu'à ce qu'elle se travaille bien. Tournez-la pour la fariner des deux côtés.

5 Pour abaisser la pâte. Étalez la pâte au rouleau en lui imprimant une légère pression bien répartie de façon à obtenir une longue bande. Retournez-la souvent pour la maintenir farinée de chaque côté, mais roulez toujours dans le même sens.

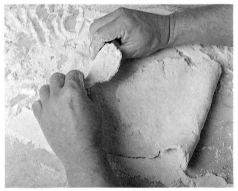

6 Pour replier la pâte. Rassemblez les deux extrémités de la bande vers le milieu. Les extrémités devront se rejoindre ou se chevaucher de quelques centimètres.

7 Pour donner le deuxième tour à la pâte. Repliez la pâte en deux de façon à aligner les deux bords déjà pliés. Vous obtenez ainsi un paquet de pâte rectangulaire comportant quatre feuilletages.

8 Pour donner six tours. Réfrigérez la pâte pendant 30 minutes, puis répétez les opérations des phases 5 à 7, deux ou trois fois. Réfrigérez le feuilletage jusqu'au moment de vous en servir.

Mets enrobés d'une croûte

La tourte permet d'associer la volaille à toutes sortes d'ingrédients: légumes, œufs, aromates et même viandes diverses. Nous avons choisi ici d'accompagner les morceaux de volaille de jambon fumé, de cœurs d'artichauts, d'œufs durs et d'un peu de bouillon. Les recettes pages 139-140 vous donnent quelques suggestions, mais vous pouvez inventer d'autres garnitures. Vous pouvez aussi varier la pâte.

La volaille dont vous garnirez la tourte sera indifféremment précuite ou crue, avec ou sans os. Si, comme ici, vous utilisez un poulet cru et non désossé, prévoyez un temps de cuisson plus long. Vous débuterez à feu assez fort pour saisir la pâte, puis vous poursuivrez à four modéré pour que l'ensemble soit prêt en même temps. Les morceaux de poulet devront être relativement petits. La méthode de découpage donnée page 16 indique les tailles convenables.

Garnissez généreusement la pâte pour l'empêcher de s'affaisser. Ne vous alarmez pas si vous découvrez, à la sortie du four, que votre tourte est légèrement boursufflée; elle aura le charme d'un plat « fait maison » et sera ainsi d'autant plus appétissante.

1 **Pour garnir la tourte.** Tapissez la tourte de tranches de jambon. Disposez les morceaux de poulet et intercalez les cœurs d'artichauts et les quartiers d'œufs durs dans les espaces vides. Mouillez très légèrement avec un liquide, du bouillon *(ci-dessus),* du vin, ou même de l'eau; les ingrédients eux-mêmes s'évaporeront un peu (il est très important que le liquide n'atteigne pas la croûte sous peine de la ramollir). Aromatisez en saupoudrant de sel, d'oignons hachés, d'herbes et d'une grande quantité de persil fraîchement haché.

2 **Pour confectionner le couvercle.** Farinez la planche de travail et étendez assez de pâte pour former un couvercle dont le pourtour dépassera de 1 cm le rebord de la tourte. La pâte doit être bien farinée des deux côtés. Enroulez la pâte sans la serrer sur le rouleau à pâtisserie et déroulez-la au-dessus de la tourte.

3 **Pour fermer la tourte.** Repliez le surplus de pâte sous le pourtour du rebord pour en doubler l'épaisseur. Pincez la pâte et appuyez-la bien contre le pourtour. Passez les pouces dans la fariné et soudez le bord. Badigeonnez la surface de la tourte d'un œuf battu mélangé à un peu d'eau.

4 **Pour cuire la tourte.** Mettez la tourte à four chaud. Attendez 10 ou 15 minutes que la pâte gonfle et se raffermisse, pour diminuer la température jusqu'à cuisson complète (environ 1 heure et 10 minutes). Si vous utilisez des restes de volaille cuite, réduisez également la chaleur et servez la tourte dès que la croûte est bien dorée (40 minutes environ). □

Une sauce gratinée pour de nombreuses préparations

La sauce béchamel qui se prépare avec du beurre, de la farine et du lait *(recette, page 166)* permet de diversifier et d'agrémenter la volaille, en particulier le poulet et la dinde. La version que nous proposons ici peut fort bien être adaptée — que ce soit pour la sauce blanche et veloutée du poulet au gratin *(page ci-contre)*, ou comme base onctueuse pour garnir crêpes et croustades de restes de volaille *(page 80)*.

Une sauce béchamel se commence toujours par un roux, c'est-à-dire du beurre et de la farine cuits tout doucement pendant quelques minutes dans une casserole à fond épais ; quand vous ajouterez le lait, la farine épaissira légèrement ce mélange.

Faites ensuite mijoter la sauce pendant au moins 40 minutes pour la réduire à la consistance voulue et supprimer le goût de farine. Vous pourriez obtenir une sauce béchamel plus rapidement en ajoutant de la farine, mais elle n'aurait ni le velouté ni l'agréable saveur d'une sauce légère et bien cuite.

Le lait s'ajoute aussi bien chaud que froid, hors du feu ou sur le feu. La méthode la plus simple consiste à verser tout le lait froid, d'un seul coup. Fouettez énergiquement, vous éviterez les grumeaux. S'il s'en forme, passez simplement la sauce au chinois ou au mixer.

Pour un poulet au gratin, vous aurez besoin de 3/4 de litre de lait, de 30 g de beurre et de 2 cuillerées à soupe de farine. Si la sauce épaissit trop, ajoutez un peu plus de lait en remuant bien. Et, si vous désirez garder la sauce au chaud avant de la servir, mettez un morceau de beurre sur le dessus, pour éviter qu'une peau ne se forme ; vous mélangerez le beurre au moment de servir.

1 **Pour faire un roux.** Faites fondre le beurre à feu doux dans une casserole à fond épais. Ajoutez la farine et laissez cuire doucement entre 2 et 5 minutes. Remuez jusqu'à ce que le mélange se sépare légèrement et revête une apparence grumeleuse. Grâce à ces précautions préliminaires, vous obtiendrez une sauce d'une pâleur délicate ; une cuisson prolongée du roux foncerait la sauce.

2 **Pour ajouter le lait.** Toujours à feu doux, versez le lait d'un seul coup sur le roux et fouettez vivement pour obtenir un mélange bien homogène. Augmentez la chaleur et, tout en fouettant, portez à ébullition.

3 **Pour faire mijoter la sauce.** Dès que la sauce commence à bouillir, remettez à feu très doux et laissez mijoter 40 à 60 minutes, en remuant de temps en temps. Vérifiez la consistance : pour un poulet au gratin, la sauce devra être assez épaisse et napper la cuillère. Assaisonnez selon votre goût, de sel, de poivre et, si vous aimez, de noix de muscade. Mais n'ajoutez le poivre qu'au dernier moment pour mieux en garder le parfum.

Une sauce onctueuse à la surface croustillante

Une des façons les plus simples d'accommoder un poulet cuit — ou toute autre volaille maigre — consiste à le napper d'une sauce béchamel onctueuse *(page ci-contre)* et à le faire gratiner au four ou au gril, jusqu'à ce que la surface prenne une belle couleur dorée et devienne croustillante. Vous obtiendrez ainsi un plat copieux qui mettra en valeur à la fois la consistance et le goût du poulet.

Vous disposerez la volaille cuite dans un plat à four peu profond, en veillant à ce que la surface du volatile soit relativement plate et régulière, pour que celle-ci se colore bien de toute part. Les morceaux de poulet ou de dinde sautés ou grillés conviennent parfaitement à ce mode de préparation, ainsi que les restes de volaille, avec ou sans os. Vous pouvez aussi utiliser un petit poulet entier, comme ci-dessous, coupé en deux et aplati selon la méthode de la page 47. Vous le ferez ensuite griller ou rôtir, sans farce, et le napperez de sauce.

1 **Pour napper la volaille.** Préparez une béchamel bien onctueuse en suivant les instructions de la page ci-contre. Disposez la volaille cuite dans un plat à four peu profond. Puis, à l'aide d'une cuillère, recouvrez-la entièrement de sauce.

2 **Pour saupoudrer de chapelure et de fromage râpé.** Pour que la sauce soit bien gratinée, saupoudrez-la de chapelure ou de fromage râpé, ou des deux à la fois. Vous pourrez mélanger chapelure et fromage (parmesan ou comté) dans les proportions de votre choix : ici, nous avons mis autant de chapelure que de parmesan.

3 **Pour colorer le gratin.** Si la volaille que vous utilisez est encore chaude, faites-la gratiner au gril à feu moyen. En revanche, si vous devez réchauffer une volaille déjà cuite, mettez-la à four assez chaud (190°, 5 au thermostat). Au bout de 20 minutes, le poulet sera chaud et gratiné. □

Accommoder les restes

Pour accommoder les restes d'un poulet ou d'une dinde, il vous faudra faire preuve d'imagination. Enlevez d'abord les os de la volaille et détaillez-la en menus morceaux. Puis, comme la volaille cuite a tendance à se dessécher, réchauffez ces morceaux dans une sauce onctueuse, comme illustré ci-dessous. Pour améliorer leur présentation, servez-les comme garniture de crêpes ou de croustades.

Lorsque vous préparerez votre pâte à crêpe, n'oubliez pas que, pour être bien réussie, elle doit avoir la consistance d'une crème. Vous pourrez en varier le goût en y mélangeant au fouet un soupçon d'eau-de-vie ou en remplaçant le lait ou l'eau de la recette page 167 par de la bière, par exemple.

Si vous préparez des croustades, prévoyez-en une par personne. Les caissettes se font dans un pain de mie rassis, dont la mie est bien dure; si vous ne disposez que d'un pain de mie frais, mettez-le au congélateur pendant quelques heures, avant d'essayer de le découper en caissettes.

Farce à la béchamel

La sauce béchamel (recette, page 166) servant de base à la farce de volaille pour crêpes et croustades se prête à toutes sortes de variantes. L'une d'elles, classique, consiste à lui ajouter des champignons sautés avec du persil. Pour changer, vous pourrez l'agrémenter de morceaux de poivrons rouges qui lui donneront un goût nouveau, ou la colorer au safran ou à la purée d'oseille.

Enrobage de crêpes fines

1 **Pour préparer la pâte.** Mettez tous les ingrédients nécessaires dans un saladier et battez-les au fouet en partant du centre et en travaillant vers les bords. Faites fondre une ou deux cuillerées à soupe de beurre dans la poêle et versez-les dans le saladier. Fouettez doucement le mélange jusqu'à ce que le beurre soit bien incorporé.

2 **Pour verser la pâte.** Essuyez la poêle avec un linge ou une serviette en papier pour supprimer l'excès de beurre (trop de beurre empêcherait les crêpes de cuire uniformément). Versez la pâte au bord de la poêle en la secouant jusqu'à ce qu'une couche fine recouvre toute la surface. Laissez cuire jusqu'à ce que les bords commencent à se décoller et à dorer.

Confection d'une croustade

1 **Pour découper la croustade.** Enlevez la croûte d'un pain de mie rassis. Découpez un cube de 7,5 cm de côté, puis, à l'aide d'un couteau pointu, creusez à environ 1 cm des bords et du fond. Passez le couteau horizontalement à 1 cm au-dessus de la base. Faites pivoter le couteau pour libérer la partie centrale.

2 **Pour finir la croustade.** Soulevez la partie centrale. Si elle ne vient pas facilement, repassez dans les découpes jusqu'à ce qu'elle cède. Secouez pour éliminer les miettes qui restent dans la caissette.

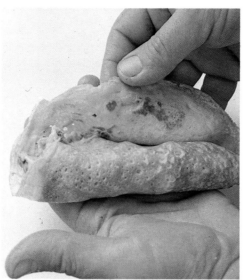

3 **Pour retourner la crêpe.** Glissez un couteau à bout rond sous la crêpe et retournez-la. Laissez cuire une demi-minute jusqu'à ce qu'elle devienne légèrement dorée. Retirez la poêle du feu et faites glisser la crêpe sur un plat chaud. Continuez de la même façon. N'ajoutez pas de beurre dans la poêle : celui que vous avez incorporé à la pâte suffit.

4 **Pour garnir la crêpe.** Empilez bien les crêpes au fur et à mesure pour qu'elles ne se dessèchent pas ; placez-les une à une sur la paume de la main et garnissez-les à la cuillère de la farce que vous aurez préparée. Creusez bien votre main pour que la farce ne s'écoule pas, puis enroulez la crêpe autour de la farce.

5 **Pour manipuler les crêpes fourrées.** Disposez les crêpes fourrées dans un plat à four beurré, côté plié dessous. Saupoudrez-les éventuellement de fromage râpé. Puis parsemez de copeaux de beurre et mettez à four chaud. Pour servir, saisissez délicatement la crêpe à l'aide d'une cuillère et d'une fourchette. □

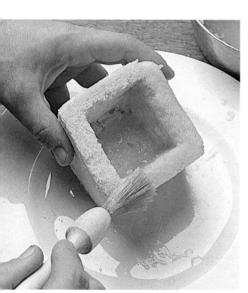

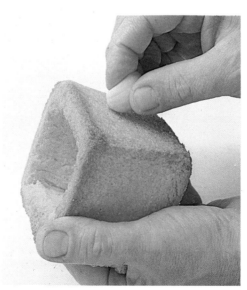

3 **Pour préparer les caissettes pour le four.** Badigeonnez les caissettes de beurre fondu sur toutes leurs faces, intérieures et extérieures. Disposez-les sur une grille au-dessus d'une lèchefrite pour les gouttes de beurre qui risquent de couler, et mettez à four préchauffé à 170° (3 au thermostat).

4 **Pour ailler les croustades.** Faites cuire les caissettes pendant 25 ou 30 minutes, tournez-les de façon qu'elles soient bien croustillantes et dorées à l'extérieur. Retirez-les du four et frottez-les légèrement sur toutes leurs faces avec une gousse d'ail pelée et coupée en deux.

5 **Pour remplir les croustades.** A l'aide d'une cuillère, versez dans la croustade la farce préparée. Pour finir, saupoudrez d'une pincée de persil haché ou garnissez de persil, de cerfeuil, de ciboulette et de quelques feuilles d'estragon finement hachées. □

81

Morceaux de volaille accompagnés de riz

Un lit de riz chaud et parfumé transformera de simples restes de volaille ou de dinde en un succulent plat de résistance. Le riz et la volaille s'associent parfaitement bien, comme le montrent une infinité de plats de par le monde, depuis le Moyen-Orient et son *pilaf*, l'Inde et son *pilau*, jusqu'à l'Espagne et son *arroz con pollo*. Si les aromates, le type de riz choisi et les détails de la préparation varient, l'association riz-volaille demeure toujours le principe de base. Tout en mijotant, la volaille et les grains de riz se gonflent du jus de cuisson et absorbent l'arôme de tous les condiments, légumes, herbes et épices. Il en résulte un plat harmonieux qui, malgré le peu de viande utilisée, offre de bien généreuses portions. Et, même si vous n'avez pas de restes, la préparation spéciale d'un poulet rôti ou sauté se justifie amplement *(recette, page 96)*.

La recette du pilaf présentée ici ne requiert que quelques ingrédients simples : des morceaux de poulet rôti, un oignon et un poivron vert, une pincée de safran pour son arôme et sa belle couleur, et de l'eau. Cependant, vous pouvez varier cette préparation. Commencez par faire rissoler le riz avec quelques aromates, puis versez le liquide ; ajoutez ensuite la volaille et laissez cuire doucement jusqu'à ce que le riz soit cuit.

Il n'y a pas de mystère pour réussir le riz. Choisissez une bonne qualité de riz non traité, aux grains longs. Pour qu'il soit meilleur, rincez-le bien avant usage, afin d'éliminer toute trace de poudre de farine laissée au cours du décorticage. Égouttez-le bien : il devra être le plus sec possible quand vous le mettrez à rissoler dans la casserole avec l'huile, le poivron vert et l'oignon.

La quantité de liquide nécessaire à la cuisson du riz varie selon les recettes ; mais, en règle générale, nous vous conseillons de mettre deux fois son volume de liquide, nous disons bien volume et non poids. Il faudra laisser cuire le riz, sans y toucher, à couvert et sur feu très doux, jusqu'à ce que le liquide soit complètement absorbé. Les grains devront être tendres mais non pas mous.

1 **Pour faire rissoler les légumes.** Épépinez un poivron vert et enlevez les côtes blanches. Hachez-le et mettez-le avec l'oignon haché dans une casserole contenant un peu d'huile d'olive chaude. Faites rissoler jusqu'à ce que l'oignon devienne translucide, environ 10 minutes.

2 **Pour ajouter le riz.** Rincez et égouttez le riz. Mettez-le dans la casserole, assaisonné d'un peu de sel, en remuant sans arrêt jusqu'à ce que les grains deviennent tour à tour translucides, laiteux puis opaques. Ajoutez le safran à ce moment-là, en remuant bien pour que le riz prenne une couleur homogène.

3 **Pour ajouter le liquide.** Mettez le liquide — ici de l'eau — dans une autre casserole et portez à ébullition avant de l'ajouter doucement au riz et aux légumes rissolés *(ci-dessous)* ; ne vérifiez surtout pas la cuisson, même brièvement. Vous pouvez remplacer l'eau par du bouillon, ce qui donne une saveur supplémentaire.

4 **Pour ajouter les morceaux de volaille.**
Lorsque le liquide bouillonne fortement,
ajoutez les morceaux de poulet
préalablement préparés. Couvrez la
casserole hermétiquement et laissez mijoter
doucement environ 20 minutes. Ensuite,
laissez le riz reposer hors du feu, pendant
10 minutes, à couvert, pour qu'il absorbe
tout le liquide et qu'il ne soit pas trop cuit.

5 **Pour faire gonfler le riz.** A la dernière
minute, ajoutez un peu de beurre coupé en
petits morceaux et mélangez-le avec le riz
chaud, en le remuant délicatement à l'aide
de deux fourchettes *(à droite)*: une cuillère
pourrait écraser les grains. Vérifiez
l'assaisonnement et parsemez la surface
de persil fraîchement haché. □

Le confit d'oie, un mode de conservation traditionnel

Salée et complètement recouverte de sa propre graisse, l'oie se conserve en parfait état fort longtemps. Même si aujourd'hui le congélateur a rendu ce mode de conservation totalement superflu, vous devriez pourtant l'essayer, ne serait-ce que pour apprécier la saveur sans pareille de la chair ainsi traitée.

Surtout appliquée par les fermiers du Sud-Ouest de la France, cette méthode avait pour but de conserver la viande des bêtes en surnombre dans une basse-cour et en particulier celle des oies gavées que l'on sacrifiait pour leur foie gras. On sale la volaille puis on la recouvre de sa propre graisse après cuisson, ce qui forme un bouchon hermétique et protecteur. Seule l'oie gavée rend suffisamment de graisse pour satisfaire à cette préparation sans qu'il faille ajouter du saindoux, comme pour les oies plus jeunes et le canard.

Le confit d'oie est délicieux, servi en cassoulet ou simplement réchauffé avec des lentilles ou des pommes de terre.

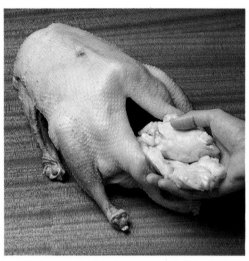

1 **Pour recueillir la graisse.** Retirez l'épaisse couche de graisse de la cavité du volatile et parez celle du gésier. Découpez l'oie selon la méthode illustrée page 16, en divisant la poitrine en quatre morceaux dont vous couperez la peau qui dépasse, ce qui rendra encore beaucoup de graisse. Conservez la graisse au réfrigérateur.

2 **Pour saler l'oie.** Versez du gros sel dans le fond d'une terrine non poreuse, suffisamment grande pour contenir tous les morceaux. Remplissez en alternant les morceaux d'oie avec les couches de gros sel aromatisé d'un mélange d'herbes séchées. Terminez avec du gros sel. Couvrez et gardez au frais.

Clarification de la graisse d'oie et de canard

La cavité et la peau de l'oie, du canard et de la poule contiennent beaucoup de graisse. Cependant, on devra toujours commencer par l'épurer ou la clarifier, pour dissocier la graisse pure des tissus qui s'écoulent en même temps. On la fera donc fondre dans de l'eau, car, directement sur le feu, les tissus risquent de brûler et de communiquer un goût âcre à la graisse. L'eau finira par s'évaporer et alors on passera la graisse pour en éliminer les tissus croquants ou frittons. On procédera de la même manière pour clarifier la graisse de rognon de bœuf utilisée pour la friture.

1 **Pour faire fondre la graisse.** Coupez la graisse et la peau (phase 1, ci-dessus) et mettez le tout dans une casserole avec une ou deux tasses d'eau. Portez doucement à ébullition et, avec une écumoire, enlevez les impuretés qui surnagent. Dès le début de la cuisson, de grosses bulles montent à la surface du liquide (à gauche); elles diminuent au fur et à mesure que la graisse fond et que l'eau s'évapore (ci-dessus, à droite). Laissez cuire sans cesser de remuer jusqu'à ce que les tissus se colorent comme des frittons.

2 **Pour passer la graisse.** Disposez une mousseline en double épaisseur dans une passoire, puis passez la graisse clarifiée dans un récipient résistant à la chaleur. Ne jetez pas les frittons; recuits jusqu'à ce qu'ils deviennent croquants, ils feront une délicieuse collation ou une garniture agréable pour la soupe.

3 **Pour retirer sel et herbes.** Sortez les morceaux d'oie le lendemain, faites-en bien tomber le sel et les herbes et essuyez-les soigneusement avec un linge. En pénétrant dans la chair du volatile, le sel fait rendre à l'oie beaucoup de son jus tout en la conservant.

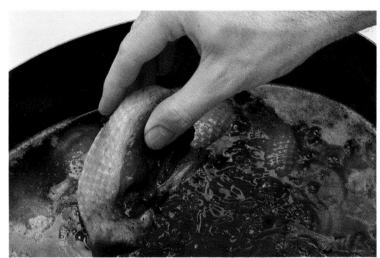

4 **Pour cuire l'oie.** Mettez la graisse clarifiée *(voir encadré)* dans une grande casserole et faites-la fondre doucement. Ajoutez les morceaux d'oie. Si la graisse ne les recouvre pas entièrement, complétez avec du saindoux. Laissez cuire à feu très doux en retournant les morceaux de temps en temps, jusqu'à ce que la viande soit très tendre. Ceci demandera de 1 à 2 heures environ, selon l'âge du volatile. Retirez les morceaux d'oie mais laissez mijoter la graisse jusqu'à ce qu'elle ne crépite plus, signe que tous les sucs échappés de l'oie se sont évaporés. Versez-la dans une passoire recouverte d'une mousseline.

5 **Pour préparer le récipient de conservation.** Lavez le pot de salaison et stérilisez-le en le remplissant d'eau bouillante. Retournez-le pour le laisser sécher. Versez ensuite de la graisse clarifiée que vous ferez tournoyer en inclinant le pot en tous sens pour qu'elle adhère bien aux parois et au fond en refroidissant. Grâce à cette épaisse couche de graisse, les morceaux d'oie seront isolés des parois du pot. Mettez une couche de morceaux d'oie, côté peau en dessous pour que l'air ne reste pas emprisonné dans les creux de la carcasse. Recouvrez de graisse fondue. Continuez en alternant oie et graisse.

6 **Pour remplir le pot.** Finissez avec une couche de graisse de 2 cm et laissez refroidir. Gardez le surplus au réfrigérateur. Le lendemain, la dernière couche de graisse sera sans doute resserrée, laissant apparaître un peu de viande : faites alors fondre la graisse réservée et rajoutez-en pour reboucher le tout. Couvrez le pot avec son couvercle ou avec un double papier et entreposez-le à la cave ou au réfrigérateur. Attendez 3 ou 4 jours pour le consommer. Pour servir, réchauffez le pot, puis prélevez le nombre de parts désiré. Recouvrez le reste de graisse fondue et refermez. ☐

85

Un centre de table miroitant pour buffet froid

Le poulet ou le canard laqué à la gelée d'aspic, occupant la place d'honneur dans un buffet, attirera l'attention autant que la gourmandise. L'aspic n'est pas seulement un élément de décor appétissant, il protège aussi la tendreté de la volaille et lui apporte une saveur particulièrement délicieuse. L'aspic est au plat froid ce que la sauce est au plat chaud.

Au XIXe siècle, à l'apogée de la haute cuisine, les grands chefs se donnèrent beaucoup de mal pour obtenir un aspic cristallin. Pour parvenir à l'effet désiré, ils faisaient frémir un bouillon de viande avec des blancs d'œufs et du maigre de bœuf haché. Le mélange œuf-bœuf absorbait toute particule susceptible de brouiller le bouillon. Celui-ci était ensuite passé à la mousseline.

Pour un repas sans cérémonie, nul besoin de vous donner tant de peine. Pour la préparation illustrée ici, nous n'utilisons rien de plus qu'un fond de veau (recette, page 166), corsé d'un verre de madère, de xérès ou de porto après que le fond a tiédi. La gélatine contenue dans les os du veau étant un agent naturel de solidification, le bouillon devrait prendre rapidement dans le réfrigérateur et devenir une gelée d'aspic translucide, couleur miel ou ambre.

Toute volaille rôtie ou pochée peut être recouverte de gelée d'aspic, pourvu qu'elle soit bien froide. Vous laisserez refroidir le bouillon jusqu'au point de solidification. Si vous versez le bouillon refroidi à la cuillère sur une volaille bien froide, il se formera une mince gelée presque au simple contact. Il faut réfrigérer la volaille 10 à 15 minutes entre chaque application de gelée. Recommencez l'opération jusqu'à ce que les couches d'aspic atteignent l'épaisseur désirée. Conservez au réfrigérateur.

1 **Pour refroidir le bouillon.** Remplissez un saladier de glace pilée et placez-y un plus petit récipient aux parois minces, en verre ou en métal. Versez-y une petite louche de fond de veau et remuez à la cuillère. Dès que le bouillon commence à se gélifier, il est prêt à l'emploi. Dans le cas où il se gélifierait trop, réchauffez-le doucement pour qu'il se reliquéfie.

2 **Pour napper la volaille.** Placez-la bien froide sur une grille au-dessus d'un plat. Versez à la cuillère le bouillon mi-pris sur le volatile jusqu'à ce que la peau soit uniformément recouverte d'une mince couche de gelée d'aspic. Laissez le bouillon en excès s'égoutter dans le plat.

3 **Pour décorer la volaille.** Ornez l'aspic de rondelles d'olives et de feuilles d'estragon blanchies. Puis recouvrez ces éléments décoratifs d'une autre couche de gelée d'aspic et continuez à ajouter des couches de bouillon jusqu'à obtention de l'épaisseur désirée. □

Anthologie
de recettes

En s'inspirant des traditions culinaires et des ouvrages de plus de vingt pays, les rédacteurs et conseillers techniques de cet ouvrage ont sélectionné 201 recettes de volaille déjà éditées.

Leur choix s'étend du simple à l'insolite, du poulet poché délicatement parfumé à l'estragon à la délicieuse pintade farcie aux framboises. Cette Anthologie, qui embrasse près de deux mille ans, présente des recettes de 107 auteurs différents, du célèbre gastronome romain Apicius aux auteurs contemporains d'ouvrages culinaires en passant par d'éminents serviteurs de la gastronomie classique tels que Escoffier ou Curnonsky. De nombreuses recettes sont extraites de livres rares et épuisés, dont les seuls exemplaires restants appartiennent à des collections privées.

La cuisine française occupe naturellement une place de choix avec des plats de réputation internationale comme le canard à l'orange, la fricassée de poulet ou le coq au vin. Au lieu de présenter les plats extravagants et compliqués du Grand Siècle, nous avons choisi des recettes relativement simples dont les ingrédients frais et naturels se mêlent harmonieusement.

Certaines recettes anciennes ne donnant aucune indication de quantité, il nous a semblé opportun de les préciser; nous avons fait précéder quelques recettes de brèves notes introductives en italique et avons parfois substitué aux termes archaïques leur équivalent contemporain. Dans cette Anthologie, nous avons effectué le moins de modifications possibles, afin de respecter les lois du genre et de préserver le caractère original de ces recettes. Certaines explications qui nous paraissaient trop succintes ont été développées. De plus, le lecteur pourra se reporter à la première partie de l'ouvrage abordant de façon détaillée et illustrée les différents modes de préparation de la volaille. L'index et le glossaire placés à la fin du livre lui permettront de préciser le sens de certains termes techniques et d'identifier les ingrédients peu connus.

Pour des raisons pratiques, les recettes ont été classées par type de volaille, et regroupées selon leur mode de cuisson. Les préparations de base — fonds, pâtes, et sauce béchamel — figurent à la fin de l'Anthologie. Les suggestions de présentation des plats ne sont données, bien sûr, qu'à titre indicatif.

Au début de chaque recette, les ingrédients et leurs proportions sont énumérés suivant leur ordre d'utilisation. Les quantités qui sont exprimées en cuillerées doivent toujours s'entendre cuillerées «rases».

Poulet

Poulet sauté aux aromates de Provence

Pour 4 personnes

Un poulet coupé en morceaux	2 kg
Huile d'olive	4 cuillerées à soupe
Sel et poivre	
Vin blanc sec	20 cl
Belles tomates	500 g
Gousse d'ail	1
Filet d'anchois rincé et égoutté	1
Sarriette, marjolaine et laurier en poudre	
Branche de basilic	1
Olives noires	50 g

Après l'avoir découpé, faites sauter votre poulet à l'huile. Assaisonnez. Retirez les morceaux de la cocotte, déglacez au vin blanc. Ajoutez quelques tomates pelées, épépinées et concassées, une gousse d'ail hachée, un filet d'anchois, une pincée de sarriette, de marjolaine et de laurier en poudre et une belle branche de basilic. Laissez mijoter ce mélange parfumé. Ajoutez une poignée d'olives noires dénoyautées. Versez le tout sur le poulet et servez.

JEAN-NOËL ESCUDIER
LA VÉRITABLE CUISINE PROVENÇALE ET NIÇOISE

Sauté dauphinois

Pour 6 à 8 personnes

Deux poulets de grain	1 kg chacun
Sel et poivre	
Huile (ou huile et beurre en quantité égale)	10 cl
Bouquet garni	1
Gousses d'ail non épluchées	24
Persil haché	4 cuillerées à soupe

Couper la viande en morceaux assez petits, les assaisonner et les mettre dans une sauteuse contenant l'huile chaude (ou beurre et huile mélangés); faire cuire sur feu vif, en retournant la viande pendant 5 à 6 minutes; modérer ensuite le feu, couvrir la sauteuse, laisser cuire pendant 15 minutes. Découvrir de temps en temps pour retourner les morceaux de viande pendant leur cuisson.

Après ce temps, ajouter, dans la sauteuse, le bouquet garni et les gousses d'ail non débarrassées de leur peau épaisse. Faire cuire encore pendant 20 minutes environ; verser le tout ensemble dans un plat chaud et saupoudrer de persil haché.

L'ail (devenu tendre comme du beurre) est vidé de sa peau, dans l'assiette des convives.

Un autre excellent sauté dauphinois se prépare en remplaçant l'ail par 500 g de poivrons verts coupés en quartiers; dans ce cas, la cuisson des poivrons doit être d'environ 30 minutes.

CURNONSKY
CUISINE ET VINS DE FRANCE

Poulet chinois à la sauce piquante

Tangerine Peel Quick-Fried Chicken in Hot Sauce

Les explications pour hacher un poulet sont données dans la recette du Poulet frit à la peau croquante, page 98.

Pour 4 personnes

Un poulet de grain haché en 16 à 20 morceaux	1 kg
Tranches de gingembre frais	3
Oignon émincé	1
Sel	
Sauce de soja	3 cuillerées à soupe
Xérès sec	3 cuillerées à soupe
Huile	6 cuillerées à soupe
Piments forts épépinés et hachés	2
Ecorce de mandarine séchée, ou écorce de 1 grosse mandarine fraîche, coupée en zestes	1 cuillerée à soupe
Vinaigre	2 cuillerées à café
Sucre	2 cuillerées à café
Poivre gris	
Huile de sésame	1 cuillerée à café

Placez-les morceaux de poulet dans une terrine. Ajoutez le gingembre et l'oignon. Salez et versez une cuillerée à soupe de sauce de soja et une de xérès. Malaxez les morceaux de poulet avec cette marinade et laissez macérer 30 minutes. Enlevez le gingembre et l'oignon.

Dans une sauteuse, faites chauffer l'huile. Mettez le poulet mariné à frire, en le tournant, pendant 3 minutes et demie. Enlevez et égouttez.

Ajoutez le piment et l'écorce de mandarine dans l'huile qui reste dans la sauteuse. Faites sauter pendant 15 secondes à feu vif. Remettez les morceaux de poulet en les retournant en cours de cuisson. Dans un bol, mélangez le reste du xérès et de la sauce de soja avec le vinaigre, le sucre et le poivre et recouvrez la volaille. Faites sauter encore 30 secondes en remuant, arrosez d'huile de sésame et servez.

KENNETH LO
CHINESE FOOD

Poulet sauté d'Yvetot

Pour 4 personnes

Un poulet coupé en morceaux	1,5 kg
Beurre	60 g
Pommes de reinette	500 g
Calvados	4 cuillerées à soupe
Sel et poivre	

Sautez les morceaux de poulet au beurre. Pendant ce temps, pelez et émincez les pommes. Rangez-en les morceaux dans une terrine allant au four. Après 20 minutes de cuisson, retirez le poulet de la sauteuse et disposez-en les morceaux sur les pommes. Déglacez la sauteuse au calvados et ajoutez cette cuisson à la terrine, après en avoir rectifié l'assaisonnement.

Couvrez, mettez au four moyen à 180° (4 au thermostat), le temps de compléter la cuisson du poulet et d'assurer celle des pommes (20 à 30 minutes).

MICHEL BARBEROUSSE
CUISINE NORMANDE

Poulet sauté archiduc

S'il existe de nombreuses recettes de poulets sautés archiduc, les bases de l'apprêt, elles, sont à peu près invariables : le poulet sera sauté à blanc, avec un oignon fondu, et mouillé de crème. Pour terminer la sauce, vous pourrez déglacer avec de la fine champagne, du madère, du whisky ou du porto. Garnissez avec des concombres, des champignons, des fonds d'artichauts ou des truffes.

Pour 4 à 6 personnes

Un poulet coupé en morceaux	2 à 2,5 kg
Beurre	125 g
Oignon haché	2 cuillerées à soupe
Paprika	
Vin blanc	10 cl
Crème	15 cl
Jus de citron	1 cuillerée à café
Concombres épluchés	2

Sauter le poulet au beurre, à blanc. A mi-cuisson (environ 30 minutes après), ajouter l'oignon haché fondu au beurre, et une forte pincée de paprika (poivre rose de Hongrie).

Déglacer avec le vin blanc ; réduire ; mouiller avec la crème ; faire bouillir quelques instants. Incorporer à la sauce 50 g de beurre et un filet de jus de citron, et la passer.

Dresser le poulet ; le garnir avec des concombres tournés en gousses et étuvés au beurre. Napper avec la sauce.

PROSPER MONTAGNÉ
NOUVEAU LAROUSSE GASTRONOMIQUE

Poularde au tilleul

Cette recette fut créée par René Lasserre, propriétaire du restaurant parisien Chez Lasserre, pour l'exposition annuelle des Floralies. Les fleurs de tilleul parfument délicatement la volaille et le gibier.

Pour 4 personnes

Une poularde coupée en 8 morceaux	2 kg
Sel et poivre	
Beurre	50 g
Fleurs de tilleul séchées	1 ou 2 cuillerées à soupe
Vin blanc sec	10 cl
Bouillon de volaille	4 cuillerées à soupe
Poudre de fleurs de tilleul	1 pincée
Crème fraîche	3 cuillerées à soupe
Concentré d'infusion de tilleul	10 cl

Assaisonner les morceaux de poularde de sel et de poivre. Faire sauter dans une cocotte, au beurre, puis laisser cuire doucement. En fin de cuisson, poudrer de fleurs de tilleul entières et laisser 5 minutes.

Retirer les morceaux de volaille, les garder au chaud. Déglacer la cocotte avec le vin blanc sec, et laisser réduire. Ajouter quelques cuillerées de bouillon de volaille et une pincée de poudre de fleurs de tilleul. Lier avec la crème fraîche, et laisser mijoter sans bouillir 10 minutes. Ajouter alors le concentré d'infusion de tilleul. Dresser les morceaux de poularde sur un plat. Napper de la sauce. Accompagner d'un riz créole.

ROBERT COURTINE
MON BOUQUET DE RECETTES

Poulet sauté à la crème

Il est préférable de couper en petits morceaux le beurre utilisé pour enrichir la sauce de ce sauté, et de l'incorporer ensuite hors du feu.

Pour 4 personnes

Un poulet coupé en morceaux	1,5 à 2 kg
Beurre	100 g
Sel et poivre	
Crème fraîche	25 cl
Velouté de volaille	

Sauter le poulet au beurre, à blanc. Assaisonner. Déglacer avec la crème. Faire réduire de moitié ; ajouter au dernier moment 40 g de beurre.

Dresser le poulet ; le napper avec la sauce. On peut étoffer le déglaçage d'une cuillerée ou deux de velouté de volaille.

PROSPER MONTAGNÉ
NOUVEAU LAROUSSE GASTRONOMIQUE

Poulet à la crème

Pour 4 personnes

Un poulet bridé	1,5 à 2 kg
Beurre	90 g
Sel et poivre	
Champignons coupés en 4	250 g
Farine	2 cuillerées à soupe
Crème	50 cl

Faites cuire le poulet comme suit: dans une cocotte mettez du beurre, faites dorer le poulet, salez. Laissez cuire une petite heure. Ajoutez quelques champignons coupés.

D'autre part, préparez un roux blanc. Laissez cuire 10 minutes, liez avec la crème. Salez et poivrez. Ajoutez maintenant le poulet coupé en morceaux et le jus de sa cuisson. Servez immédiatement pour qu'il reste bien chaud.

CURNONSKY
A L'INFORTUNE DU POT

Sauté de poulets aux tomates

Pour cette recette, les tomates doivent être préparées selon une méthode rarement décrite dans les livres de cuisine, qui permet d'éliminer l'excès de liquide et d'acidité. Pelez-les, coupez-les en deux horizontalement et épépinez-les. Salez-les généreusement et laissez-les égoutter pendant 2 heures environ dans un tamis, la coupe de la tomate posée sur le tamis. Vous obtiendrez ainsi une préparation essentielle à la qualité du plat, que vous ne pourrez égaler en pressant les fruits à la main.

Pour 8 à 10 personnes

Trois poulets coupés en morceaux	1,5 kg chacun
Beurre	60 g
Huile d'olive	4 cuillerées à soupe
Sel et poivre	
Bonnes tomates du Midi, fermes, bien en chair, préparées comme indiqué ci-dessus	6
Gousse d'ail	1
Poivre de Cayenne	
Persil haché	1 cuillerée à soupe

Rangez les cuisses de poulet dans un sautoir avec moitié beurre, moitié huile; faites-les cuire aux trois quarts à couvert, environ 25 minutes; ajoutez les filets et hauts de poitrine; assaisonnez, finissez de les cuire ensemble avec les cuisses; égouttez-les ensuite, en laissant la graisse dans le sautoir. Parez tour à tour les morceaux de poulet, rangez-les à mesure dans une casserole, en les arrosant avec un peu de sauce; tenez-les au chaud.

Mettez alors les demi-tomates coupées en 2 dans une poêle, avec le beurre de cuisson; assaisonnez-les, ajoutez la gousse d'ail; faites-les sauter à feu vif, sans les briser; aussitôt qu'elles ont réduit leur humidité, enlevez la gousse d'ail, saupoudrez avec une pincée de Cayenne et le persil haché.

Dressez les poulets en pyramide sur un plat; entourez-les avec les tomates, arrosez-les simplement avec leur cuisson.

URBAIN DUBOIS ET ÉMILE BERNARD
LA CUISINE CLASSIQUE

Le poulet sauté aux tomates

Lou poulas soùtat aï toùmati

Pour 4 personnes

Un poulet coupé en 10 morceaux	1,2 à 1,8 kg
Huile d'olive	10 cuillerées à soupe
Oignons moyens, coupés en quartiers	6
Echalote	1
Feuilles de thym émiettées	1 pincée
Brins de persil	10
Sel et poivre	
Gousses d'ail	2
Tomates bien mûres, pelées et épépinées	6
Vin blanc	20 cl
Olives noires de Nice	50 g
Jus de citron	

Dans un poêlon, faire chauffer 5 cuillerées à soupe d'huile d'olive. Lorsque celle-ci commence à fumer, y jeter les oignons, l'échalote, le thym et le persil. Laisser blondir l'oignon et réserver.

Dans le poêlon, mettre 5 cuillerées à soupe d'huile d'olive, la faire chauffer et, lorsqu'elle commence à fumer, y faire revenir les morceaux de poulet que vous aurez salés et poivrés au préalable. Bien les dorer.

Ajouter alors l'ail, les tomates et un verre de vin blanc. Laisser réduire de moitié à gros bouillons en remuant souvent.

Trois minutes avant de servir, jeter une poignée d'olives noires de Nice et ajouter un filet de citron.

Une variante plus rapide consiste à faire réduire la tomate dans une casserole à part, à déglacer la poêle où le poulet vient de sauter avec un verre de vin blanc ou de bouillon, et à arroser de tomate, d'olives et d'un filet de citron pour servir sans attendre.

Une autre variante consiste à introduire, dans l'une ou l'autre recette, quelques champignons de Paris cuits dans leur jus, ou des cèpes secs, trempés, 10 minutes avant de servir.

JACQUES MÉDECIN
LA CUISINE DU COMTÉ DE NICE

Poussins aux piments doux

Pour enlever facilement la peau des piments, reportez-vous aux explications données page 11.

Pour 2 à 4 personnes

Deux poussins coupés en 2	700 g chacun
Beurre	60 g
Sel	
Poivre de la Jamaïque moulu et marjolaine en poudre	
Beaux piments doux	6
Vin blanc sec	20 cl

Faites sauter les poussins au beurre, assaisonnez-les de sel, de poivre de la Jamaïque et de marjolaine.

D'autre part, faites griller les piments doux, enlevez-leur la peau et les pépins, émincez-les finement, ajoutez-les aux poussins, versez un bon verre de vin blanc sec, terminez la cuisson à couvert (20 à 30 minutes).

Dressez les poussins dans un plat et rangez la garniture au-dessus.

LÉON ISNARD
LA CUISINE FRANÇAISE ET AFRICAINE

Poulet frit à la moutarde

Pan-Fried Chicken with Mustard

Pour 4 personnes

Un poulet coupé en 8 morceaux	1,5 kg
Moutarde de Dijon	3 cuillerées à soupe
Jaunes d'œufs	2
Crème fraîche épaisse	2 cuillerées à soupe
Chapelure	150 g
Farine	
Sel et poivre	
Huile de maïs	

Débarrassez les morceaux de poulet de leur peau en utilisant un morceau de papier absorbant pour avoir une meilleure prise. Séchez chaque morceau.

Dans une terrine de taille moyenne ou une assiette à soupe, mélangez intimement la moutarde avec les jaunes d'œufs et la crème fraîche.

Étalez la chapelure sur une feuille de papier sulfurisé et un peu de farine sur une autre.

Salez, poivrez et farinez les morceaux. Trempez-les dans le mélange à base de moutarde en les retournant pour bien les enduire puis roulez-les dans la chapelure en pressant avec votre main.

Disposez la volaille sur un plat et mettez au frais pendant 3

ou 4 heures pour que la couche extérieure se raffermisse et que la moutarde imprègne bien la chair.

Lorsque vous êtes prêt à faire frire le poulet, prenez une grande poêle profonde (ou deux petites) pouvant contenir tous les morceaux en une seule couche. Versez 2,5 cm environ d'huile de maïs et mettez à feu modéré.

Quand l'huile est suffisamment chaude pour grésiller au contact d'un dé de pain, ajoutez les morceaux de poulet. Faites cuire à feu modéré pendant 15 à 20 minutes jusqu'à ce que la chair soit entièrement cuite et la peau croustillante et bien dorée, en retournant les morceaux de temps en temps.

Égouttez sur du papier absorbant et servez.

Remarque: si vous devez faire frire le poulet en deux fois, ou si vous ne voulez pas le servir immédiatement, vous pouvez le tenir au chaud au four, à la température minimale, pendant 15 à 20 minutes.

ROBERT CARRIER
THE ROBERT CARRIER COOKERY COURSE

Suprêmes de volaille amandine

Pour 6 personnes

Poitrines entières de poulet coupées en 2	3
Farine	
Sel et poivre blanc fraîchement moulu	
Beurre	125 g
Jus de citron	2 cuillerées à soupe
Amandes mondées coupés en 2	75 g
Ail pilé	1 cuillerée à café
Oignon haché menu	1 cuillerée à soupe
Vin blanc sec	4 cuillerées à soupe
Persil haché menu	2 cuillerées à café

Faites blanchir pendant 2 minutes les poitrines de poulet dans une casserole d'eau salée bouillante. Égouttez. Débarrassez-les de leur peau et du bréchet, en laissant seulement le bout osseux de l'aile. Séchez les suprêmes obtenus avec des serviettes en papier.

Saupoudrez la volaille de farine salée et poivrée. Dans une cocotte contenant la moitié du beurre, mettez les suprêmes à dorer très lentement de chaque côté. Versez le jus de citron. Salez et poivrez. Couvrez et laissez cuire à feu doux jusqu'à ce que le poulet soit tendre. Sortez-le et réservez. Mettez les amandes, l'ail, l'oignon et 30 g de beurre dans la cocotte. Secouez, sur feu moyen, jusqu'à ce que les amandes soient bien colorées. Incorporez ensuite en remuant le reste de beurre et le vin, en alternant une cuillerée de chaque.

Remettez le poulet dans la cocotte et réchauffez-le. Dressez les morceaux dans un plat creux. Nappez avec les amandes et la sauce et saupoudrez de persil haché.

DIONE LUCAS ET MARION GORMAN
THE DIONE LUCAS BOOK OF FRENCH COOKING

Suprêmes de volaille jurassienne

Pour 4 personnes

Poitrines de poulet sans peau, désossées et coupées en 2	2
Farine	60 g
Muscade râpée	1 pincée
Sel et poivre	
Œufs légèrement battus	2
Chapelure	60 g
Gruyère râpé	30 g
Beurre fondu	90 g
Citron coupé en quartiers	1

Muscadez, salez et poivrez la farine. Roulez légèrement la volaille dans la farine, trempez-la dans les œufs, puis dans un mélange de chapelure et de gruyère râpé. Dans une grande sauteuse, faites dorer les suprêmes de poulet sur toutes leurs faces dans le beurre fondu. Laissez cuire 15 minutes. Servez chaud avec des quartiers de citron.

NIKA STANDEN HAZELTON
THE SWISS COOKBOOK

Volaille de Bresse sautée au vinaigre

Pour 4 personnes

Une volaille vidée et coupée en 8 morceaux	1,5 kg
Beurre	150 g
Sel et poivre	
Echalotes hachées	4
Vinaigre de vin	25 cl

Faire chauffer 100 g de beurre dans un plat à sauter de grandeur appropriée à tenir juste les morceaux.

Assaisonner les morceaux avec sel et poivre, les faire colorer légèrement. Le beurre doit conserver toute sa couleur blonde.

Couvrir et poursuivre la cuisson à four chaud, sans excès, une vingtaine de minutes.

Cuits à point, les morceaux de volaille sont réunis sur un plat, couverts et tenus au chaud.

Faire revenir à blanc les échalotes hachées dans le beurre du plat à sauter. Déglacer avec le vinaigre de vin. Faire réduire de moitié et monter cette sauce avec 50 g de beurre. Verser la sauce sur les morceaux de poulet qui doivent être soigneusement nappés.

PAUL BOCUSE
LA CUISINE DU MARCHÉ

Poulet frit à la crème et à la polenta

Fried Chicken with Cream Gravy and Mush

Pour 6 à 8 personnes

Deux jeunes poulets coupés en morceaux	1 à 1,5 kg chacun
Sel et poivre	
Farine	2 cuillerées à soupe
Saindoux	100 g
Polenta :	
Semoule de maïs blanche	150 g
Eau bouillante	1 l
Sel	1 cuillerée à café
Jaune d'œuf	1
Sauce à la crème :	
Beurre	15 g
Farine	2 cuillerées à soupe
Crème fleurette	25 cl
Sel et poivre	

Pour faire la polenta, incorporez petit à petit la semoule de maïs dans de l'eau salée bouillante sans cesser de remuer. Laissez cuire directement sur le feu pendant 2 ou 3 minutes et poursuivez la cuisson au bain-marie pendant 1 heure. Laissez tiédir, ajoutez le jaune d'œuf, battez bien et laissez refroidir.

Pendant ce temps, salez et poivrez les morceaux de poulet, couvrez-les avec une serviette et réservez pendant 30 minutes. Épongez-les et farinez-les. Dans une sauteuse en fonte, faites chauffer le saindoux jusqu'à ce qu'il soit très chaud sans être fumant. Mettez le poulet à dorer (quelques morceaux à la fois), en le retournant pour qu'il prenne couleur des deux côtés. Laissez le feu à température égale pour que la volaille ne brûnisse pas avant d'être bien cuite. A mesure que les morceaux sont prêts, égouttez-les sur du papier absorbant, dressez-les au centre d'un plat et gardez-les au chaud au four jusqu'au dernier moment.

Ajoutez la polenta, cuillerée par cuillerée, à la graisse chaude de friture du poulet, en retournant ces galettes pour qu'elles dorent des deux côtés. Vous devez obtenir des galettes de 1 cm d'épaisseur et ayant la circonférence d'un verre à eau. Dressez-les autour de la volaille.

Utilisez la même sauteuse pour faire la sauce. Faites fondre le beurre, ajoutez la farine et mélangez bien le tout avec le reste de graisse et les sucs caramélisés des galettes de maïs. Ajoutez la crème, un peu de sel et de poivre moulu, laissez épaissir et servez dans une saucière.

SHEILA HIBBEN
AMERICAN REGIONAL COOKERY

Poulet frit à l'américaine

Southern Fried Chicken with Cream Gravy

Pour 4 personnes

Un poulet coupé en morceaux	1 à 1,5 kg
Sel	
Farine	125 g
Saindoux (ou graisse végétale et saindoux en quantité égale)	250 g

Sauce à la crème :

Farine	2 cuillerées à soupe
Fond de volaille	15 ou 20 cl
Crème fleurette	15 cl
Sel et poivre blanc	

Lavez les morceaux de poulet à l'eau courante froide et séchez-les bien avec des serviettes en papier. Salez sur toutes les faces. Mettez la farine dans un sac en papier solide, laissez-y tomber plusieurs morceaux de poulet à la fois et secouez pour bien enrober chaque morceau de farine. Sortez la volaille du sac et secouez vigoureusement pour enlever l'excès de farine. Disposez les morceaux côte à côte sur une feuille de papier sulfurisé.

Préchauffez le four à 95° (1 au thermostat) et placez un plat creux au milieu.

Dans une sauteuse à fond épais de 25 cm de diamètre, faites fondre le saindoux ou le mélange de saindoux et de graisse végétale à feu vif. Vous devez obtenir une couche de 5 mm d'épaisseur. A défaut, ajoutez un peu de saindoux. Quand la graisse commence à fumer, ajoutez les morceaux de poulet, côté peau vers le bas. Commencez par faire frire les pilons et les hauts-de-cuisses car ils cuisent plus lentement que le blanc.

Couvrez la sauteuse et laissez frire de 6 à 8 minutes à feu modéré, en vérifiant de temps en temps que le poulet ne brûle pas. Quand les morceaux sont bien dorés d'un côté, tournez-les et couvrez de nouveau. Ensuite, dressez-les dans le plat du four jusqu'à achèvement de la cuisson. Réservez dans le four chaud pendant que vous préparez la sauce.

Retirez la matière grasse de la sauteuse en n'y laissant que 2 cuillerées à soupe. Ajoutez la farine et remuez pour obtenir un mélange homogène. Versez le fond de volaille avec 10 cl de crème et laissez cuire à feu modéré, en battant au fouet, jusqu'à ce que la sauce soit bien lisse et épaisse. Pour obtenir une sauce plus liquide, incorporez le reste de la crème en remuant. Selon le goût, passez la sauce. Vérifiez l'assaisonnement, versez dans une saucière chaude et servez avec le poulet frit dressé sur un plat de service chaud.

LES RÉDACTEURS DES ÉDITIONS TIME-LIFE
FOODS OF THE WORLD — AMERICAN COOKING

Poulet frit

Fried Chicken

Pour 4 à 6 personnes

Un poulet coupé en morceaux	1 à 1,5 kg
Farine	60 g
Sel et poivre	
Curry en poudre (facultatif)	½ cuillerée à café
Lait	10 à 25 cl
Beurre	90 g

Préchauffez le four à 180° (4 au thermostat).

Séchez le poulet. Mettez la farine, le sel, le poivre et le curry en poudre dans un sac. Trempez les morceaux de poulet dans le lait, mettez-en plusieurs à la fois dans le sac et secouez pour bien les enrober de farine.

Dans une sauteuse à fond épais, faites fondre juste assez de beurre pour tapisser le fond et faites-y sauter le poulet. Faites fondre 50 g de beurre dans une petite casserole.

Disposez la volaille côté peau vers le bas dans un plat à four assez grand pour y ranger tous les morceaux côte à côte. Arrosez avec le beurre fondu. Placez sur la grille la plus basse du four et laissez rôtir 25 minutes environ. Sortez, arrosez et retournez les morceaux. Remettez au four 35 minutes, jusqu'à ce que la volaille soit bien dorée et à point.

Pour cuire sur le feu, farinez le poulet en suivant les instructions ci-dessus. Placez ensuite les morceaux de volaille dans la sauteuse contenant le beurre et faites-les dorer à feu doux. Couvrez et laissez cuire à l'étuvée pendant 1 heure un quart environ, jusqu'à ce que les morceaux soient presque cuits. Découvrez, mettez à feu vif et laissez cuire 10 minutes pour que la peau devienne bien croustillante.

JANE MOSS SNOW
A FAMILY HARVEST

Spezzatino de poulet au vinaigre

Spezzatino di pollo all'aceto

Pour 6 personnes

Un poulet coupé en morceaux	1,5 kg
Filets d'anchois rincés et égouttés	4
Gousses d'ail	2
Vinaigre de vin blanc	10 cl
Sel et poivre	
Farine	
Huile	10 cl
Brins de romarin	3
(ou 1 cuillerée à café de romarin en poudre)	

Dans un mortier, pilez les filets d'anchois et l'ail en pâte. Versez le vinaigre et mélangez jusqu'à obtention d'une préparation lisse. Salez, poivrez et farinez la volaille.

Faites chauffer l'huile avec le romarin et mettez quelques morceaux de poulet à la fois à dorer. Dès qu'ils sont prêts, remplacez-les par des morceaux crus. Lorsque tous les morceaux sont dorés, remettez les hauts-de-cuisses et les pilons dans la sauteuse, couvrez bien et laissez cuire 10 minutes à feu doux. Ajoutez les blancs et les ailes et laissez 15 minutes de plus. Quand le poulet est entièrement cuit, dressez-le dans un plat et réservez au chaud.

Jetez l'excès de matière grasse de la sauteuse en n'y laissant que 2 cuillerées à soupe, ajoutez la préparation au vinaigre et faites réduire de moitié à feu vif. Remettez les morceaux de poulet dans la sauteuse, couvrez bien et laissez cuire à feu très doux pendant 5 minutes. Dressez le poulet dans un plat de service chaud et nappez-le de sauce.

LUIGI CARNACINA
LA GRANDE CUCINA

Poulet frit à la dominicaine

Chicharrones de pollo

Pour 4 personnes

Un poulet coupé en 16 morceaux (ailes, hauts-de-cuisses, pilons et blancs coupés en 2)	1,5 à 2 kg
Rhum	4 cuillerées à soupe
Sauce de soja, japonaise de préférence	4 cuillerées à soupe
Jus de citron vert, frais	4 cuillerées à soupe
Sel et poivre	
Farine	125 g
Huile	50 cl

Faites chauffer le rhum à feux doux dans une petite casserole. Hors du feu, faites-le flamber en secouant légèrement la casserole d'avant en arrière jusqu'à disparition de la flamme.

Ajoutez la sauce de soja et le jus de citron vert. Placez les morceaux de poulet dans une terrine et arrosez-les avec le mélange préparé en les retournant à la cuillère pour bien les imprégner. Laissez mariner 2 heures environ à température ambiante, ou 4 heures au moins au réfrigérateur, en retournant les morceaux de temps en temps.

Préchauffez le four à la température minimale. Tapissez un grand plat à four peu profond d'une double épaisseur de serviettes en papier. Séchez bien les morceaux de poulet avec des serviettes en papier. Salez, poivrez, farinez et secouez vigoureusement pour enlever l'excès de farine. Dans un poêlon à fond épais de 25 à 30 cm de diamètre, faites chauffer l'huile à feu vif jusqu'à ce qu'elle soit très chaude, mais non fumante.

Faites cuire 5 ou 6 morceaux à la fois, 6 minutes environ de chaque côté, en les retournant avec des pinces ou avec une écumoire et en réglant le feu pour qu'ils dorent de façon régulière. La cuisson achevée, disposez-les dans le plat et gardez-les au chaud.

Servez avec du riz.

LES RÉDACTEURS DES EDITIONS TIME-LIFE
FOODS OF THE WORLD — THE COOKING OF THE CARRIBEAN ISLANDS

Poulet sauté à la forestière

Pour 8 personnes

Un poulet coupé en morceaux	1,5 à 2 kg
Lard de poitrine	150 g
Beurre	150 g
Morilles, pieds coupés, lavées avec soin pour enlever tout le sable	200 g
Echalotes hachées	3
Sel et poivre	
Grosses pommes de terre	4
Vin blanc sec	4 cuillerées à soupe
Fond de veau	4 cuillerées à soupe
Persil haché	1 cuillerée à soupe

Retirez la couenne du lard, coupez-le en gros dés et plongez-le 5 minutes à l'eau bouillante; égouttez-le, épongez-le et mettez-le dans une cocotte avec 50 g de beurre; faites rissoler quelques minutes; retirez le lard et mettez les morceaux de poulet à la place. Faites dorer ailes et haut de poitrine pendant 4 à 5 minutes; retirez-les et laissez les cuisses pendant 7 ou 8 minutes de plus.

Remettez dans la cocotte tous les morceaux de poulet et le lard, ainsi que les morilles très bien lavées et coupées en deux ou en trois. Saupoudrez avec les échalotes hachées, salez, poivrez; couvrez la cocotte et mettez-la à four moyen à 200° (6 au thermostat), pendant 30 à 40 minutes.

Pendant la cuisson du poulet, épluchez et lavez les pommes de terre; coupez-les en dés de 1 cm de côté, essuyez-les bien. Faites fondre 75 g de beurre dans une sauteuse, mettez les pommes de terre dans ce beurre et faites-les bien rissoler.

Dressez les morceaux de poulet cuit dans un plat. Maintenez ce plat au chaud.

Versez le vin blanc dans la cocotte, faites-le réduire rapidement; ajoutez le fond de veau, laissez bouillir 2 minutes; hors du feu, ajoutez le reste de beurre et remuez bien.

Versez cette sauce aux morilles sur le poulet; parsemez de persil haché et disposez les pommes de terre autour du plat en petits tas ou en bordure.

ODETTE KAHN
LA PETITE ET LA GRANDE CUISINE

Poulet mariné frit

Kotopoulo tiganito marinato

Pour 4 ou 5 personnes

Un poulet lavé, séché et coupé en morceaux	1 à 1,5 kg
Sel et poivre	
Farine	90 g
Huile	30 cl environ
Petites tomates ou quartiers de tomates	
Cresson et brins de persil	

Marinade :

Huile d'olive	4 cuillerées à soupe
Vinaigre de vin blanc	4 cuillerées à soupe
Jus de citron	4 cuillerées à soupe
Gousses d'ail hachées	2
Petit oignon émincé	1
Feuille de laurier émiettée	1
Thym, marjolaine ou origan séché	1 cuillerée à café
Grains de poivre concassés	2
Baies de genièvre	2 ou 3
Graines de coriandre concassées	4

Dans une terrine, mélangez tous les ingrédients de la marinade. Plongez-y le poulet en enduisant les morceaux de tous les côtés. Couvrez et laissez mariner 2 heures au moins au réfrigérateur ou pendant toute une nuit. Égouttez, puis salez et poivrez légèrement. Mettez la farine dans un sac en papier, ajoutez les morceaux de poulet et secouez doucement pour bien enrober tous les morceaux.

Dans une poêle à fond épais, faites chauffer 1 cm d'huile. Juste avant que l'huile ne commence à fumer, mettez-y le poulet et laissez-le frire jusqu'à ce qu'il prenne une couleur marron clair, en le tournant sur toutes ses faces. Avec des pinces, disposez les morceaux de volaille dans un plat à four et jetez l'huile qui reste dans la poêle.

Mettez dans un four préchauffé à 180° (4 au thermostat) pendant 50 minutes jusqu'à ce que le poulet soit tendre, en enlevant au fur et à mesure la matière grasse qui se dépose dans le plat de cuisson. (Le poulet sera croustillant et bien doré.) Dressez sur un plat et entourez de tomates, de cresson et de persil.

VILMA LIACOURAS CHANTILES
THE FOOD OF GREECE

Poulet sauté à l'indienne

Murgi ka Kima

Pour 2 ou 3 personnes

Chair de poulet hachée menu	250 à 350 g
Beurre	60 g
Clous de girofle	12
Gros oignon coupé en 2 dans le sens de la hauteur et finement émincé	1
Sel	
Curcuma en poudre	1 cuillerée à café
Jus de citron vert, frais	3 cuillerées à soupe

Pâte épicée :

Ail finement haché	1 cuillerée à café
Oignon finement haché	2 cuillerées à café
Gingembre finement haché	1 cuillerée à café

Pour faire la pâte épicée, passez l'ail, l'oignon et le gingembre au mixer et ajoutez juste un peu d'eau pour obtenir une purée fine. Réservez.

Dans une cocotte de taille moyenne, faites chauffer le beurre. Gardez le couvercle de la cocotte à portée de la main. Jetez les clous de girofle dans le beurre, couvrez immédiatement et secouez sur le feu pendant 1 minute. Découvrez, retirez les clous de girofle avec une écumoire et jetez-les. Mettez l'oignon dans la cocotte. Lorsqu'il commence à blondir, ajoutez le poulet et salez selon le goût. Remuez avec une spatule pendant 5 minutes. Ajoutez ensuite le curcuma et continuez la cuisson 10 minutes sans cesser de remuer. N'ajoutez pas d'eau. Incorporez la pâte épicée et laissez cuire à découvert jusqu'à ce que le tout soit tendre, sans jamais ajouter d'eau. Versez le jus de citron vert dans la cocotte, mélangez et servez très chaud.

SHIVAJI RAO ET SHALINI DEVI HOLKAR
COOKING OF THE MAHARAJAS

Poulet sauté aux morilles

Le procédé qui consiste à faire dorer les morceaux de volaille dans du beurre froid pour commencer permet d'obtenir une sauce claire et particulièrement délicate.

Pour 4 à 6 personnes

Un poulet coupé en morceaux	2 à 2,5 kg
Beurre	30 g
Sel et poivre	
Vin blanc	10 cl
Morilles soigneusement nettoyées	125 g
Truffe finement hachée	1
Crème fraîche	20 cl

Le poulet étant découpé et mis dans un plat à sauter, grassement beurré, ajouter une pincée de sel et une de poivre.

Placé sur un feu modéré, le poulet prendra une belle couleur dorée; à ce moment, ajouter un petit verre de vin blanc; quand ce vin commence à être un peu réduit, ajouter les morilles préparées et la truffe; incorporer ensuite un grand verre de bonne crème fraîche; laisser mijoter de 10 à 12 minutes et servir bien chaud.

ESCOFFIER
LE CARNET D'ÉPICURE

Poulet au riz à l'espagnole

Pour préparer les artichauts, reportez-vous aux explications données page 11. Le cœur est la partie tendre et charnue des feuilles d'un jeune artichaut dont vous aurez coupé la moitié supérieure.

Pour 4 personnes

Un poulet coupé en morceaux	1,5 kg
Huile d'olive	4 cuillerées à soupe
Oignons hachés	2
Gousses d'ail hachées	2
Tomates pelées, épépinées et concassées	4
Cœurs d'artichauts bien tendres	4
Poivrons ou piments doux épépinés	4
Petits pois fraîchement écossés	60 g
Safran en poudre	
Sel et poivre	
Riz long	300 g
Eau	50 cl

Faites sauter les morceaux de poulet à l'huile d'olive dans une casserole: dès qu'ils commencent à rissoler, ajoutez les oignons, les gousses d'ail hachées, les tomates, les cœurs d'artichauts, les poivrons ou piments doux coupés en quar-

tiers, quelques petits pois frais et une bonne pincée de safran; assaisonnez le tout de sel et poivre; ajoutez le riz, faites légèrement revenir le tout ensemble; mouillez d'un demi-litre d'eau, faites partir à grande ébullition; terminez la cuisson au four pendant 20 minutes.

Remarque: la recette ci-dessus est la meilleure pour obtenir un riz dont les grains restent bien entiers, à condition de le retirer 2 minutes avant que la cuisson soit complète; servir aussitôt.

LÉON ISNARD
LA CUISINE FRANÇAISE ET AFRICAINE

Poulet sauté chasseur
Pollo sauté alla cacciatora

Pour 6 personnes

Un poulet coupé en morceaux	1,5 kg
Huile	3 cuillerées à soupe
Beurre	60 g
Sel et poivre	
Champignons émincés	250 g
Oignon haché	1
Vin blanc sec	10 cl
Farine	1 cuillerée à soupe
Fond de volaille	25 cl
Cognac	2 cuillerées à soupe
Tomates mûres, pelées, épépinées égouttées et hachées	4
Persil haché	1 cuillerée à soupe
Estragon frais haché (ou 1 cuillerée à café d'estragon séché)	1 cuillerée à soupe

Séchez bien les morceaux de poulet dans des serviettes en papier. Dans une grande poêle, faites chauffer l'huile et la moitié du beurre à feu vif. Mettez quelques morceaux de poulet à dorer, en les remplaçant par des morceaux crus à mesure qu'ils brunissent. Lorsque tous les morceaux sont dorés, remettez les hauts-de-cuisses et les pilons dans la poêle, couvrez bien et laissez cuire 10 minutes à feu doux. Ajoutez les blancs et les ailes et laissez 15 minutes de plus, jusqu'à ce que tous les morceaux soient tendres. Dressez le tout sur un plat chaud, salez, poivrez et gardez au chaud.

Dans une poêle couverte contenant le reste de beurre, faites revenir les champignons pendant 8 minutes environ. Enlevez du feu et réservez. Jetez l'excès de matière grasse de la poêle de cuisson du poulet et faites dorer l'oignon à feu moyen. Déglacez avec le vin et laissez-le s'évaporer à feu vif. Incorporez la farine, mélangez, laissez cuire 1 minute, versez le fond de volaille bouillant en tournant jusqu'à liaison. Faites chauffer le cognac, flambez-le et versez-le dans la poêle. Ajoutez les tomates et les herbes, salez, poivrez et laissez cuire 10 minutes. Remettez les morceaux de poulet dans la poêle, ajoutez les champignons, laissez cuire 3 minutes et servez le poulet et la sauce dans un plat de service chaud.

LUIGI CARNACINA
LA GRANDE CUCINA

———————◆———————

Le poulet frit d'Erskine Caldwell

Erskine Caldwell's Genuine Southern Fried Chicken

Pour 6 personnes

Deux poulets coupés en morceaux	1,5 à 2 kg chacun
Lait	1 l
Œufs battus	3 ou 4
Sel	
Sauce Tabasco	
Farine	
Chapelure	
Huile ou graisse de friture	

Faites tremper les morceaux de poulet toute une nuit dans le lait auquel vous aurez ajouté les œufs, un peu de sel et une bonne larme de Tabasco. Égouttez-les, épongez-les, roulez-les dans un mélange de farine et de chapelure en quantité égale et faites-les dorer à grande friture. Terminez la cuisson à four modéré, à 180° (4 au thermostat) environ, pendant 10 à 15 minutes seulement pour que le poulet ne se dessèche pas.

Servez avec des patates douces cuites au four, des tomates grillées et une salade verte.

BERYL BARR ET BARBARA TURNER SACHS (RÉDACTEURS)
THE ARTISTS' AND WRITERS' COOKBOOK

———————◆———————

Petits poulets frits

Pour 8 personnes

Deux petits poulets coupés en 4, sans les ailerons	1 kg chacun
Sel et poivre	
Persil haché	1 ou 2 cuillerées à soupe
Jus de citron	5 cuillerées à soupe
Farine	
Œufs battus	3
Chapelure	
Huile de friture	
Grosses bottes de persil (facultatif)	2

Assaisonnez les morceaux de poulet avec le sel et le poivre, saupoudrez avec le persil haché; ajoutez le suc de 2 citrons; faites mariner au moins 1 heure, en retournant de temps en

temps les morceaux; égouttez-les ensuite, farinez tour à tour chaque morceau; roulez-les dans l'œuf et panez-les; 12 à 15 minutes avant de servir, plongez à grande friture les parties les plus longues à cuire; 5 minutes après, plongez les filets; quand les chairs sont bien atteintes, de belle couleur, égouttez, salez légèrement et dressez en buisson sur une serviette pliée ou sur une couche de persil frit.

URBAIN DUBOIS
L'ÉCOLE DES CUISINIÈRES

———————◆———————

Marinade de poulet

La marinade et la sauce de cette recette se préparent avec des bigarades amères. A défaut, vous pouvez utiliser un mélange de jus d'orange sanguine et de citron. Les poulets doivent être fendus et aplatis selon la méthode décrite à la page 47.

Pour 4 personnes

Deux poulets fendus par le dos et aplatis	1 kg chacun
Saindoux	250 g
Pâte à frire *(page 166)*	
Jus de bigarade (facultatif)	
Marinade :	
Vin blanc sec	10 cl
Vinaigre de vin blanc, ou verjus	10 cl
Quatre-épices et poivre de Cayenne	
Sel	
Jus de bigarade	10 cl
Gros oignon, ou 3 ou 4 petits oignons ou ciboules, finement émincés	1
Fines herbes hachées	1 cuillerée à soupe

Vous mettrez les morceaux de poulet dans un plat tremper (de 2 à 3 heures) avec le vin blanc, vin-aigre verjus, épices, sel, orange, ciboules ou oignon, un peu de fines herbes, les retournant parfois pour leur mieux faire prendre le goût, puis on les égouttera, et on les frira dans le saindoux, lard ou beurre; si vous les voulez sécher avec de la farine, ou les tremper dans de la pâte à beignets bien claire, ils prendront une couleur fort agréable; et pour les servir, le jus d'orange est la vraie sauce, si ce n'est que vous vouliez faire cuire un peu de la sauce dans laquelle ils auront trempé auparavant que de les frire.

NICOLAS DE BONNEFONS
LES DÉLICES DE LA CAMPAGNE

———————◆———————

Poulet frit à la florentine

Fried Chicken Florentine

Pour 4 personnes

Un poulet coupé en morceaux	1,5 kg
Farine	250 g
Œuf légèrement battu	1
Huile d'olive	35 cl

Marinade :

Huile d'olive	3 cuillerées à soupe
Jus de citron	4 cuillerées à soupe
Sel et poivre	
Persil haché	2 cuillerées à café

Faites une marinade avec l'huile, le jus de citron, le sel, le poivre et le persil. Versez-la sur le poulet et laissez mariner 2 heures environ en retournant les morceaux de temps en temps. Sortez les morceaux de poulet de la marinade, séchez-les bien, farinez-les, trempez-les dans l'œuf battu et faites-les frire dans l'huile d'olive 15 minutes environ.

ADA BONI
THE TALISMAN ITALIAN COOK BOOK

Poulet aux noix à la pékinoise

Chicken with Walnuts, Peking-Style

Pour 6 personnes

Poitrine entière de poulet débarrassée de sa peau, désossée et coupée en dés	1
Sel	1 cuillerée à café
Fécule de maïs	1 cuillerée à soupe
Blanc d'œuf	1
Noix mondées	125 g
Huile de friture	
Poivron vert coupé en dés	1
Poivron rouge coupé en dés	1
Huile	2 cuillerées à soupe
Pâte de soja	2 cuillerées à soupe
Sucre	2 cuillerées à soupe
Vin blanc sec	1 cuillerée à soupe
Fond de volaille (si besoin est)	4 cuillerées à soupe

Mélangez le poulet, le sel, la fécule de maïs et le blanc d'œuf en secouant bien le tout. Mettez les noix dans un panier à friture et plongez-les dans l'huile chauffée à 150° jusqu'à ce qu'elles soient légèrement dorées et croustillantes. Sortez le panier et remettez-le dans la friture pour obtenir la coloration désirée en prenant garde de ne pas carboniser les noix.

Égouttez bien et réservez. Faites revenir les poivrons dans une cuillerée à soupe d'huile pendant 1 minute. Égouttez. Versez l'autre cuillerée à soupe d'huile et faites revenir la pâte de soja pendant 3 minutes sans cesser de remuer. Ajoutez le sucre. Plongez les dés de poulet dans la grande friture à 190° pendant 1 minute. Égouttez-les et ajoutez-les à la pâte de soja. Versez le vin. Si la sauce est trop épaisse, diluez-la avec le fond de volaille. Secouez énergiquement. Ajoutez les poivrons et les noix et réchauffez le tout sans cesser de remuer.

YU WEN MEI ET CHARLOTTE ADAMS
100 MOST HONORABLE CHINESE RECIPES

Poulet frit à la peau croquante

Crackling Fried Chicken

Ce plat croustillant est une des meilleures spécialités chinoises du genre et offre un contraste agréable avec les plats en sauce. On peut détacher la chair des os avec les doigts ou avec des baguettes.

Pour 4 personnes

Un poulet	1,5 kg
Sel	2 cuillerées à café
Tranches de gingembre frais, hachées menu	4
Sucre de malt, ou sucre ordinaire	2 cuillerées à café
Vinaigre	3 cuillerées à café
Sauce de soja légère	3 cuillerées à café
Eau	2 cuillerées à soupe
Xérès	3 cuillerées à café
Fécule de maïs	3 cuillerées à soupe
Huile de friture	

Frottez l'intérieur et l'extérieur du poulet avec le sel mélangé au gingembre. Laissez mariner 3 heures dans un endroit aéré.

Coupez le poulet à la chinoise, en 16 à 20 morceaux. Pour cela, il vous faut un couperet lourd et très aiguisé (ou un hachoir chinois affûté comme un rasoir, que vous trouverez dans les magasins spécialisés). Vous couperez dans l'os beaucoup plus facilement en travaillant sur une planche de travail épaisse qui vous donnera une base solide.

Fendez la volaille en 2 dans le sens de la longueur et détachez les cuisses. Coupez chaque cuisse en 3 et chaque aile en 2, ce qui donne 10 morceaux. Coupez ensuite chaque moitié de carcasse dans le bréchet en 3 morceaux, ce qui donne 6 morceaux. Enfin, coupez 1 ou 2 des plus gros morceaux en 2 pour en obtenir de 16 à 20.

Mélangez le sucre, le vinaigre, la sauce de soja, l'eau, le xérès et la fécule de maïs. Enduisez les morceaux de poulet de la moitié de la pâte obtenue et laissez sécher 2 heures dans un endroit aéré. Faites pénétrer le reste de la pâte et laissez sécher encore 1 heure.

Faites chauffer l'huile dans une friteuse jusqu'à ce qu'elle soit très chaude. Faites frire la moitié des morceaux, puis l'autre, pendant 3 à 4 minutes et demie jusqu'à ce que les morceaux soient très croustillants. Servez chaud.

KENNETH LO
CHINESE FOOD

Poulet mariné frit à la japonaise

Toriniku No Tatsuta-age

Pour 4 personnes

Poitrine de poulet débarrassée de sa peau et désossée	350 g
Cube de 1 cm de gingembre frais, épluché et râpé finement	1
Sauce de soja	10 cl
Saké (vin de riz japonais)	3 cuillerées à soupe
Katakuriko, ou fécule de maïs	
Huile de friture	
Ciboules nettoyées, avec leurs tiges	2

Coupez le poulet en morceaux de la taille d'une bouchée, placez-les dans une terrine et mélangez-les avec le gingembre puis avec la sauce de soja et le *saké.* Laissez-les mariner 30 minutes. Sortez-les, roulez-les dans le *katakuriko* ou dans la fécule de maïs et secouez pour ôter l'excès.

Dans une friteuse, ou *tempura,* faites chauffer à feu presque modéré de 5 à 7 cm d'huile à 175° environ au thermomètre à friture, ou jusqu'à ce que des bulles se forment au contact d'une baguette remuée dans l'huile.

Faites frire quelques morceaux à la fois jusqu'à ce qu'ils soient bien colorés. Égouttez-les dans le panier de la friteuse ou sur des serviettes en papier. Dressez les morceaux de poulet sur un plat.

Coupez les ciboules en sections de 2,5 cm, puis en grosse julienne. Trempez-les quelques minutes dans de l'eau froide pour leur donner du croquant et séchez-les dans un torchon. Ajoutez-les au poulet et servez.

ELISABETH LAMBERT ORTIZ ET MITSUKO ENDO
THE COMPLETE BOOK OF JAPANESE COOKING

Poulet frit en huit morceaux

Deep-Fried Eight-Piece Chicken

Cette recette date de l'an 600. On prépare parfois le poulet en détachant les ailes et les cuisses avant de couper en 2 la poitrine et le dos pour obtenir 8 morceaux. Le blanc et les ailes doivent être retirés de l'huile chaude en premier, car ils cuisent plus rapidement que les cuisses.

Pour 8 personnes

Un poulet coupé en 8 morceaux	1,5 à 2 kg
Tranches de gingembre frais, hachées menu	2
Petit oignon, épluché et haché menu	1
Œuf légèrement battu	1
Farine	30 g
Xérès	2 cuillerées à soupe
Huile de friture	

Préparez une pâte à frire avec le gingembre, l'oignon, l'œuf battu, la farine et le xérès. Mélangez bien pour obtenir une pâte homogène. Trempez les morceaux de volaille dans la pâte. Pendant ce temps, faites chauffer l'huile. Mettez quelques morceaux à frire à la fois. Lorsqu'ils sont tous bien dorés, égouttez-les sur des serviettes en papier et servez.

GLORIA BLEY MILLER
THE THOUSAND RECIPE CHINESE COOKBOOK

Poulet frit à l'ail

Spezzatino di pollo fritto

Pour 4 personnes

Un poulet	1,5 kg
Œuf légèrement battu	1
Farine	100 g
Sel et poivre	
Gousses d'ail, dont 3 écrasées en purée	5
Huile d'arachide	10 cl
Huile d'olive	10 cl
Citrons coupés en quartiers	1 ou 2

Demandez à votre boucher de couper le poulet avec ses os en morceaux de 2,5 cm. Lavez-les, séchez-les et trempez-les d'abord dans l'œuf battu, puis dans la farine assaisonnée avec le sel, le poivre et l'ail écrasé. Laissez sécher les morceaux pendant quelques minutes.

Faites chauffer les deux sortes d'huile dans une friteuse. Mettez les gousses d'ail entières à dorer. Sortez-les. Ajoutez les morceaux de poulet et faites-les frire jusqu'à ce qu'ils soient tendres et dorés. Servez avec des quartiers de citron.

ROMEO SALTA
LA CUISINE ITALIENNE

Suprêmes de volaille à la Kiev

Chicken Kiev

Pour 6 personnes

Poitrines de poulet, débarrassées de leur peau, désossées et coupées en 2	3
Sel et poivre	
Ciboulette hachée	2 cuillerées à soupe
Beurre coupé en 6 morceaux de la taille d'un doigt et raffermi au froid	100 g
Farine	100 g
Œufs légèrement battus	2
Mie de pain fraîche émiettée	100 g
Huile de friture	

Placez les suprêmes entre deux feuilles de papier paraffiné et aplatissez-les légèrement avec un maillet ou un rouleau à pâtisserie pour leur donner une épaisseur de 0,5 cm environ. Jetez le papier. Dressez les suprêmes côté désossé vers le haut, salez selon le goût, poivrez, saupoudrez de ciboulette et placez un doigt de beurre au centre. Roulez les suprêmes en repliant légèrement les bords à l'intérieur. Panez-les en les trempant dans la farine, puis dans l'œuf battu et enfin dans la mie de pain émiettée et mettez-les au réfrigérateur pendant 3 heures au moins. Dans une casserole ou une friteuse, faites chauffer l'huile à 185° en quantité suffisante pour couvrir les suprêmes. Faites-les frire de 4 à 5 minutes jusqu'à ce qu'ils soient bien dorés. Égouttez-les sur des serviettes en papier et servez immédiatement.

CARL LYREN
365 WAYS TO COOK CHICKEN

Poulet à la toulousaine

Pour 6 personnes

Un poulet	1,5 kg
Jambon de Paris (ou de Bayonne)	200 g
Herbes aromatiques hachées	1 cuillerée à soupe
Sel et poivre	
Gousses d'ail épluchées	2
Saucisse de Toulouse	200 g
Cognac	4 cuillerées à soupe
Huile	10 cl

Détaillez le jambon en petites lames, ajoutez les herbes aromatiques, sel et poivre. Mélangez le tout et répartissez-le par moitié dans deux assiettes.

Introduisez le contenu de la première assiette à l'intérieur du poulet, puis une gousse d'ail, le morceau de saucisse, l'autre gousse d'ail et enfin le contenu de la deuxième assiette. Recousez l'ouverture du poulet.

Arrosez le poulet avec le cognac puis avec l'huile. Posez le poulet sur une grille et faites-le rôtir dans un four préchauffé à 220° (7 au thermostat) pendant 30 minutes, puis 15 minutes à 170° (3 au thermostat).

Servez ce poulet avec une timbale de haricots blancs en purée.

Remarque : vous donnerez encore plus de saveur à cette préparation en remplaçant le jambon de Paris par du jambon de Bayonne ; dans ce cas, vous salerez un peu moins la farce, qui doit toujours être bien poivrée.

ODETTE KAHN
LA PETITE ET LA GRANDE CUISINE

Poulet fendu farci au four

Split, Stuffed Baked Chicken

Le découpage ne pose aucun problème lorsque le poulet a été fendu et farci conformément aux instructions des pages 47-49.

Pour 4 personnes

Un poulet	1,5 kg
Mélange d'herbes séchées émiettées (thym, origan, sarriette)	1 cuillerée à café
Huile d'olive	3 cuillerées à soupe
Farce :	
Fromage blanc frais (Brousse)	100 g
Mie de pain fraîche émiettée	50 g
Beurre	50 g
Sel et poivre	
Feuilles et fleurs de marjolaine fraîche hachées menu (ou fines herbes)	1 cuillerée à soupe
Œuf de gros calibre	1
Oignon moyen haché menu, cuit à l'étuvée pendant 15 minutes dans 15 g de beurre sans coloration et refroidi	1
Petits courgettes bien fermes, passées au mouli-julienne, dégorgées au sel et exprimées, sautées dans 30 g de beurre et refroidies	500 g
Parmesan râpé	

Fendez le poulet sur toute la longueur du dos, aplatissez-le et décollez la peau.

Saupoudrez-le du mélange d'herbes des deux côtés (pas sous la peau) et faites-les pénétrer à la main. Badigeonnez généreusement la volaille d'huile d'olive et laissez-la mariner 1 ou 2 heures.

Avec une fourchette, écrasez le fromage blanc, la mie de pain émiettée et le beurre avec le sel, le poivre et la marjolaine. Ajoutez l'œuf et écrasez. Incorporez l'oignon et les courgettes. Mélangez. Ajoutez suffisamment de parmesan râpé pour donner à la farce une consistance ferme et épaisse.

Prenez une poignée de farce, poussez-la sous la peau avec les doigts d'une main en forçant et en modelant l'extérieur de l'autre main. Enduisez les pilons et les hauts-de-cuisses avant les filets. Quand toute la farce est en place, fermez l'ouverture avec le pan du cou et rabattez-le sous la volaille.

Avec un petit couteau aiguisé, percez la peau et la chair fine qui se trouvent entre l'intérieur du haut-de-cuisse et l'extrémité du blanc, en faisant une incision assez grande pour loger le bout du pilon. Ensuite, relevez doucement ce dernier et poussez le bout vers le bas, dans l'incision. Répétez l'opération avec l'autre pilon.

Placez la volaille dans un plat à four et travaillez-la à la main pour donner à la peau gonflée par la farce une forme naturelle et bien dodue. Salez et poivrez. Mettez au four préchauffé à 230° (8 au thermostat), et baissez à 190° (5 au thermostat) au bout de 10 minutes. Arrosez fréquemment après 30 minutes de cuisson. Comptez entre 50 minutes et 1 heure de cuisson au four selon la taille du poulet. S'il se colore trop rapidement après 40 minutes, baissez encore la température du four et couvrez d'une feuille de papier d'aluminium.

Dressez le poulet sur un plat rond et chauffé. Ne servez pas le jus de cuisson, trop gras : le plat n'a pas besoin de sauce. Laissez refroidir les sucs caramélisés, dégraissez-les et réservez pour accommoder des restes.

RICHARD OLNEY
SIMPLE FRENCH FOOD

Poulet farci à la cypriote

Kotopoulo yemisto kypriotiko

La farce croquante et savoureuse de ce plat peut être utilisée avec une dinde en doublant les proportions.

Pour 5 à 6 personnes

Un poulet, foie réservé	1 à 1,5 kg
Huile ou beurre	3 cuillerées à soupe
Amandes mondées et coupées en 4 dans le sens de la longueur	60 g
Riz à grain long	150 g
Vin blanc sec	10 cl
Eau	30 cl
Sel	
Cannelle en poudre	1 cuillerée à café
Sucre cristallisé	
Raisins de Corinthe	75 g

Lavez, séchez et réservez le poulet. Dans une casserole moyenne, chauffez l'huile ou le beurre, faites-y revenir les amandes et le foie et retirez le tout avec une écumoire. Hachez le foie et réservez avec les amandes. Faites revenir le riz dans la matière grasse qui reste dans la casserole, à feu moyen, sans cesser de remuer. Versez ensuite le vin et l'eau, puis le sel, la cannelle et une pincée de sucre. Couvrez et laissez cuire 12 minutes, jusqu'à ce que le riz soit presque tendre. Ajoutez les amandes, le foie et les raisins de Corinthe en remuant et retirez la casserole du feu.

Farcissez l'intérieur du poulet à la cuillère et cousez l'ouverture. Troussez le poulet et badigeonnez-le au pinceau de beurre fondu ou d'huile. Enfournez-le sur le dos et laissez rôtir pendant 1 heure un quart, jusqu'à ce que la chair soit tendre, à four modéré (180°, 4 au thermostat), en le retournant toutes les 20 minutes avec deux spatules en bois. Arrosez souvent avec le jus de cuisson. Coupez le fil pour sortir la farce de l'intérieur et disposez-la au centre d'un plat chaud. Découpez le poulet et dressez les morceaux tout autour de la farce. Servez chaud.

Remarque : dans la péninsule, on remplace les amandes, la cannelle et le riz par des pignons, de la muscade, un peu de céleri et de persil hachés et du pain trempé.

VILMA LIACOURAS CHANTILES
THE FOOD OF GREECE

Poulet à l'oignon

Adaptation d'une recette française originale du XIXe siècle du chef Louis Eustache Ude. Pour aromatiser un poulet sous la peau, reportez-vous aux explications données pages 47-49.

Pour 4 personnes

Un jeune poulet tendre	1,5 kg
Sel et poivre	
Oignon moyen, finement émincé	1
Beurre ramolli	125 g
Fond de volaille (facultatif)	

Salez et poivrez l'intérieur du poulet. Avec les doigts, décollez délicatement la peau et insérez les rondelles d'oignon entre la chair et la peau. Troussez.

Préchauffez le four à 190° (5 au thermostat). Badigeonnez le poulet de beurre ramolli, salez et poivrez selon le goût, dressez-le sur un plat en terre peu profond ou dans un plat à four, enfournez-le et n'y pensez plus pendant 30 à 45 minutes. Ensuite, arrosez-le avec la graisse et les sucs de cuisson et répétez l'opération deux fois. Comptez 1 heure un quart de cuisson totale. Servez dès la sortie du four, de manière à savourer la peau dorée et croustillante avec le jus des rondelles d'oignon bien tendres. (Si vous voulez plus de sauce, ajoutez un peu de fond de volaille ou de bouillon).

Pour l'accompagnement, faites blanchir des petites pommes de terre pendant 2 minutes, saupoudrez-les de paprika et faites-les rôtir avec le poulet en les arrosant en même temps.

ESTHER B. ARESTY
THE DELECTABLE PAST

Poulet aux anchois

Créée au XIXe siècle pour un poulet cuit à la broche, cette recette a été adaptée à la cuisson au four. Pour farcir un poulet sous la peau, reportez-vous aux pages 47-49.

Pour 4 personnes

Un poulet	1,5 kg
Lard	100 g
Persil	2 cuillerées à soupe
Ciboules	4 ou 5
Filets d'anchois, lavés et séchés	8
Poivre et muscade râpée	
Bardes de lard	4 ou 5
Fond de veau et de jambon	10 cl

Hachez le lard avec le persil, les ciboules et 6 filets d'anchois ; ajoutez un peu de poivre et de muscade râpée ; introduisez cette farce entre la peau et la chair de votre poulet ; couvrez-le de bardes de lard contenues avec du gros fil, et faites rôtir au four préchauffé à 220° (7 au thermostat) pendant 30 minutes, puis abaissez la température à 170° (3 au thermostat). Au bout de 15 minutes, ôtez les bardes et laissez cuire encore 15 minutes. Servez avec le fond de veau et de jambon, dans lequel vous mettrez 2 filets d'anchois hachés.

OFFRAY AÎNÉ
LE CUISINIER MÉRIDIONAL

Poulet farci rôti

Basic Roast Chicken with Stuffing

Pour 4 personnes

Un poulet à rôtir	1,5 kg
Sel et poivre	
Beurre ramolli	30 g

Farce de pain :

Tranches de lard légèrement fumé	2 ou 3
Beurre	30 g
Oignon d'Espagne haché menu	1
Pain de mie rassis, coupé en dés de 1 cm	100 g
Persil haché menu	3 cuillerées à soupe
Feuilles de thym et de romarin émiettées	
Œuf	1
Lait, ou bouillon de poule	4 cuillerées à soupe
Sel et poivre	

Préchauffez votre four à 180° (4 au thermostat).

Pour préparer la farce, faites revenir le lard dans une sauteuse avec la moitié du beurre jusqu'à ce qu'il soit croustillant. Enlevez. Faites fondre l'oignon haché à feu modéré, jusqu'à ce qu'il commence à prendre couleur, et retirez avec une écumoire.

Faites fondre le reste de beurre dans la sauteuse et mettez les dés de pain à dorer à feu modéré, en remuant, jusqu'à ce qu'ils aient absorbé toute la matière grasse.

Dans une terrine, mélangez le lard émietté avec l'oignon et les dés de pain rissolés, le persil, une généreuse pincée de thym et une de romarin. Secouez légèrement avec une fourchette pour obtenir une préparation homogène.

Dans un bol, battez l'œuf avec le lait ou le bouillon. Versez sur la préparation en répartissant bien le liquide avec une fourchette. Salez et poivrez.

Essuyez l'intérieur et l'extérieur du poulet.

Fourrez le poulet avec la farce de pain. Refermez l'ouverture avec une brochette ou cousez-la avec du fil solide.

Placez le poulet dans un plat à four. Frottez-le avec du sel et du poivre et parsemez de beurre ramolli.

Laissez rôtir 1 heure un quart environ, en mouillant souvent avec le jus de cuisson (additionné de 1 ou 2 cuillerées à soupe d'eau bouillante, si besoin est).

Pour servir, dressez le poulet sur un plat de service chaud. Enlevez les brochettes ou le fil et réservez au chaud.

Pour déglacer, versez 2 ou 3 cuillerées à soupe d'eau dans le plat, portez à ébullition à feu modéré, remuez et grattez le fond avec une cuillère en bois. Laissez cuire doucement 1 minute sans cesser de remuer. Goûtez l'assaisonnement. Versez dans une saucière chaude et servez avec le poulet.

ROBERT CARRIER
THE ROBERT CARRIER COOKERY COURSE

Le poulet farci aux figues

Lou poulas farcit aï bélouna

Pour 4 personnes

Un poulet, abattis réservés	1,2 à 1,5 kg
Beurre	75 g
Oignons moyens émincés	2
Figues fraîches noires, pelées et coupées en 8 dans le sens de la hauteur	10
Riz lavé à l'eau courante dans une passoire et égoutté	250 g
Eau	50 cl
Sel et poivre	
Huile d'olive	
Poivre de Cayenne	

Dans une grande casserole, faire chauffer 60 g de beurre à feu moyen et y faire fondre les oignons jusqu'à ce qu'ils deviennent transparents, sans les laisser brunir.

Couper grossièrement les abattis du poulet. Ajouter les figues et les abattis aux oignons et laisser cuire jusqu'à ce que les abattis perdent leur couleur rose. Ajouter alors le riz et remuer jusqu'à ce que les grains soient luisants de beurre.

Ajouter l'eau, le sel, un peu de poivre et porter à ébullition. Réduire le feu et laisser lentement mijoter pendant 25 à 30 minutes, jusqu'à ce que tout liquide ait disparu. Ajouter hors du feu une noix de beurre.

Faire chauffer le four à 200° (6 au thermostat). Bien sécher l'intérieur du poulet et le fourrer des deux tiers environ du mélange aux figues. Réserver le reste de celui-ci. Refermer le poulet en le cousant avec du fil blanc.

Placer le poulet, le dos en haut, dans un plat assez creux. Enduire la viande d'huile, saupoudrer de sel et de poivre de Cayenne en poudre, en enfourner le plat sur une grille à mi-four. Laisser cuire pendant 45 minutes. Pour vérifier si le poulet est cuit, percer une cuisse avec une brochette. Le jus qui s'écoule doit être jaune pâle. S'il est rose, prolonger la cuisson de 5 à 10 minutes.

Retirer le poulet du four. Enlever les fils. Laisser refroidir 5 minutes, le poulet se découpera plus facilement. Remuer le riz réservé avec une fourchette, réchauffer sur feu doux et servir séparément.

JACQUES MÉDECIN
LA CUISINE DU COMTÉ DE NICE

———————————◆◆◆———————————

Poulet à la marocaine

Djej Mechoui

Dans un palais de la famille royale à Marrakech, une pièce immense est réservée à la cuisson à la broche des poulets. Une douzaine de broches sont plantées en diagonale au-dessus d'un lit de braises. Chacune est surveillée par deux hommes — le premier la fait tourner et le second badigeonne les poulets de beurre épicé.

Pour griller à la broche un poulet entier de 1 kg, comptez 50 minutes de cuisson environ. Les poulets coupés en 2 ou en 4 se grillent selon la méthode suivante:

Pour 4 personnes

Deux poulets coupés en 2 ou en 4	1 kg chacun
Ciboules hachées (partie blanche seulement)	3
Gousse d'ail (facultatif)	1
Persil et feuilles de coriandre frais, grossièrement hachés et mélangés	2 cuillerées à soupe
Sel	1 cuillerée à café
Paprika doux et cumin moulu	1 ½ cuillerée à café de chaque
Poivre de Cayenne	1 pincée
Beurre ramolli	60 g

Pilez les ciboules dans un mortier avec l'ail, les herbes, le sel et les épices. Incorporez le beurre pour obtenir une pâte et frottez-en toute la surface des morceaux de poulet. Laissez 1 heure au moins. Allumez le charbon de bois du barbecue ou préchauffez le gril du four.

Placez les morceaux de volaille, côté peau vers le haut sur les braises, ou côté peau vers le bas sous le gril. Au bout de 5 minutes, retournez-les et arrosez-les avec le reste de beurre épicé ou le jus de la lèchefrite. Continuez la cuisson en retournant et en arrosant les morceaux toutes les 5 minutes, pendant 25 minutes, jusqu'à ce que les poulets soient cuits.

PAULA WOLFERT
COUSCOUS AND OTHER GOOD FOOD FROM MOROCCO

———————————◆◆◆———————————

Entrée de poularde aux olives

La recette initiale (1691) se faisait avec du champagne. A cette époque, les vins de Champagne étaient blancs et pétillants ou rouges et non pétillants. Ici, il s'agit vraisemblablement de la seconde catégorie.

Pour 4 personnes

Une poularde	1,5 à 2 kg
Barde de lard	1
Jus de bigarade	3 cuillerées à soupe

Sauce:	
Persil haché	1 cuillerée à soupe
Ciboule hachée	3 cuillerées à soupe
Lard haché	30 g
Farine	1 cuillerée à soupe
Jus de cuisson (ou bouillon)	2 à 4 cuillerées à soupe
Vin rouge (de Champagne, ou vin rouge jeune et léger de Loire)	15 cl
Câpres hachées	1 cuillerée à soupe
Filets d'anchois hachés	2
Olives dénoyautées	100 g
Huile d'olive	1 cuillerée à soupe
Bouquet garni de persil, cerfeuil, estragon, ciboulette, thym et feuille de laurier	1
Coulis (ou fond de veau, ou de volaille)	25 cl

Faire rôtir la poularde, une bonne barde de lard sur l'estomac. Durant qu'elle cuit, faites le ragoût, composé d'un petit brin de persil et de ciboule hachés, et passés avec un peu de lard et de farine. Étant passés, mettez-y le jus, ou bouillon, le vin de Champagne, les câpres hachées, l'anchois, les olives écrasées, l'huile d'olive, le bouquet de fines herbes. Pour lier la sauce, ajoutez-y du bon coulis, le tout bien assaisonné et bien dégraissé. Prenez la poularde rôtie et, ayant coupé les jambes à la jointure, et ficelé aux ailes, aux cuisses et à l'estomac, écrasez-la un peu, et mettez ensuite dans la sauce. Un peu avant que de servir, dressez la poularde dans un plat, le ragoût par-dessus, ajoutez le jus d'orange et servez chaudement.

MASSIOLOT
LE CUISINIER ROIAL ET BOURGEOIS

Le poulet au citron d'Elizabeth Frink

Elizabeth Frink's Roast Lemon Chicken

Pour 4 personnes

Un poulet	1,5 kg
Citrons	2
Petite tête d'ail	1
Sel et poivre	
Huile d'olive	2 cuillerées à soupe
Beurre	30 g
Persil	

Frottez l'intérieur du poulet avec le zeste d'un citron. Hachez le citron et placez-le à l'intérieur du poulet avec l'ail. Salez, poivrez et enduisez la volaille d'un mélange d'huile d'olive et de beurre en quantité égale. Enfournez à 170° (3 au thermostat) et laissez cuire pendant 1 heure et demie. Trente minutes avant la fin de la cuisson, versez le jus d'un citron fraîchement pressé et saupoudrez de persil haché.

BERYL BARR ET BARBARA TURNER SACHS (RÉDACTEURS)
THE ARTISTS' AND WRITERS' COOKBOOK

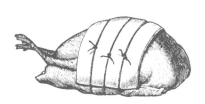

Poulet à la franc-comtoise

Pour 4 personnes

Un poulet	1 kg
Sel et poivre	
Cervelle de veau	1
Truffes émincées	
Beurre	50 g

Salez et poivrez l'intérieur du poulet. Passez la cervelle à l'eau courante et tenez-la à l'eau froide quelques minutes pour la faire dégorger. Otez la petite peau extérieure, puis assaisonnez-la. Avant de la placer à l'intérieur du poulet, ayez soin de la recouvrir de truffes. Refermez l'ouverture avec un fil solide, puis beurrez le dessus du poulet et déposez celui-ci dans un plat à rôtir. La cuisson se fera à four moyen, à 180° (4 au thermostat) et durera environ 1 heure un quart. A couleur dorée, recouvrez la volaille de papier beurré. Retirez-la quelques minutes après, découpez-la, dressez-la sur un plat chaud, nappez de jus dégraissé et servez.

ÉDITIONS GUTENBERG
LA CUISINE LYONNAISE

Poulet tandoori

Chicken Tandoori

D'après la recette du restaurant Moti Mahal de Delhi. Au Moti Mahal, le *tandoori* dans lequel on fait cuire ce plat est un four cylindrique en terre que l'on allume avec des couches de bois et ensuite avec des braises incandescentes. En Occident, on peut utiliser un four ordinaire, équipé d'un gril, ou un barbecue dont les braises doivent être incandescentes.

Pour 4 personnes

Deux poulets dépouillés de leur peau et fendus en 2	1 kg chacun
Sel	1 cuillerée à café
Jus de citron ordinaire ou vert	4 à 5 cuillerées à soupe
Beurre fondu	
Petits citrons verts ou citrons ordinaires coupés en quartiers	2
Tomate et oignon coupés en rondelles	1 de chaque

Marinade :

Yogourt nature	40 cl
Gousses d'ail pilées	4
Poivre de Cayenne (ou selon le goût)	1 cuillerée à café
Cumin en poudre	2 cuillerées à café
Coriandre	1 cuillerée à café
Gingembre en poudre	1 cuillerée à café
Poivre gris	

Vous pouvez utiliser les demi-poulets sans peau tels quels mais il vaut mieux les parer en détachant les ailerons et les petits os superflus.

Avec un couteau pointu, piquez profondément toute la surface de la volaille. Frottez-la avec du sel, puis arrosez-la d'un peu de jus de citron.

Dans une terrine, mélangez le yogourt, l'ail, le poivre de Cayenne, le cumin, le coriandre, le gingembre et le poivre gris. Enduisez bien le poulet de cette marinade en allant au fond des incisions. Laissez macérer de 4 à 5 heures, ou toute une nuit.

Préchauffez le four à 230° (8 au thermostat), ou utilisez un gril, ou allumez un feu de charbon de bois et attendez que les braises deviennent incandescentes.

Embrochez chaque morceau de poulet dans le sens de la longueur sur une longue brochette en métal. Laissez cuire 5 minutes de chaque côté. Badigeonnez de beurre fondu et laissez encore 10 minutes de chaque côté jusqu'à ce que le poulet soit cuit et bien doré.

Arrosez avec le reste du jus de citron, saupoudrez de poivre gris, garnissez avec les quartiers de citron et les rondelles de tomate et d'oignon. Servez chaud.

LEE FOSTER (RÉDACTEUR)
THE NEW YORK TIMES CORRESPONDENTS' CHOICE

Poulet rôti à l'origan du Péloponnèse

Kota fournou ladorigani

Pour 4 à 5 personnes

Un poulet	1 à 1,5 kg
Sel et poivre	
Huile d'olive	4 cuillerées à soupe
Jus de citron	3 cuillerées à soupe
Origan	1 ½ cuillerée à café
Tomates et concombres coupés en rondelles	

Salez et poivrez le poulet à l'intérieur et à l'extérieur avant de le trousser. Dans un bol, mélangez l'huile d'olive, le jus de citron et 1 cuillerée à café d'origan. Enduisez le poulet de cette marinade. Mettez dans un plat à four et faites rôtir à four modéré, à 180° (4 au thermostat), pendant 1 heure un quart, en le retournant toutes les 20 minutes et en l'arrosant avec le reste de la marinade. Saupoudrez le poulet avec le reste de l'origan et servez chaud avec des rondelles de tomates et de concombres en garniture.

VILMA LIACOURAS CHANTILES
THE FOOD OF GREECE

Volaille « truffée » au persil

Le fromage blanc 0 % est un fromage frais fabriqué avec du lait écrémé et ne contenant aucune matière grasse. Vous pouvez préparer vous-même ce genre de fromage en mélangeant du fromage blanc contenant peu de matière grasse et du yogourt, en quantité égale, avec un filet de jus de citron jusqu'à obtention d'un mélange lisse et brillant.

Pour 4 personnes

Une volaille	1 kg
Persil haché	5 cuillerées à soupe
Ciboulette hachée	1 cuillerée à soupe
Estragon haché	1 cuillerée à soupe
Echalotes hachées	2
Champignons de Paris hachés	50 g
Fromage blanc 0 %	1 cuillerée à soupe
Sel et poivre	
Huile d'arachide	1 cuillerée à café

Jus de rôti :

Gousse d'ail non pelée	1
Persil haché	1 cuillerée à soupe
Fond de volaille	20 cl

Bien mélanger à la fourchette dans un bol le persil, la ciboulette, l'estragon, les échalotes, les champignons, le fromage blanc 0 %, le sel et le poivre, de façon à obtenir une pâte bien homogène.

Décoller entièrement la peau de la volaille (en glissant les doigts entre chair et peau), y introduire la garniture, la répartir uniformément sur les filets et les cuisses.

Assaisonner l'intérieur de la volaille de sel et poivre ; mettre à rôtir 40 minutes à four chaud (240°, 8 au thermostat), après l'avoir enduite avec l'huile d'arachide.

Au terme de la cuisson, enlever la volaille et la garder au chaud. Faire revenir aussitôt dans le plat à rôtir, encore chaud, l'ail écrasé non pelé et le persil haché. Arroser avec le fond de volaille, faire bouillir en grattant bien le fond du plat avec une fourchette pour en décoller les sucs caramélisés au cours de la cuisson. Réduire ce jus du tiers de son volume et vérifier son assaisonnement.

Découper la volaille en 4 et arroser chaque morceau du jus de rôti passé au chinois-étamine. Dresser et servir dans le plat à rôtir.

MICHEL GUÉRARD
LA GRANDE CUISINE MINCEUR

Brochettes de poulet grillé iraniennes

Kababe Morgh

Pour 4 personnes

Deux poulets coupés en 8 morceaux	1 kg chacun
Oignon finement râpé	250 g
Jus de citron frais	10 cl
Sel	
Beurre fondu	50 g
Safran en poudre	1 pincée

Dans une terrine, mélangez l'oignon, le jus de citron et du sel, et remuez bien. Ajoutez le poulet et retournez chaque morceau de manière à bien l'enrober. Laissez mariner à température ambiante pendant au moins 2 heures, ou au réfrigérateur pendant 4 heures, en retournant les morceaux de temps en temps.

Allumez une couche de charbon de bois dans un gril et laissez-la brûler jusqu'à l'apparition de cendres blanches à la surface. Ou encore faites chauffer le gril du four à la température maximale.

Retirez le poulet de la marinade et enfilez-en les morceaux sur 4 longues brochettes, en serrant bien.

Ajoutez le beurre et le safran à la marinade et badigeonnez le poulet sur toutes ses faces avec 2 ou 3 cuillerées à soupe du mélange obtenu. Faites griller à 7 ou 8 cm de distance de la source de chaleur, environ 15 minutes, en retournant de temps en temps les brochettes et en les arrosant de la marinade. Le poulet est prêt quand, lorsqu'on le perce avec la pointe d'un couteau aiguisé, le jus qui s'écoule n'est plus rose mais jaune. Servez aussitôt.

LES RÉDACTEURS DES ÉDITIONS TIME-LIFE
FOODS OF THE WORLD — MIDDLE EASTERN COOKING

Poulet grillé Teriyaki

Teriyaki Grilled Chicken

Pour 6 personnes

Trois poulets coupés en 2	1 kg chacun

Marinade Teriyaki :

Huile d'olive ou d'arachide	10 cl
Sauce de soja japonaise	15 cl
Gingembre frais, râpé	2 cuillerées à soupe
Gousses d'ail hachées menu	2
Zeste râpé de mandarine ou d'orange	1 cuillerée à soupe
Xérès	4 cuillerées à soupe
Sel et poivre	

Mélangez bien tous les ingrédients de la marinade ; versez-la sur les morceaux de poulet et laissez macérer de 1 à 24 heures en remuant plusieurs fois. Préchauffez le gril. Placez les morceaux sur la grille d'une lèchefrite à 15 cm au moins de la source de chaleur, c'est-à-dire un peu plus loin que la normale, pour que la sauce de soja ne se caramélise pas. Badigeonnez-les avec un peu d'huile et laissez griller 15 minutes environ de chaque côté. Arrosez souvent avec la marinade. Versez le jus du plat sur le poulet et servez.

JAMES BEARD
JAMES BEARD'S AMERICAN COOKERY

Poulet grillé aux herbes

Pour 4 personnes

Un poulet coupé en 4	1 kg
Beurre ramolli	100 g
Plusieurs grands brins de persil hachés menu	
Thym	1 ½ cuillerée à café
Sel et poivre	
Huile	1 à 2 cuillerées à soupe

Préchauffez le four à 180° (4 au thermostat).

Soulevez délicatement la peau des quarts de poulet avec les doigts pour y faire des poches, en veillant à ne la détacher que de la partie principale de la chair. Mélangez le beurre et le persil jusqu'à obtention d'une pâte verdâtre. Ajoutez le thym.

Insérez une couche épaisse de pâte entre la chair et la peau du poulet. Rabattez la peau pour lui redonner sa forme normale et pressez fermement. Salez et poivrez.

Posez le poulet sur la grille, à l'envers. Laissez cuire 20 minutes en arrosant une fois d'huile. Retournez, arrosez encore et continuez la cuisson 20 minutes en mouillant avec le jus de cuisson et davantage d'huile si besoin est.

JANE MOSS SNOW
A FAMILY HARVEST

Brochettes de poulet grillé

Yakitori

Pour 2 personnes

Poulet désossé, débarrassé de sa peau et coupé en dés de 2,5 cm	500 g
Champignons	250 g
Ciboules nettoyées et coupées tous les 2,5 cm	6 à 8
Foies de poulet coupés en 2	250 g
Sauce de soja	5 cuillerées à soupe
Mirin (vin de riz doux)	4 cuillerées à soupe
Sucre	2 cuillerées à soupe

Coupez les champignons en 2 s'ils sont trop gros. Sur des brochettes en bambou de 15 à 20 cm de long, enfilez un morceau de poulet, de la ciboule, du foie, un champignon. Mélangez la sauce de soja, le *mirin* et le sucre et arrosez les brochettes avec la sauce obtenue. Placez les brochettes sur un *hibachi*, sur un barbecue ou sous le gril du four préchauffé, et faites-les griller de 8 à 10 minutes, en les arrosant fréquemment avec la sauce et en les retournant souvent jusqu'à ce que le poulet et les foies soient cuits.

Le *yakitori* se prépare souvent sans foies de poulet. Vous pouvez alors ajouter d'autres légumes comme des petits oignons ou des poivrons verts.

SANDRA TAKAKO SANDLER
THE AMERICAN BOOK OF JAPANESE COOKING

Poulet de grain grillé aux piments

Wakadori No Nanbanyaki

Pour désosser une cuisse de poulet, faites une entaille le long de l'os, coupez la chair qui l'entoure et dégagez l'os.

Pour 4 personnes

Cuisses de poulet désossées, avec la peau	500 g
Sauce de soja	3 cuillerées à soupe
Mirin (vin de riz doux)	1 cuillerée à soupe
Saké (vin de riz fort)	1 cuillerée à soupe
Ciboules hachées, tige comprise	2
Piments rouges séchés, égrenés et hachés	2
Jaune d'œuf	1
Petits piments verts frais	12
Huile	
Sel	

Piquez toute la peau des cuisses de poulet avec une fourchette et mettez-les à mariner dans une terrine avec la sauce de soja, le *mirin* et le *saké*, pendant 10 minutes, en remuant 2 ou 3 fois. Embrochez-les dans le sens de la longueur en perçant la peau à chaque extrémité. Réservez la marinade.

Dans un mortier, pilez les ciboules et les piments séchés en pâte. Mouillez avec la marinade, mélangez et incorporez le jaune d'œuf au fouet. Faites griller la volaille des deux côtés jusqu'à ce qu'elle soit à moitié cuite — soit 4 minutes par côté. Avec un pinceau à pâtisserie, badigeonnez-la de sauce à la ciboule, remettez-la sur le gril et laissez cuire 1 minute de chaque côté. Répétez ces opérations jusqu'à ce qu'il ne reste plus de sauce et que le poulet soit cuit.

Coupez la tige des petits piments frais. S'ils sont très forts (ce que vous vérifierez en en grignotant un petit bout), égrenez-les. Rincez-les, séchez-les, badigeonnez-les d'huile et faites-les griller pendant 1 minute environ, en les retournant une fois. Salez-les légèrement.

Émincez le poulet en diagonale, dressez les tranches sur un plat et servez garni de piments.

ELISABETH LAMBERT ORTIZ ET MITSUKO ENDO
THE COMPLETE BOOK OF JAPANESE COOKING

Poulettes grillées au riz

Barbecued Pullets with Rice

La sauce « barbecue » peut se préparer en grande quantité et se conserver pendant plusieurs semaines au réfrigérateur.

Pour 4 personnes

Deux poulettes fendues en 2	1,5 kg chacune
Riz	250 g

Sauce barbecue :

Sucre en poudre	3 ou 4 cuillerées à soupe
Oignons moyens, hachés et sautés	3 ou 4
Sel	1 ou 2 cuillerées à soupe
Gingembre et graines de céleri moulus	1 cuillerée à café de chaque
Poivre de Cayenne	½ cuillerée à café
Sauce Worcestershire	2 cuillerées à soupe
Gousses d'ail hachées menu	6
Vinaigre aux herbes	45 cl
Muscade et poivre de la Jamaïque en poudre	1 cuillerée à café de chaque
Tomates	500 g
Bière	60 cl

Dans une casserole à fond épais, caramélisez 1 ou 2 cuillerées à soupe de sucre, à feu moyen, jusqu'à ce qu'il brunisse. Ajoutez tous les autres ingrédients de la sauce. Portez à ébullition, puis laissez refroidir en ajoutant 1 cuillerée à soupe de sucre, ou plus selon le goût. Faites macérer les demi-poulettes dans la sauce barbecue pendant 2 à 3 heures. Ensuite, sortez-les et faites-les griller sur des braises chaudes, en les mouillant fréquemment de sauce. N'ayez pas peur de bien brunir la peau. Utilisez une branche de céleri comme pinceau. La sauce relevée est également excellente avec de l'échine de porc ou un cochon de lait. Servez avec du riz qui absorbera le jus.

PHYLLIS JERVEY
RICE & SPICE

Poulet « California »

Chicken California

Cette vieille recette succulente de la vallée San Joaquin est très représentative de la cuisine que l'on faisait au début du siècle dans les ranches californiens.

Pour 4 à 6 personnes

Un poulet coupé en morceaux	2 à 2,5 kg
Semoule de maïs (prévoir une petite quantité en plus pour lier la sauce)	100 g
Huile d'olive	10 cl
Sel	
Gros oignon haché menu	1
Gousses d'ail pilées	3
Muscade râpée	½ cuillerée à café
Graines de cumin	1 cuillerée à café
Coriandre en poudre	1 cuillerée à café
Eau	25 cl
Vin rouge	25 cl
Piment chile en poudre	4 cuillerées à soupe
Amandes mondées	125 g
Olives vertes	150 g
Feuilles de coriandre, si possible frais, hachées	
Graines de sésame	1 cuillerée à café

Dans une braisière ou une cocotte en fonte, faites revenir le poulet roulé dans la semoule avec l'huile d'olive chaude. Salez sur le feu. Quand le poulet est bien doré, ajoutez l'oignon, l'ail, la muscade râpée, le cumin et le coriandre. Tournez le poulet pour bien l'imprégner des aromates. Versez l'eau et le vin. Baissez le feu, couvrez et laissez mijoter jusqu'à ce que le poulet soit à peine tendre — entre 45 minutes et 1 heure. Ne laissez pas trop cuire. Ajoutez le chile en poudre, remuez et laissez cuire quelques minutes de plus.

Mettez le poulet dans un plat chaud. Incorporez les amandes, les olives et un peu de semoule diluée à l'eau dans la sauce. Remuez jusqu'à ce que la sauce épaississe légèrement. Rectifiez l'assaisonnement et versez sur le poulet. Garnissez avec des feuilles de coriandre, si vous en avez, et les graines de sésame. Servez avec du riz ou de la *polenta* et une bonne salade d'oranges et d'oignons assaisonnée avec un peu de romarin.

JAMES BEARD
JAMES BEARD'S AMERICAN COOKERY

Poulet « Reshmi Kebab »

Chicken Reshmi Kebab

D'après une recette du restaurant Amber, de Calcutta.

Pour 2 personnes

Blancs de poulet débarrassés de leur peau et coupés en dés de 1 cm	500 g

Marinade :

Beurre fondu	3 cuillerées à soupe
Coriandre en poudre	2 cuillerées à café
Oignon moyen, haché menu	1
Gousse d'ail pilée	1
Sauce de soja	2 cuillerées à soupe
Jus de citron	1 cuillerée à soupe
Cassonade	1 cuillerée à café
Sel et poivre	

Dans une terrine, mélangez tous les ingrédients de la marinade. Ajoutez les dés de volaille. Mélangez intimement. Couvrez et laissez mariner au réfrigérateur pendant 6 à 7 heures, ou toute une nuit.

Embrochez les dés de poulet et placez-les sous le gril ou sur un feu de charbon de bois. Tournez-les une fois et laissez griller jusqu'à ce qu'ils soient cuits et bien dorés. Comptez de 5 à 6 minutes de cuisson pour chaque côté. Servez chaud.

LEE FOSTER (RÉDACTEUR)
THE NEW YORK TIMES CORRESPONDENTS' CHOICE

Poulet canaille

Pour 5 personnes

Un poulet	2 kg
Beurre	40 g
Huile d'olive	4 cuillerées à soupe
Gousses d'ail	30
Echalotes	10
Sel et poivre	
Vin blanc sec	15 cl

Je prends un beau petit poulet. Je ne le plume pas. Je l'ai acheté tout plumé. Je le vide, je le découpe en 8 morceaux. Je prends une sauteuse ou à défaut une cocotte de fonte. Dans ce récipient je fais fondre le beurre. J'ajoute l'huile d'olive. Je chauffe jusqu'à émission de fumées. Je dispose, dans le fond, les morceaux de poulet. Je les laisse se dorer d'un côté, sur un feu moyen, de façon à ne pas brûler la graisse. Je retourne les morceaux. Je les laisse dorer sur l'autre face. J'ajoute les gousses d'ail non épluchées et les échalotes hachées finement. Je laisse sur le feu, encore pendant 10 minutes, en faisant

sauter, pour que la cuticule des gousses devienne légèrement colorée. Je sale, je poivre copieusement. J'ajoute un verre de vin blanc sec. Je couvre le récipient. Je laisse cuire 30 minutes. La viande est cuite. Je découvre le récipient. Je fais une grande flamme. Je chauffe. Le vin s'évapore complètement. Le poulet et les aulx se dorent de nouveau.

Je porte la sauteuse à table. Il n'y a pas de sauce. Chacun reçoit sa part de poulet et 6 gousses d'ail rissolées. Je mange du poulet... je porte une gousse d'ail dans la bouche. Je la mordille, elle se vide. C'est exquis...

GINETTE MATHIOT
A TABLE AVEC ÉDOUARD DE POMIANE

Le « Jambalaia »

Au XIXᵉ siècle, les Provençaux connaissaient bien la poule au riz, ou *jambalaia*, mot que Mistral dit d'origine arabe.

La poule était préparée dans une cloche avec oignons, carottes, bouquet garni, céleri, ail, vin blanc et eau, sel et poivre. Quant au riz, mouillé avec environ la moitié du fond de la poule, il était préparé au safran.

Vous trouverez ci-dessous des explications plus détaillées pour réaliser cette recette originale.

Pour 4 à 6 personnes

Une poule	2 kg
Oignons moyens	3
Carottes entières ou coupées en 2 dans le sens de la longueur	2 ou 3
Bouquet garni	
Branche de céleri	1
Gousses d'ail	4
Vin blanc sec et eau	½ l de chaque
Sel et poivre	
Riz à grain long, lavé et égoutté	250 g
Huile d'olive	1 cuillerée à soupe
Safran	
Bouillon de poule dégraissé	50 cl

Bridez la poule et mettez-la dans un fait-tout assez grand pour que les légumes puissent être placés tout autour. Versez le vin et l'eau par-dessus. Salez, poivrez. Amenez doucement à ébullition, et écumez. Laissez frémir jusqu'à cuisson complète (de 2 à 3 heures selon l'âge de la poule). Vers la fin de la cuisson, faites revenir le riz doucement dans l'huile et ajoutez le safran. Lorsque le riz est devenu opaque, mouillez-le avec du bouillon de poule dégraissé, faites cuire doucement pendant 20 minutes et laissez reposer, à couvert, pendant 5 minutes, hors du feu. Découpez le poulet et servez avec le riz.

RENÉ JOUVEAU
LA CUISINE PROVENÇALE

Poulet grillé aux graines de sésame

Grilled Chicken Breasts Sesame

Pour 3 à 6 personnes

Blancs de poulet désossés	6
Graines de sésame	

Marinade :

Beurre fondu	50 g
Sauce de soja	4 cuillerées à soupe
Vin blanc sec	4 cuillerées à soupe
Estragon haché	1 cuillerée à café
Moutarde	1 cuillerée à café

Mélangez le beurre, la sauce de soja, le vin blanc, l'estragon et la moutarde. Faites macérer les blancs de poulet dans cette marinade pendant 2 à 3 heures. Faites griller la volaille sur un feu de charbon de bois moyen, côté peau vers le haut pour commencer. Comptez de 4 à 5 minutes de cuisson par côté. Arrosez deux ou trois fois avec la marinade.

Hors du feu, badigeonnez à nouveau les blancs avec la marinade, puis roulez-les dans les graines de sésame jusqu'à ce qu'ils soient bien enduits. Remettez sur le feu 1 ou 2 minutes pour brunir les graines de sésame. Servez accompagné de riz au beurre.

JOSE WILSON (RÉDACTEUR)
HOUSE AND GARDEN'S PARTY MENU COOKBOOK

Poulet sauté à l'oseille

Sautéed Chicken with Sorrel

Pour 6 personnes

Deux poulets coupés en morceaux	1 à 1,5 kg chacun
Beurre	30 g
Huile d'olive	1 cuillerée à soupe
Sel et poivre	
Feuilles d'oseille fraîche, épluchées	250 g
Echalotes hachées menu	3 cuillerées à soupe
Vin blanc sec	25 cl
Crème fraîche	20 cl
Jaune d'œuf	1

Dans une sauteuse à fond épais avec un couvercle, faites chauffer le beurre et l'huile et mettez les morceaux de poulet, salés et poivrés, à dorer, côté peau vers le bas, pendant 5 minutes ou davantage. Retournez-les, baissez le feu et laissez cuire à découvert pendant 10 minutes environ.

Entre-temps, coupez l'oseille en chiffonnade. Réservez.

Mettez les échalotes autour du poulet et faites cuire rapidement. Parsemez la chiffonnade sur la volaille et versez le vin. Couvrez et laissez cuire 5 minutes environ. Découvrez

et ajoutez la moitié de la crème. Remuez le poulet dans la sauce en laissant le côté peau vers le haut. Couvrez et ôtez la sauteuse du feu.

Juste avant de servir, découvrez et faites cuire le poulet dans la sauce, à feu vif, pendant 5 minutes. Mélangez le reste de crème avec le jaune d'œuf et incorporez à la sauce en remuant. Tournez sur feu doux jusqu'à ce que la sauce épaississe un peu, mais pas plus longtemps car des grumeaux pourraient se former. Nappez le poulet de sauce et servez.

CRAIG CLAIBORNE
CRAIG CLAIBORNE'S FAVORITES FROM THE NEW YORK TIMES

Fricassée de poulet des îles Canaries

Pepitoria de pollo a la Canaria

Pour 4 à 6 personnes

Un poulet coupé en morceaux	2 kg
Sel et poivre	
Farine	
Huile d'olive	15 à 20 cl
Gousses d'ail écrasées	2
Oignon moyen haché	1
Vin blanc sec	50 cl
Fond de volaille chaud	
Thym séché	1 pincée
Feuille de laurier	1
Safran	1 cuillerée à café
Amandes mondées fraîchement hachées	15
Mie de pain émiettée	30 g
Œufs durs hachés	2
Persil haché menu	

Salez, poivrez et farinez les morceaux de poulet. Secouez pour ôter l'excédent de farine. Dans une cocotte, faites chauffer l'huile d'olive en réservant une ou deux cuillerées à soupe. Faites fondre l'ail et l'oignon pendant 5 minutes environ. Ajoutez les morceaux de poulet et faites-les dorer à feu modéré sans trop les colorer. Mouillez avec le vin blanc et recouvrez avec le fond de volaille. Goûtez et corrigez l'assaisonnement. Ajoutez le thym et le laurier. Faites mijoter à couvert pendant 45 minutes environ.

Diluez le safran dans un peu d'eau chaude et versez avec les amandes sur le poulet. Laissez mijoter encore 15 minutes, jusqu'à ce que le poulet soit tendre. Si la sauce est trop liquide, faites-la évaporer sur le feu, à découvert.

Faites dorer la mie de pain dans le reste d'huile d'olive. Au moment de servir, parsemez le poulet avec les œufs durs hachés, la mie de pain et le persil.

NIKA STANDEN HAZELTON
THE CONTINENTAL FLAVOUR

La poule du sénateur

Un de mes amis, qui fait partie du Parlement depuis de longues années, avait prétendu, devant la cuisinière du docteur Lardy, Mlle Marthe..., qu'une vieille poule n'est bonne à rien, tout au plus, disait-il, à corser le bouillon du pot-au-feu. Pour le convaincre du contraire, Marthe créa la préparation suivante et notre gourmet reconnut son erreur.

Pour 4 personnes

Une poule	2 kg
Bardes de lard, blanchies et rincées	3 ou 4
Sel et poivre	
Vin blanc sec	20 cl
Pommes de terre	1,5 kg
Beurre	100 g
Petits oignons	20
Bouillon de veau ou de poule	25 cl
Fécule délayée dans un peu d'eau	2 cuillerées à café
Jus de citron	½ cuillerée à soupe

Marinade :

Huile d'olive	10 cl
Sel	
Poivre en grains	
Persil et cives, ou petits oignons frais, hachés très fins	2 cuillerées à soupe
Echalotes, hachées très fin	4
Gousses d'ail écrasées	3

Préparez une marinade avec huile d'olive, sel, poivre en grains, persil, petites cives, échalotes et gousses d'ail.

Mettez la volaille dans cette marinade pendant une journée en l'arrosant de temps en temps sur le dessus qui ne trempe pas. Retournez-la au bout de 6 heures.

Pour la faire cuire, foncez une braisière de bardes de larde, placez la poule ficelée sur ces bardes et arrosez-la de la marinade que vous passerez à travers une passoire fine pour ne laisser dans le jus aucun débris. Ajoutez un verre de vin blanc et faites cuire à feu très doux.

Coupez des pommes de terre en petits dés, de la grosseur de dés à jouer, et faites-les dorer dans du beurre. Faites revenir de même les 20 petits oignons.

Une demi-heure avant de servir, mettez les pommes de terre dans le jus de la braisière et ajoutez le bouillon. Continuez à faire cuire à feu très doux.

Au moment de servir, dressez la poule sur un plat chaud et entourez-la alternativement d'oignons et de pommes de terre. Liez la sauce avec la fécule. Après une minute d'ébullition, ajoutez le jus de citron et mêlez complètement. Versez la sauce ainsi liée sur la poule et servez très chaud dans des assiettes chaudes.

RENAUDET
LES SECRETS DE LA BONNE TABLE

Myraux ou myrause de Catalogne

Baptiste Platine de Crémone, auteur de cette recette publiée en 1474, déclarait: «Ne me souviens point avoir mangé meilleure viande. Est de grand aliment et de tarde concoction, échauffe le foie, les reins, engraisse le corps, lâche le ventre.»

Pour 4 personnes

Un poulet	1,5 kg
Sel et poivre	
Beurre	50 g
Amandes mondées et grillées	50 g
Tranches de pain légèrement grillées	2
Vinaigre de vin rouge	10 cl
Cinamome (cannelle) en poudre	1 cuillerée à café
Petit morceau de gingembre frais (de la taille d'une noisette), épluché et émincé	1
Sucre	2 cuillerées à soupe

Les Catalans sont une nation fort nette en leur manger, qui ressemblent grandement aux Italiens tant en engin, coutumes, comme en façon et police de vivre ; lesquels font une viande appelée myraux et la font en cette façon. Premièrement, ils ont un poulet bien curé, vidé et lavé, et le mettent en broche, et font tourner au feu jusque soit demi-cuit (40 minutes environ).

Après l'enlèvent et mettent en pièces dedans un pot, et pilent des amandes, qui ont été auparavant rôties sur les cendres chaudes et nettoyées en quelque linge ; détrempent aussi des tostées de pain rôties avec du vinaigre ; pilent après icelles avec lesdites amandes, et détrempent le tout avec le jus de la chair grasse, et avec le dudit vinaigre. Après sont tous passés par l'étamine et mettent tout dedans ledit pot, du cinamome, gingembre et beaucoup de sucre, et font tout bouillir sur charbons vifs à petit feu jusque soit cuit (20 minutes environ), toujours remuant avec quelque cuillère ladite potée à cause que ne se brûle et prenne alentour dudit pot. Et puis sur un plat mis, le présentent à table.

BAPTISTE PLATINE DE CRÉMONE
LE LIVRE DE HONNESTE VOLUPTÉ

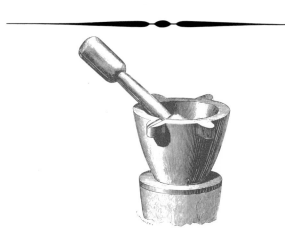

Poulet « Adobo »

D'après la recette du restaurant Sulo de Manille.

Pour 4 personnes

Un poulet coupé en morceaux	1 à 1,5 kg
Gousses d'ail hachées menu	6
Grains de poivre gris	6
Feuilles de laurier	2
Vinaigre de vin blanc	10 cl
Sauce de soja	2 cuillerées à soupe
Sel	
Huile	

Dans une grande sauteuse à couvercle, faites cuire à petits bouillons l'ail, les grains de poivre, les feuilles de laurier, le vinaigre, la sauce de soja et une pincée de sel. Ajoutez les morceaux de poulet et remuez pour bien les enrober de sauce. Amenez encore au frémissement. Couvrez et laissez mijoter 30 minutes environ, jusqu'à ce que le poulet soit cuit, en arrosant une ou deux fois avec le liquide de cuisson. Dressez le poulet sur un plat, dégraissez la sauce et gardez au chaud.

Dans une grande poêle, faites dorer les morceaux de poulet dans une fine pellicule d'huile préalablement chauffée. Disposez-les sur un plat et versez-y la sauce. Servez chaud avec du riz à l'eau.

LEE FOSTER (RÉDACTEUR)
THE NEW YORK TIMES CORRESPONDENTS' CHOICE

Poulet à l'escabèche
Pollo en escabeche

Pour 6 personnes

Un poulet coupé en morceaux	1,5 kg
Sel et poivre	
Gousses d'ail	6
Oignons moyens finement émincés	3
Petit piment chile entier	1
Feuille de laurier	1
Origan	1 cuillerée à café
Huile d'olive	30 cl
Vinaigre de vin blanc	15 cl

Placez les morceaux de poulet salés et poivrés dans une cocotte avec l'ail et les oignons. Disposez le piment chile, le laurier et l'origan dans un morceau de gaze et ajoutez ce nouet. Mouillez avec l'huile et le vinaigre. Couvrez et laissez mijoter à feu doux pendant 30 minutes. Si la sauce est aqueuse, continuez la cuisson avec le couvercle entrebâillé. Autrement, terminez à couvert pendant 15 minutes encore.

Enlevez le nouet. Servez avec du riz blanc ou tout autre féculent cuit à l'eau.

Ce plat se mange également froid. Mettez au réfrigérateur et servez avec la sauce en gelée, de la laitue, une tomate coupée en rondelles, des radis, de l'avocat et des olives.

ELISABETH LAMBERT ORTIZ
CARIBBEAN COOKING

Poule au mouton
Chicken with Mutton

Ce plat est excellent réchauffé. Vous pouvez aussi acheter une demi-poule seulement et diviser les proportions par deux.

Cette très vieille recette du Nord de l'Angleterre se préparait avec des carottes, des navets ou autres légumes disponibles. Aujourd'hui, on y ajoute des tomates, inconnues à l'époque, pour donner plus de goût et de couleur.

Pour 8 personnes, ou deux repas

Une poule	1,5 à 2 kg
Une épaule de mouton désossée et coupée en 4	750 g
Tomates pelées et épépinées	500 g
Oignons émincés	500 g
Champignons	250 g
Courge pelée, épépinée et coupée en dés	125 g
Gousse d'ail écrasée	½
Sel et poivre	
Vin blanc sec ou cidre brut	35 cl
Haricots secs ou pois cassés	125 g

Dans une grande cocotte profonde, posez la poule entourée de mouton. Ajoutez les tomates, les oignons, les champignons, la courge et l'ail écrasé. Salez et poivrez abondamment. Mouillez avec le vin blanc et laissez macérer toute la nuit. Faites tremper les légumes secs séparément. Le lendemain matin, égouttez les légumes, ajoutez-les dans la cocotte et couvrez le tout d'eau. Mettez au four à 95° (1 au thermostat) pendant toute la journée.

Pour servir: le soir, découpez la poule et enlevez la peau. Elle se détachera presque toute seule. Dressez dans un grand plat creux avec le mouton coupé en tranches épaisses et les légumes autour. Assaisonnez le bouillon et versez-en un peu sur la viande dans le plat. Servez le reste à part.

Accompagnez ce plat de pommes de terre en robe des champs.

ELISABETH AYRTON
THE COOKERY OF ENGLAND

Poulet à la vinaigrette

Pollo a la vinagreta

Pour 4 personnes

Un poulet coupé en morceaux	2 kg
Sel	
Huile d'olive	2 cuillerées à soupe
Oignons finement émincés	250 g
Petite tête d'ail	1
Feuille de laurier	1
Vinaigre	1 cuillerée à café

Salez les morceaux de poulet, mettez-les dans une casserole avec tous les ingrédients. Couvrez et laissez mijoter à feu doux, en secouant la casserole de temps en temps jusqu'à ce que le poulet soit cuit (de 20 à 25 minutes).

VICTORIA SERRA
TIA VICTORIA'S SPANISH KITCHEN

Poulet en meurette

Recette de Austin de Croze, gastronome distingué des années vingt et trente.

Pour 6 à 8 personnes

Deux poulets coupés en morceaux	1 kg chacun
Lard de poitrine débarrassé de sa couenne, coupé en lardons, blanchi	300 g
Petits oignons	30
Persil	
Thym	
Gousses d'ail	3
Champignons de Paris	250 g
Sel et poivre	
Bouteille de vin rouge (de même qualité que celui qui sera servi à table)	1
Beurre manié avec 50 g de farine	100 g
Croûtons frits au beurre et aillés	16

Foncer une casserole avec lardons assez gros, petits oignons, persil, thym, ail. Ajouter les morceaux de poulet et les champignons, du sel, du poivre. Verser un bon vin rouge et faire cuire environ de 35 à 40 minutes, suivant le poulet. Lier légèrement avec un beurre manié et servir avec des croûtons frits frottés d'ail.

Ce poulet peut se faire de la même manière au vin blanc sous le nom de « Pauchouse de poulet ».

CURNONSKY
CUISINE ET VINS DE FRANCE

Poulet au porto

Cette recette a été créée par Guy Nouyrigat, propriétaire du restaurant Pierre Traiteur à Paris.

Pour 4 à 6 personnes

Un poulet troussé	2 kg
Oignons	2
Carottes	3
Bouquet garni	1
Beurre	60 g
Sel et poivre	
Porto	15 cl
Crème fraîche	5 cuillerées à soupe

Épluchez et hachez oignons et carottes. Faites-les cuire avec le bouquet garni (10 minutes) dans une cuillerée à soupe de beurre (casserole couverte).

Mettez le reste du beurre dans une cocotte. Faites dorer le poulet. Ajoutez le mélange oignons-carottes. Salez, poivrez, couvrez et laissez-le cuire doucement environ 1 heure. Retournez-le de temps en temps pour qu'il cuise régulièrement. Cinq minutes avant la fin de la cuisson, ajoutez le porto.

Dès que le poulet est cuit, enlevez-le et gardez-le sur un plat chauffé. Ajoutez la crème dans la cocotte. Laissez bouillonner quelques minutes pour réduire, puis versez la sauce sur le poulet.

Accompagnez de girolles sautées au beurre, de tomates et de haricots verts.

ROBERT COURTINE
MON BOUQUET DE RECETTES

Poule aux épices et au lait

Spiced Chicken Cooked in Milk

Pour 3 ou 4 personnes

Une poule	2 kg
Graines de coriandre	1 cuillerée à café
Gingembre frais	30 g
Graines de cardamome	1 cuillerée à café
Clous de girofle	2 pincées
Sel et poivre	
Citrons	2
Lait	2 l environ
Œufs	2
Pistaches ou amandes grillées	

Faites griller les graines de coriandre au four pendant 2 à 3 minutes. Épluchez le gingembre frais. Pilez le tout dans un mortier avec les graines de cardamome et les clous de girofle.

Enlevez les capsules de la cardamome. Salez et poivrez. Piquez toute la poule avec une fourchette, frottez-la d'abord au citron, ensuite avec une partie des épices à l'intérieur et à l'extérieur. Laissez en attente 1 ou 2 heures.

Portez le lait avec le reste des épices à ébullition. Versez sur la poule, couvrez et mettez à feu très doux pendant 1 heure. Ensuite découvrez, mettez au four et terminez la cuisson pendant 1 heure et demie. Lorsque la poule est suffisamment tendre, sortez-la et laissez-la refroidir.

Une fois qu'elle a refroidi, coupez la chair en morceaux égaux. Faites chauffer à peu près 60 cl de sauce. Ajoutez-la à travers une passoire aux œufs battus entiers et faites chauffer au bain-marie. Nappez la poule.

Servez froid, garni de quelques moitiés de pistaches ou d'amandes grillées et de quartiers de citron.

ELIZABETH DAVID
SUMMER COOKING

Chapon braisé paysanne

Cappone in casseruola alla paesana

Pour peler facilement les poivrons, reportez-vous aux explications données page 11.

Pour 6 personnes

Un chapon	2,5 kg
Sel et poivre	
Beurre	90 g
Oignons émincés	2
Gousses d'ail pilées	2
Poivrons rouges ou jaunes grillés, pelés, épépinés et coupés en lanières	3
Bouquet garni de 3 brins de persil, 2 de thym (ou ½ cuillerée à café de thym séché) et 1 feuille de laurier	1
Vin de Marsala	15 cl
Belles tomates pelées, épépinées, égouttées et hachées	6
Jambon cru haché	60 g
Courgettes moyennes, émincées	2
Persil haché	4 cuillerées à soupe

Salez et poivrez l'intérieur du chapon; bridez-le. Dans une grande cocotte à fond épais contenant le beurre, faites-le dorer sur toutes ses faces à feu assez vif. Réglez la flamme pour que le beurre ne brûle pas.

Retirez le chapon de la cocotte, mettez-y les oignons et l'ail et laissez cuire jusqu'à ce que l'oignon commence à prendre couleur. Ajoutez les lanières de poivron, laissez cuire encore 3 minutes, puis incorporez le bouquet garni, le Marsala, les tomates et le jambon cru.

Salez, poivrez, faites frémir et remettez le chapon. Faites

cuire à four modéré, à 180° (4 au thermostat), pendant 2 heures. Quinze minutes avant la fin de la cuisson, ajoutez les courgettes et le persil haché. Dressez le chapon sur un plat de service chaud. Si la sauce est trop liquide, faites-la légèrement réduire à feu vif avant de la verser autour de la volaille.

LUIGI CARNACINA
LA GRANDE CUCINA

Poulet Calypso

Chicken Calypso

Pour 6 personnes

Un poulet coupé en morceaux	1,5 à 2 kg
Huile d'olive	5 cuillerées à soupe
Riz	500 g
Oignon moyen, haché menu	1
Gousse d'ail hachée	1
Poivron vert, égrené et haché	1
Petit piment vert chile, égrené et haché	1
Champignons	250 g
Safran	½ cuillerée à café
Zeste de citron vert de 5 cm	1
Jus de citron vert	1 cuillerée à soupe
Filet d'angustura	1
Fond de volaille	1 l
Sel et poivre	
Rhum blanc	3 cuillerées à soupe

Dans une poêle contenant 3 cuillerées à soupe d'huile d'olive, faites dorer les morceaux de poulet sur toutes leurs faces. Transférez-les dans une cocotte à fond épais. Faites revenir le riz, l'oignon, l'ail, le poivron et le piment dans l'huile qui reste dans la poêle. Remuez jusqu'à ce que l'huile soit absorbée, en prenant soin de ne pas brûler le riz, et versez le tout dans la cocotte contenant le poulet.

Versez les 2 cuillerées à soupe d'huile d'olive qui restent dans la poêle et faites sauter les champignons à feu assez vif pendant 5 minutes. Mettez-les dans la cocotte avec le safran, le zeste et le jus de citron vert, un filet d'angustura et le fond de volaille. Salez et poivrez selon le goût. Couvrez et laissez mijoter jusqu'à ce que le poulet soit tendre et que le riz ait absorbé le liquide, soit 30 minutes environ. Versez le rhum et laissez cuire encore 5 minutes à découvert.

ELISABETH LAMBERT ORTIZ
CARIBBEAN COOKING

Poulet aux aubergines
Braniya

Pour 4 à 6 personnes

Un poulet coupé en morceaux	2 à 2,5 kg
Huile d'olive	4 cuillerées à soupe
Gousses d'ail épluchées	5
Sel et poivre	
Safran	1 pincée
Aubergines moyennes	3
Eau	15 cl

Découpez un poulet, comme à l'ordinaire, faites-le sauter à l'huile d'olive dans une casserole avec l'ail. Aussitôt rissolé, assaisonnez de sel, poivre, safran, ajoutez les aubergines préalablement épluchées et coupées en morceaux. Mouillez d'un verre d'eau, couvrez la casserole et cuisez lentement durant 20 minutes.

LÉON ISNARD
LA CUISINE FRANÇAISE ET AFRICAINE

La fricassée de poulet

Pour 8 personnes

Deux poulettes coupées en morceaux	1,5 kg chacune
Beurre	60 g
Oignons moyens	2
Branche de thym	1
Sel	
Farine	2 cuillerées à soupe
Eau	4 cuillerées à soupe
Crème	75 cl
Vin blanc sec	4 cuillerées à soupe
Poivre fraîchement moulu	
Jaunes d'œufs	2

Mettez les poulettes dans une sauteuse contenant le beurre, les oignons et une petite branche de thym. Salez, couvrez la casserole et placez-la sur un feu modéré pour que la viande rende son mouillement et ne roussisse pas; les morceaux devenus tendres et presque cuits, retirez le thym et les oignons, singez de farine et remuez souvent; après 10 minutes, mouillez avec l'eau froide et frottez le fond et les parois de la casserole pour en détacher les sucs adhérents.

Répandez sur la fricassée un demi-verre de crème et 4 cuillerées d'excellent vin blanc exempt d'acidité, faites mijoter, ajoutez, en petite quantité à la fois, 60 cl de crème, tenez la sauce onctueuse, lisse et masquant la cuiller...

Faites mijoter 25 à 30 minutes et, si la sauce devient trop épaisse, continuez à répandre de la crème, goûtez si le ragoût est d'un bon sel et assaisonnez d'une pincée de poivre.

Retirez la casserole du feu et, une minute après, versez dans la fricassée les jaunes d'œufs délayés dans 3 cuillerées de crème froide.

LUCIEN TENDRET
LA TABLE AU PAYS DE BRILLAT-SAVARIN

Poulet farci aux panais
Chicken Stuffed with Parsnips

Pour 4 personnes

Un poulet à rôtir	1,5 kg
Graisse de poulet, ou beurre	15 g
Petit panais coupé en dés	1
Petit oignon haché	1
Sel et poivre	
Bouillon	30 cl
Bouquet garni	1
Beurre ramolli	30 g
Persil haché	1 cuillerée à soupe

Farce :

Panais épluchés, coupés en 2 dans le sens de la longueur et pesés évidés	250 g
Petit oignon haché	1
Lardons	125 g
Graisse de poulet, ou beurre	15 g
Sauge hachée	2 cuillerées à café
Sel et poivre	

Préchauffez le four à 180° (4 au thermostat).

Pour la farce, faites cuire les panais dans de l'eau salée jusqu'à ce qu'ils soient tendres. Écrasez-les en purée. Dans une petite poêle, faites fondre l'oignon et revenir les lardons dans la graisse. Hors du feu, mélangez la purée de panais avec la sauge, le sel et le poivre. Farcissez le poulet et bridez-le.

Dans une grande cocotte, faites fondre la graisse de poulet ou le beurre à feu modéré et dorez le poulet sur toutes ses faces. Enlevez et réservez. Baissez le feu. Ajoutez le panais coupé en dés et l'oignon, remuez et couvrez pour laisser suer pendant 5 minutes. Posez le poulet par-dessus. Assaisonnez, versez le bouillon et ajoutez le bouquet garni. Couvrez et mettez au four pendant 1 heure et demie.

Sortez le poulet, découpez-le, disposez-le sur un plat de service chaud avec la farce et réservez au chaud. Passez le jus et dégraissez. Remettez le jus dans la cocotte à feu moyen. Incorporez au fouet le beurre ramolli et le persil et faites cuire à petits bouillons pendant 2 minutes. Servez le poulet et la sauce séparément.

GAIL DUFF
FRESH ALL THE YEAR

Oignonnade à la bretonne

Pour 6 personnes

Filets de volaille, dénervés, parés, sans peau	12
Beurre	50 g
Oignons émincés	300 g
Champignons émincés	250 g
Fond de veau réduit à l'état sirupeux	10 cl
Crème double	50 cl
Sel et poivre blanc	

Cuisez lentement au beurre les oignons nouveaux émincés, jusqu'à leur donner une couleur blond pâle. Placez-en la moitié dans une casserole plate de porcelaine ou d'aluminite; disposez dessus les beaux filets de volaille; couvrez-les du reste des oignons et d'un émincé de champignons frais étuvés au beurre; puis voilez le tout du fond de veau et d'un demi-litre de crème double bien fraîche. Ajoutez sel, poivre blanc, et cuisez bien lentement le tout au four. Quand la crème enrobera, comme aussi la garniture, les savoureux filets de volaille, servez sans plus tarder, en offrant à part une timbale de succulents petits pois à la française, aux laitues, mais ayez soin de retirer les oignons qui ont cuit avec ces petits pois.

ÉDOUARD NIGNON
ÉLOGES DE LA CUISINE FRANÇAISE

Poularde à la Charles Monselet

Pour 6 à 8 personnes

Deux poulets coupés en morceaux	1 à 1,2 kg chacun
Sel et poivre	
Huile d'olive	4 cuillerées à soupe
Beurre	150 g
Champignons	500 g
Oignons moyens nouveaux, finement émincés	16
Grosses tomates mûres, pelées, épépinées et coupées en 8 morceaux	6
Crème fraîche	25 cl
Petits concombres	2
Thym (fleurs)	
Estragon finement haché	

Saler et poivrer les poulets. Prendre un sautoir, mettre l'huile et un bon morceau de beurre, faire chauffer, ajouter les poulets, les blondir rapidement et légèrement; débarrasser les poulets, les tenir au chaud. Passer dans le beurre restant dans le sautoir des têtes moyennes de champignons bien blancs, bien propres; les retirer et réserver au chaud. Tapisser le fond du sautoir avec les oignons; placer dessus

les morceaux de poulet, puis les champignons. Beurrer un papier pour couvrir, et mettre un couvercle, afin que la cuisson s'opère à l'étuvée et que les oignons ne colorent pas.

Ajouter les tomates 15 minutes après le début de cuisson, rectifier l'assaisonnement. Au bout de 10 à 12 minutes, mettre 4 bonnes cuillerées de crème, supprimer le papier beurré, rouler le sautoir pour bien mélanger; couvrir, laisser cuire en mijotant. D'autre part, éplucher les concombres dits « jardiniers »; les découper en tronçons, puis en bâtonnets, lesquels seront parés en olives; les blanchir assez longuement, les égoutter et les adjoindre aux poulets.

Mettre alors l'appoint final et délicat, c'est-à-dire une demi-pincée de fleurs de thym et une pincée d'estragon haché. Laisser mijoter pendant quelques minutes. La cuisson obtenue, dresser les poulets sur un plat et verser le contenu du sautoir sur les poulets.

CURNONSKY
CUISINE ET VINS DE FRANCE

Poulets à la Medina-Cœli

Recette donnée pour la première fois par Carême dans L'Art de la Cuisine Française au XIXe Siècle.

Pour 8 personnes

Deux poulets coupés en morceaux	1 à 1,5 kg chacun
Beurre	60 g
Lardons	125 g
Petits oignons	20
Carottes	125 g
Bouquet garni	1
Tête d'ail	1
Champignons	250 g
Sel et poivre	
Paprika	1 cuillerée à soupe
Malaga	25 cl

Sautez les poulets au beurre; jetez-y un peu de lard en dés, bien dessalé et blanchi; les 20 petits oignons également blanchis, et une demi-botte de carottes tournées en petites olives et blanchies aussi; un bouquet garni, une tête d'ail entière sans être épluchée; deux maniveaux de champignons tournés, sel, poivre, une cuillerée à soupe de poudre rouge ou de piment doux; mouillez d'un verre (15 cl) de vin de Malaga, et faites cuire dans son essence, jusqu'à obtention d'une consistance sirupeuse (40 minutes environ). Avant de dresser, retirez le bouquet et l'ail; garnissez du petit lard, des carottes, etc.; ajoutez un demi-verre de vin de Malaga, une cuillerée à dégraisser d'espagnole; laissez frémir quelques minutes, saucez et servez.

BERTRAND GUÉGAN
LA FLEUR DE LA CUISINE FRANÇAISE

Fricassée de poulet à la sauge

Chicken fricassée alla salvia

Pour 4 personnes

Un poulet fendu par le dos et aplati	1,2 kg
Beurre	15 g
Huile d'olive	1 cuillerée à soupe
Sel et poivre	
Vin blanc sec	30 cl
Jambon cru, gras conservé, coupé en julienne	60 g
Feuilles de sauge fraîche	1 cuillerée à soupe

Faites fondre le beurre dans une grande sauteuse, ajoutez l'huile et le poulet, salez-le et poivrez-le et faites-le dorer lentement sur toutes ses faces. Lorsqu'il est bien doré, versez le vin et ajoutez le jambon cru et la sauge. Baissez le feu, couvrez et laissez cuire lentement jusqu'à ce que le poulet soit tendre, soit 40 minutes environ. Servez immédiatement avec le jus de cuisson.

ADA BONI
THE TALISMAN ITALIAN COOK BOOK

Coq à la bière

Pour 4 personnes

Un poulet fendu dans le dos et aplati	1,2 kg
Beurre	60 g
Sel et poivre	
Echalotes hachées	1 cuillerée à soupe
Eau-de-vie de genièvre	2 cuillerées à soupe
Crème fraîche	6 cuillerées à soupe
Champignons de Paris	250 g
Bière brune	50 cl
Poivre de Cayenne	
Persil haché	2 cuillerées à soupe

Bridez le poulet, faites-le revenir dans du beurre chaud à la cocotte jusqu'à ce qu'il soit bien doré. Salez, poivrez, couvrez et laissez cuire une demi-heure. Retirez le poulet et conservez-le sur une assiette au chaud.

Mettez les échalotes hachées à rissoler dans la cocotte ; dès qu'elles sont blondes, remettez le poulet, arrosez avec le genièvre et flambez. Ajoutez une noix de beurre, 2 cuillerées à soupe de crème fraîche et les champignons coupés en dés. Arrosez avec la bière ; salez, poivrez, mettez un peu de Cayenne, couvrez et laissez mijoter un quart d'heure.

Lorsque le poulet est bien cuit, placez-le sur la planche et coupez-le en quartiers, puis disposez-le sur le plat et tenez au chaud.

Ajoutez dans la cocotte 4 cuillerées à soupe de crème

fraîche et faites bouillir vivement la sauce pendant quelques minutes, jusqu'à ce qu'elle soit onctueuse. Rectifiez l'assaisonnement si c'est nécessaire. Retirez du feu, ajoutez un bon morceau de beurre, laissez-le fondre dans la sauce, sans remettre sur le feu, et arrosez le poulet.

Saupoudrez de persil haché ; servez bien chaud.

RAYMOND OLIVER
LA CUISINE

Poulet aux chicons

Pour 4 personnes

Un poulet ouvert, comme pour la cuisson au gril	1,6 kg
Chicons (endives)	1 kg
Sel et poivre	
Farine	
Beurre	20 g
Crème double	50 cl
Jus de citron	2 cuillerées à café

Choisir les chicons de grosseurs égales, avec des feuilles bien serrées et blanches. Parer légèrement la base et l'extrémité, retirer les quelques feuilles flétries, puis les tailler en grosse julienne dans le sens de la longueur, les laver et les égoutter dans un linge.

Assaisonner le poulet de sel et poivre et le passer dans la farine. Faire chauffer le beurre dans une cocotte de dimensions proportionnées. Le poser côté peau dans le fond du récipient et laisser colorer, le retourner et répéter la même opération sur l'autre face.

Placer les endives tout autour, couvrir et laisser suer avec le poulet pendant 15 minutes. Mettre alors la crème, ramener à ébullition et laisser terminer la cuisson doucement (environ 3 minutes).

Vérifier qu'elle est bien à son terme en piquant la jointure de la cuisse à l'aide d'une aiguille à brider : le jus qui s'en écoule ne doit pas être sanguinolent, sinon, laisser cuire à nouveau quelques minutes.

Rectifier l'assaisonnement en sel et poivre, ajouter le jus de citron et servir dans la cocotte.

JEAN ET PIERRE TROISGROS
CUISINIERS A ROANNE

Tafina de poule

La loi religieuse interdisant aux Juifs orthodoxes de faire la cuisine le samedi, jour du Sabbath, la tradition voulait qu'ils préparent un ragoût copieux, ou cholent, *le vendredi soir et le laissent cuire toute la nuit dans les braises mourantes du four d'un boulanger. Ils le récupéraient le lendemain et le man-*

geaient encore chaud au déjeuner. Cette recette de tafina, *qui est un genre de* cholent, *a été adaptée pour la cuisson au four.*

Pour 4 personnes

Un poulet coupé en morceaux	1,5 à 2 kg
Huile d'olive	2 cuillerées à soupe
Oignons moyens coupés en 4	10
Grosses tomates mûres, pelées et épépinées	4
Fèves fraîches décortiquées	1 kg
Sel et poivre	
Eau	50 cl
Pruneaux dénoyautés	20

Faites revenir les morceaux de poulet à l'huile d'olive, dans une marmite. Quand ils sont bien dorés, ajoutez les oignons et attendez qu'ils prennent couleur.

Coupez en morceaux les tomates, posez-les sur la viande. Ajoutez les fèves fraîches. Salez, poivrez. Versez trois verres d'eau dans la marmite et laissez cuire une petite demi-heure.

Ajoutez alors une vingtaine de pruneaux. Laissez sur le feu, au chaud, sans ébullition, ou au four à 150° (2 au thermostat) pendant 5 ou 6 heures. Vérifiez de temps à autre s'il y a assez d'eau. Rajoutez-en s'il y a lieu. Servez le tout ensemble.

ÉDOUARD DE POMIANE
CUISINE JUIVE, GHETTOS MODERNES

Poulet aux tomates et au miel

Pour 4 personnes

Un poulet entier ou coupé en morceaux, abattis réservés	1,5 kg
Tomates pelées, épépinées et coupées en morceaux	2,5 kg
Beurre	150 g
Safran	1 pincée
Oignon râpé	1
Sel et poivre	
Miel épais	3 cuillerées à soupe
Cannelle en poudre	2 cuillerées à café
Huile	
Amandes mondées	75 g
Graines de sésame grillées	2 cuillerées à café

Mettre le poulet entier ou découpé en morceaux dans une cocotte avec ses abattis. Verser dessus les tomates. Ajouter beurre, safran, oignon râpé, sel et poivre. Cuire à couvert sur feu modérément chaud en remuant très souvent.

Lorsque le poulet est cuit (au bout de 50 minutes, ou plus longtemps s'il s'agit d'un poulet entier), que sa chair se

détache facilement avec les doigts, le retirer du feu et réserver. Garder la cocotte sur le feu. Laisser la tomate réduire jusqu'à évaporation complète de toute eau. L'on obtient alors une sorte de confit de tomates. Prendre soin de remuer très souvent en raclant le fond de la cocotte à l'aide d'une écumoire afin que la tomate n'attache pas. Laisser alors revenir quelques minutes dans le beurre de cuisson et ajouter miel et cannelle. Mélanger, remettre le poulet dans la cocotte. Le laisser s'imprégner de cette sauce en le retournant et retirer le tout du feu.

D'autre part, quelques minutes avant le repas, faire frire à l'huile les amandes. Dresser le poulet sur un plat chaud, verser le confit de tomates par-dessus et décorer d'amandes et de graines de sésame grillées. Servir aussitôt.

LATIFA BENNANI SMIRES
LA CUISINE MAROCAINE

Poulet au yogourt

Murghi Dehin

Pour 4 personnes

Un poulet débarrassé de sa peau et coupé en morceaux	1,5 kg
Persil ou feuilles de coriandre hachés	5 cuillerées à soupe

Marinade :

Yogourt	35 cl
Gros poivron rouge râpé ou écrasé	1
Paprika	1 cuillerée à café
Morceau de gingembre frais de 5 cm, râpé	1
Piments chile verts écrasés	2 ou 3
Grosses gousses d'ail écrasées	16
Sel	1 cuillerée à café

Avec une fourchette aux dents pointues, piquez les morceaux de poulet de tous les côtés. Battez le yogourt et faites une marinade avec le poivron, le paprika, le gingembre, les petits piments, l'ail et le sel. La quantité d'ail peut vous sembler excessive, mais le yogourt en atténuera le goût.

Laissez mariner le poulet de 10 à 20 heures dans un endroit frais ou au réfrigérateur, en retournant les morceaux de temps en temps.

Faites chauffer une cocotte à fond épais. Mettez-y le poulet et la marinade de manière à obtenir un petit éclaboussement et un dégagement de vapeur. Ajoutez le persil ou le coriandre hachés, mélangez et couvrez immédiatement. Faites cuire à feu vif pendant 5 minutes, puis à feu moyen jusqu'à ce que le yogourt soit presque sec et qu'il n'en reste que 1 ou 2 cuillerées à soupe. Servez chaud avec tous les sucs de cuisson.

DHARAMJIT SINGH
INDIAN COOKERY

Poulet à l'étouffée

Chicken Stovies

Ce mode de cuisson à la vapeur, dans un récipient bien clos, constitue un héritage de l'Alliance conclue au XVIIIe siècle entre l'Écosse et la France. On servait souvent du poulet à l'étouffée aux repas de noces dans les Highlands. Le terme anglais « stovies » vient, en fait, du français « étouffer ».

Pour 4 personnes

Un beau poulet, ou une poule, coupé en morceaux	1,5 à 2 kg
Pommes de terre épluchées et coupées en tranches	1 kg
Oignon émincé (ou 2 échalotes)	1
Sel et poivre	
Beurre	125 à 150 g
Eau	40 cl

Dans une cocotte beurrée, alternez pommes de terre, oignon, poulet. Salez, poivrez et parsemez généreusement chaque couche de beurre. Versez l'eau et couvrez. Faites mijoter à petit feu pendant 2 ou 3 heures jusqu'à ce que le poulet soit tendre. Si besoin est, ajoutez un peu d'eau chaude en cours de cuisson pour que la préparation de la cocotte ne brûle pas.

MARIAN MCNEILL
THE SCOTS KITCHEN

Poulet sauté Suzanne

Pour 4 personnes

Un poulet coupé en morceaux	1,5 à 2 kg
Sel et poivre	
Huile d'olive	4 cuillerées à soupe
Beurre	30 g
Vin doux (grenache ou muscat)	15 cl
Cognac	2 ou 3 cuillerées à soupe
Crème fraîche	15 cl
Jaunes d'œufs	2
Fines herbes	

Assaisonnez les morceaux de poulet avec du sel et du poivre. Faites chauffer un peu d'huile d'olive dans une sauteuse. Faites-y revenir les morceaux de poulet. Quand ils seront bien dorés, retirez-les, égouttez-les, videz dans un bol le peu d'huile qui peut demeurer dans leur cuisson et remplacez-la par un bon morceau de beurre. Laissez-le fondre et chauffer. Remettez-y le poulet. Faites sauter.

Versez dessus un verre de vin sucré (grenache, muscat, etc.) et un verre à liqueur de cognac. Laissez réduire. Ajoutez une tasse de crème. Laissez mijoter un petit quart d'heure. Retirez la casserole sur le coin du fourneau et ajoutez une liaison de deux jaunes d'œufs délayés dans un peu de crème.

Tournez vivement. Ne laissez plus bouillir. Saupoudrez de fines herbes hachées très menu. Dressez sur un plat creux chaud et servez dans des assiettes chaudes.

SUZANNE LABOUREUR ET X.-M. BOULESTIN
PETITS ET GRANDS PLATS

Poulet aux quarante gousses d'ail

Pour 4 personnes

Un poulet	1,5 à 2 kg
Sel et poivre	
Bouquet garni	
Huile d'olive	20 cl
Gousses d'ail	40
Romarin, thym, sauge, laurier, persil et céleri	
Bande de pâte (farine et eau), contenant un peu d'huile, pour luter	

Salez et poivrez l'intérieur du poulet, dans lequel vous introduisez un bouquet garni. Bridez.

Dans une cocotte, mettez une bonne quantité d'huile d'olive, les gousses d'ail non épluchées et les herbes.

Posez sur ce lit le poulet préparé. Retournez-le bien dans cette huile déjà parfumée. Laissez toute l'huile, tous les aromates avec le poulet par-dessus. Fermez hermétiquement le couvercle avec une bande de pâte. Mettez au four à chaleur moyenne (180°, 4 au thermostat). Cuisez 1 heure et demie environ.

Apportez la terrine sur la table et soulevez le couvercle au moment de servir. Une agréable caresse d'ail s'en dégage. Le poulet est moelleux et odorant. Servez avec des croûtons que chacun tartine de purée d'ail (rappelons que l'ail cuit ne saurait incommoder personne).

JEAN-NOËL ESCUDIER
LA VÉRITABLE CUISINE PROVENÇALE ET NIÇOISE

Poulet aux topinambours

Pour 4 personnes

Un poulet coupé en 8 morceaux	1,5 kg
Topinambours	500 g
Sel et poivre	
Beurre	15 g
Thym et origan hachés	1 pincée de chaque
Vin blanc sec	20 cl
Crème fraîche	20 cl

Cassez les topinambours pour pouvoir les éplucher plus facilement. Coupez chaque morceau en 2 ou 3 selon la taille et nettoyez au couteau économique. Tous les morceaux épluchés devront avoir la même taille et la même forme — 3 à 5 cm de diamètre environ. Disposez-les dans une casserole, couvrez d'eau froide, ajoutez une pincée de sel et portez à ébullition à grand feu. Laissez ensuite frémir pendant 8 minutes. Les topinambours devraient être à moitié cuits et flotter à la surface. Égouttez dans une passoire.

Salez et poivrez les morceaux de poulet. Faites fondre le beurre dans une cocotte fermée. Faites revenir le poulet sur toutes ses faces, en commençant par la peau, jusqu'à ce que tous les morceaux soient bien dorés (de 6 à 8 minutes à feu moyen). Ajoutez le thym, l'origan, le vin et les topinambours. Portez à ébullition et laissez mijoter pendant 15 minutes. Incorporez la crème, une pincée de sel et de poivre et faites bouillir à feu vif pendant 5 à 6 minutes, à découvert, pour réduire la sauce. Dressez le poulet sur un plat de service, goûtez l'assaisonnement de la sauce. Versez la sauce et les topinambours sur le poulet et servez immédiatement.

JACQUES PÉPIN
A FRENCH CHEF COOKS AT HOME

Poulet niçoise

Pour 4 à 5 personnes

Un poulet coupé en 10 morceaux	1,5 kg
Huile d'olive	4 à 6 cuillerées à soupe
Gros oignons émincés	2
Poivrons épépinés et coupés en fines lanières de 6 cm de long	300 g
Tomates pelées, épépinées et réduites en purée	500 g
Gousses d'ail	3
Sel et poivre	
Courgettes et aubergines coupées en dés	300 g de chaque
Farine	
Persil ou basilic frais haché	

Faire revenir les morceaux de poulet dans 2 cuillerées d'huile jusqu'à ce qu'ils soient bien dorés.

Entre-temps, faire revenir oignons et poivrons dans une casserole avec 2 cuillerées d'huile. Ajouter les tomates et 2

gousses d'ail et laisser cuire. Mélanger la volaille et la préparation de légumes quand ils sont parvenus à mi-cuisson. Assaisonner. Laisser mijoter. Fariner légèrement les courgettes et les aubergines coupées en dés ; les faire revenir dans le reste d'huile à la poêle. Laisser cuire et dorer ; ajouter de l'huile, si besoin est.

A la fin de cuisson, verser dans un plat de service volaille, tomates et oignons. Recouvrir avec courgettes et aubergines. Hacher très fin la dernière gousse d'ail et en saupoudrer le plat avec le basilic (ou le persil).

RAYMOND ARMISEN ET ANDRÉ MARTIN
LES RECETTES DE LA TABLE NIÇOISE

Poulet de ferme étuvé à la digoinaise

Cette recette est extraite d'un livre dédié à Alexandre Dumaine, qui fut le propriétaire et le grand chef cuisinier de l'hôtel de la Côte d'Or à Saulieu, en Bourgogne, de 1931 à 1964. La consistance gélatineuse de l'anguille donne une onctuosité surprenante à la sauce.

Pour 4 personnes

Un poulet coupé en morceaux	1 kg
Beurre	90 g
Petite anguille de 250 g environ, débarrassée de sa peau et coupée en darnes de 2,5 cm	1
Sel et poivre	
Farine	1 ½ cuillerée à soupe
Vin blanc sec	20 cl
Eau	25 cl
Bouquet garni	
Gousses d'ail	2
Tranches de pain de campagne	

Dans une sauteuse, faites fondre 60 g de beurre. Placez-y les morceaux de poulet et d'anguille, salez, poivrez, couvrez hermétiquement et faites cuire à feu doux pendant 10 minutes. Retournez les morceaux, recouvrez et laissez cuire encore 10 minutes.

Sortez la volaille et l'anguille et réservez au chaud. Faites un roux en ajoutant la farine au jus de la sauteuse, à feu doux. Mélangez bien le tout et ne laissez pas colorer. Incorporez le vin et l'eau au fouet. Remettez la volaille et l'anguille dans la sauteuse, ajoutez le bouquet garni et l'ail, couvrez et laissez mijoter 50 minutes environ.

Dans une poêle, faites dorer quelques tranches de pain dans le reste du beurre. Dressez les morceaux de poulet et d'anguille sur le pain sur un plat de service chaud. Nappez de sauce et servez très chaud.

ALEXANDER WATT
THE ART OF SIMPLE FRENCH COOKERY

Coq au vin

Pour 6 à 8 personnes

Un coq de 10 à 12 mois ou, à défaut, un poulet coupé en morceaux	3 kg
Tranches de petit salé coupées en lardons de 1,5 cm	2
Huile	2 à 3 cuillerées à soupe
Carottes moyennes coupées en morceaux de 2,5 à 5 cm	3
Oignons moyens, grossièrement hachés	3
Sel et poivre	
Farine	2 cuillerées à soupe
Cognac	4 cuillerées à soupe
Bon vin rouge	75 cl
Bouquet garni	
Petits oignons blancs entiers, épluchés	25 à 30
Beurre	150 à 175 g
Champignons épluchés, rincés et épongés	250 g
Sel et poivre fraîchement moulu	
Tranches de pain de mie sans croûtes, coupées en triangles	6
Gousse d'ail	1
Persil haché	

Blanchissez les lardons pendant 2 minutes, égouttez-les, épongez-les et faites-les revenir à feu doux dans une grande sauteuse avec un peu d'huile (contrairement à ce que l'on recommande d'ordinaire, il est inutile de prendre du beurre car il perd son goût à la cuisson et sera de toute façon dégraissé et jeté plus tard). Quand les lardons sont bien dorés, enlevez-les et réservez-les.

Faites revenir les carottes et les oignons moyens dans la même graisse de cuisson, à feu modéré, pendant 20 à 30 minutes, en remuant pour qu'ils ne se colorent pas trop. Retirez-les, réservez-les et remplacez par les morceaux de coq salés et poivrés. Faites-les dorer à feu un peu plus fort sur toutes leurs faces, saupoudrez de farine et poursuivez la cuisson en tournant les morceaux. Remettez les oignons et les carottes sautés. Laissez la farine cuire quelques minutes, versez le cognac, faites-le flamber et remuez; lorsque les flammes ont disparu, ajoutez le vin et mettez à feu plus vif. Remuez le coq jusqu'à ce que le liquide entre en ébullition.

Dressez les morceaux de coq et les légumes dans une cocotte à four en terre cuite, en cuivre ou en fonte émaillée, dotée d'un couvercle. Grattez le fond de la sauteuse avec une spatule en bois pour détacher et dissoudre les sucs de cuisson et versez la sauce sur le coq. Si elle ne couvre pas entièrement les morceaux de volaille, ajoutez du vin, de l'eau ou un bon fond de cuisson (l'eau est toujours préférable à un fond médiocre). Ajoutez le bouquet garni, couvrez et mettez au four, à environ 170° (3 au thermostat) en réglant la chaleur pour que le liquide frémisse à peine. La durée de cuisson dépend de l'âge et du «passé» de la volaille — comptez de 30 à 45 minutes pour un poulet, 1 heure et demie pour un coq de 10 mois et 2 heures et demie pour un vieux coq coriace qui donnera une sauce délicieuse.

Pendant ce temps, faites étuver les petits oignons assaisonnés dans du beurre, à feu très doux, pendant 20 à 30 minutes en secouant la casserole de temps en temps. Couvrez. Ne les laissez pas trop se colorer — si la casserole n'est pas assez épaisse, posez-la sur une plaque d'amiante. Sortez les oignons et utilisez la même casserole pour les champignons. Coupez les champignons en 2 ou en 4 (s'ils sont petits, laissez-les entiers). Salez, poivrez et faites-les sauter à feu vif dans du beurre pendant 2 à 3 minutes.

Dressez le coq et les carottes dans un plat. Passez le liquide de cuisson par un tamis très fin dans une casserole, en le travaillant avec un pilon en bois. Jetez les restes de bouquet garni, dégraissez la surface le plus possible, portez à ébullition et placez la casserole sur la flamme de manière à ne laisser frémir que la moitié du liquide. Une peau va se former à la surface, avec la graisse et les autres impuretés. Tirez-la vers les parois avec une cuillère, enlevez-la et jetez-la. Répétez l'opération régulièrement pendant 30 minutes. On omet souvent de procéder à ce «dépouillement» long et fastidieux qui est pourtant essentiel pour obtenir une sauce pure et digeste. Si la sauce est encore trop liquide, portez-la à ébullition pour la faire réduire rapidement à la consistance désirée, sans cesser de remuer.

Remettez les morceaux de volaille et les carottes dans le plat à four, répartissez la garniture (champignons sautés, petits oignons glacés et lardons frits), versez la sauce, couvrez et remettez au four à feu doux pendant 15 à 20 minutes environ.

Faites dorer les petits triangles de pain dans le reste du beurre à petit feu jusqu'à ce qu'ils soient bien croustillants. Ils absorberont une quantité étonnante de beurre. Vous pouvez les préparer à l'avance et les réchauffer au four.

Pour servir, dressez plus ou moins symétriquement les morceaux de coq sur un grand plat chaud. Frottez les croûtons avec la gousse d'ail, trempez-en un coin dans la sauce et dans le persil haché et plantez-les autour du plat, pointes persillées vers le haut. Nappez le coq de sauce, saupoudrez de persil haché et servez avec des pommes vapeur.

RICHARD OLNEY
THE FRENCH MENU COOKBOOK

Jeune poulet à l'américaine

Pour 4 personnes

Un poulet	1,5 kg
Beurre	50 g
Echalotes hachées	5
Madère	6 cuillerées à soupe
Cognac	8 cuillerées à soupe
Sauce tomate	2 cuillerées à soupe
Crème double	15 cl
Sel et poivre blanc	
Gingembre en poudre	
Estragon, basilic et sarriette hachée	

Dépecez un poulet en 6 morceaux, soit: 2 ailes, 2 cuisses, l'estomac et la carcasse, rangez ces morceaux dans une casserole où vous aurez mis gros comme un œuf de beurre. Faites-les roussir vivement de tous côtés, ajoutez les échalotes, déglacez d'un verre à madère de madère, de deux verres à liqueur de cognac, de deux cuillerées de sauce tomate et d'un verre de crème double, assaisonnez de sel, poivre blanc, gingembre, d'une forte pincée d'estragon, de basilic et de sarriette hachée. Couvrez la casserole, faites bouillir le tout, terminez la cuisson au four modéré, à 180° (4 au thermostat) durant 20 minutes.

LÉON ISNARD
LA CUISINE FRANÇAISE ET AFRICAINE

Le poulet aux poivrons de Fanny

Pour 4 personnes

Un beau poulet coupé en morceaux	2 kg
Beurre	30 g
Huile d'olive	2 cuillerées à soupe
Sel, poivre et poivre de Cayenne	
Très bon paprika	1 cuillerée à café
Oignons hachés fin	3
Echalotes hachées fin	3
Gousses d'ail hachées fin	3
Tomates très mûres, pelées, épépinées et écrasées	1 kg
Poivrons verts et rouges épépinés et finement coupés	1 kg
Bouquet garni (feuille de laurier, thym, sauge et sarriette)	1
Olives noires et vertes	100 g de chaque

Mettez dans une grande cocotte, sur le feu, le beurre et l'huile d'olive. Faites dorer les morceaux de poulet dans ce mélange; salez, poivrez, et ajoutez le paprika et une pointe de Cayenne.

Ajoutez les oignons, les échalotes, l'ail, les tomates et les poivrons ainsi que le bouquet garni. Laissez cuire tout doucement, cocotte couverte pendant 2 heures environ.

Au moment de servir, ajoutez les olives noires et vertes. Vérifiez l'assaisonnement qui doit être très relevé. Servez ce poulet accompagné de riz ou de pâtes fraîches.

MICHEL BARBEROUSSE
CUISINE PROVENÇALE

Poulet et rigatoni à la gitane

Rigatoni con pollo alla zingara

Pour 4 personnes

Un poulet coupé en morceaux	1,5 kg
Huile d'olive	2 cuillerées à soupe
Beurre	30 g
Vin blanc sec	10 cl
Gousses d'ail	2
Sauge en poudre et romarin séché	
Sel et poivre	
Fond de volaille	45 cl
Filets d'anchois dessalés et égouttés	3
Vinaigre de vin	2 cuillerées à café
Belles tomates pelées et coupées en dés	6
Rigatoni (pâtes moulées en tubes striés)	250 g
Asiago ou parmesan râpé	

Dans une cocotte profonde, faites chauffer l'huile et le beurre et mettez le poulet à dorer sur toutes ses faces. Versez le vin et continuez la cuisson à découvert jusqu'à ce que le vin s'évapore. Ajoutez l'ail, la sauge, le romarin, le sel, une bonne quantité de poivre et le fond de volaille. Couvrez et laissez mijoter 1 heure, jusqu'à ce que le poulet soit tendre à la fourchette. Placez-le dans un plat chaud et enfournez-le à faible température.

Hachez les anchois, écrasez-les avec le vinaigre et incorporez la pâte obtenue à la sauce. Ajoutez les tomates. Faites mijoter, sans couvrir et en remuant souvent, pendant 20 minutes, jusqu'à ce que la sauce ait une consistance bien lisse et épaisse.

Pendant ce temps, faites cuire les pâtes *al dente*. Égouttez-les et placez-les dans une soupière chaude. Ajoutez les deux tiers de la sauce, mélangez bien et servez immédiatement dans des assiettes à soupe chaudes. Mettez le fromage râpé sur la table. Servez le poulet nappé du reste de la sauce en deuxième plat.

JACK DENTON SCOTT
THE COMPLETE BOOK OF PASTA

Poulet à la montagnarde

Pour 4 personnes

Un poulet coupé en morceaux	1,5 à 2 kg
Sel et poivre	
Farine	
Beurre	40 g
Crème fraîche	30 g
Jus de citron ou vinaigre de vin blanc	1 cuillerée à soupe
Jambon maigre	
Pointes d'asperges cuites mais encore fermes	

Assaisonner les morceaux de poulet avec du sel et du poivre, les rouler dans de la farine et les faire sauter au beurre sans les laisser roussir. Dès qu'ils sont raidis, on les met dans une casserole ou un poêlon de terre et on verse dessus la crème ; laisser mijoter doucement 20 minutes puis ajouter le jus d'un demi-citron ou, à défaut, une cuillerée de bon vinaigre blanc. On peut ajouter du jambon maigre coupé en dés et des pointes d'asperges.

SIMIN PALAY
LA CUISINE DU PAYS

Fricassée de poulets

D'après une recette originale extraite d'un livre publié en 1674 et conservé à la Bibliothèque Nationale de Paris. L'auteur n'est connu que par ses initiales, L.S.R.

Pour 6 personnes

Poulet	1,5 kg
Beurre	60 g
Lard gras	60 g
Sel et poivre	
Clous de girofle	1 ou 2
Bouquet garni de thym et de persil	1
Ciboulette	2 cuillerées à soupe
Champignons	125 g
Fonds d'artichauts coupés en 4 et blanchis	2 ou 3
Pointes d'asperges	100 g
Bouillon	25 cl
Jaunes d'œufs mélangés avec 1 cuillerée à soupe de verjus	2 ou 3
Ris de veau ou foie gras	2

Il faut donc couper les poulets par morceaux, les laver en eau fraîche et les faire égoutter quelque temps. Faites fondre dans une poêle ou un chaudron du bon beurre frais, et autant de lard gras ou entrelardé ; quand l'un et l'autre seront fondus, et presque roux, vous les jetterez dans la poêle ou le chaudron avec sel, poivre, girofle, persil, thym, ciboulettes hachées menu, champignons crus ou à demi passés en leur assaisonnement, fonds d'artichaux à demi cuits tant que la saison le permettra, qui feront liaison d'eux-mêmes en se fondant doucement avec le reste, pointes d'asperges ; faites votre bouquet d'herbettes fines bien lié, afin de le retirer quand il aura jeté son goût, et quand il vous plaira. Laissez donc cuire tout cet appareil ou partie d'iceluy si vous ne voulez pas faire toute la dépense du reste dans le beurre, et le lard, un demi-quart d'heure ou environ, et remuez-le fort souvent, afin que tout cuise également. Et quand vous verrez qu'ils prendront couleur, du goût même, et que cette première sauce diminuera, vous y jetterez de votre bon bouillon, les ferez cuire derechef jusques à parfaite cuisson à la fin de laquelle vous verserez quelques cuillerées de jus, coulis, pressis et liaisons. Sinon ayez recours aux jaunes d'œufs avec un peu de verjus, ou pour le mieux avec de la même sauce de poulets, si vous trouvez que votre fricassée, étant cuite, ne fait point assez liée, prenez bien garde qu'elle ne tourne en huile, c'est par parenthèse le plus grand de tous les défauts de la cuisine. Dressez votre fricassée, garnissez-la de tranches de citron, grenade, persil frit et autres propretés de la saison. Si les ris de veau, ou foie gras sont à point, on peut en mêler parmi quelques-uns qui soient préalablement blanchis et passés dans leur assaisonnement, ou que l'on incorporera dans la fricassée bien blanchis pour cuire avec elle.

L.S.R.
L'ART DE BIEN TRAITER

Poulet en cocotte à la fermière

Pour 4 personnes

Un poulet de grain salé, poivré et troussé	1,5 à 2 kg
Beurre	80 g
Oignon moyen taillé en rondelles de 1 ou 2 mm d'épaisseur	1
Carottes nouvelles, taillées en rondelles	4
Petit cœur de céleri finement émincé	1
Jambon maigre cru, taillé en tranches de la dimension d'une carte à jouer, sur une épaisseur de 3 mm	100 g
Petits pois bien frais	50 g
Haricots verts, taillés en petits morceaux de biais de 1 cm	60 g
Fond de volaille ou de veau	10 cl

Faites fondre 30 g de beurre dans la cocotte placée sur feu doux. Quand il est bien chaud, mettez le poulet et faites-le doucement colorer. Durant ce temps, préparez les légumes.

Dans une petite casserole sauteuse, faites fondre le reste de beurre. Ajoutez-y l'oignon seul. Laissez légèrement blondir pendant 4 à 5 minutes ; coloration jaune paille tout au plus.

Ajoutez carotte et céleri. Faites doucement étuver sur feu très doux, pendant 15 minutes; sautez-les, pour ne pas les briser en les remuant avec la cuiller. Ils doivent être bien ramollis, aucunement rissolés; l'oignon a dû prendre une teinte dorée, et le beurre a gardé sa couleur claire.

Enlevez le poulet de la cocotte pour tapisser l'ustensile avec les lames de jambon. Remettez le poulet, posé sur le dos, dans la cocotte. Entourez-le bien également avec tous les légumes mélangés, cuits et crus. Ajoutez le bouillon. Couvrez.

Mettez la cocotte au four; de cet instant, comptez de 45 à 50 minutes de cuisson. Veillez à ce que la chaleur ne dépasse pas la bonne moyenne (180°, 4 au thermostat) parce que, le liquide réduisant, les légumes d'entourage viendraient à brûler, sans que la cuisson du poulet en soit accélérée.

Constatez l'à-point de cuisson, et servez.

MADAME SAINT-ANGE
LA CUISINE DE MADAME SAINTE-ANGE

Poulet à l'indonésienne

Ajam Smoor

Pour 5 à 6 personnes

Un poulet troussé	1,5 kg
Eau	25 cl
Sauce de soja indonésienne (ou 2 cuillerées à soupe de mélasse mélangées avec 1 cuillerée de sauce de soja foncée)	4 cuillerées à soupe
Oignon émincé	1
Grains de poivre concassés	6
Huile	4 cuillerées à soupe
Tranches de gingembre frais	6
Oignon haché et revenu dans de l'huile	3 cuillerées à soupe
Clous de girofle	4
Noix de muscade râpée	1 pincée
Rondelle de citron	1
Vermicelles chinois trempés dans de l'eau	125 g
Sel	
Miettes de biscotte ou chapelure	4 cuillerées à soupe

Dans une casserole, faites mijoter le poulet avec l'eau, la sauce de soja, les lamelles d'oignon et les grains de poivre pendant 15 à 20 minutes. Sortez le poulet et séchez-le. Dans une poêle contenant l'huile, faites-le dorer rapidement, entier ou coupé en morceaux.

Placez la volaille dans une cocotte à fond épais avec le gingembre, l'oignon haché et revenu, les clous de girofle, la noix de muscade et la rondelle de citron. Versez le bouillon de la casserole. Couvrez et laissez mijoter jusqu'à ce que le poulet soit bien cuit. Dix minutes avant la fin de la cuisson, ajoutez les vermicelles chinois. Goûtez l'assaisonnement et ajoutez du sel si besoin est. Liez légèrement la sauce avec les miettes de biscotte ou la chapelure.

Servez avec du riz à l'eau.

HUGH JANS
VRIJ NEDERLAND

Poule à l'ail et au safran

Gallina en pepitoria

Pour griller le safran, enveloppez-le dans du papier que vous poserez sur un chauffe plat ou toute autre plaque chauffante jusqu'à ce que le safran soit bien sec. Pilez dans un mortier ou dans un bol.

Pour 6 personnes

Une poule coupée en petits morceaux, foie réservé	2 à 2,5 kg
Huile d'olive	4 à 5 cuillerées à soupe
Oignon moyen haché menu	1
Gousses d'ail hachées menu	2
Pignons	2 cuillerées à soupe
Tranche de pain de mie, croûte enlevée	1
Persil haché	1 cuillerée à soupe
Jaunes d'œufs durs	2
Fleur de safran grillée ou safran en poudre	1 pincée
Sel et poivre	

Dans une cocotte, faites chauffer 2 à 3 cuillerées à soupe d'huile d'olive. Quand elle commence à fumer, mettez-y la poule bien sèche avec l'oignon et l'ail. Dans une autre casserole, faites bouillir assez d'eau pour pouvoir couvrir toute la poule.

Dans une sauteuse, faites revenir les pignons dans 2 cuillerées à soupe d'huile d'olive. Mettez dans un mortier. Faites rissoler le pain et le foie en couvrant jusqu'à ce que le foie ait évaporé son jus, pour qu'il n'y ait pas de projections de graisse. Enlevez et mettez dans le mortier avec les pignons. Écrasez le tout avec le persil, les jaunes d'œufs et le safran pour obtenir une pâte lisse. Diluez le mélange avec un peu d'eau bouillante.

Lorsque la poule commence à dorer, salez et poivrez, versez la préparation du mortier et couvrez le tout d'eau bouillante. Remuez. Couvrez et laissez mijoter jusqu'à ce que la poule soit presque tendre, puis découvrez pour faire épaissir la sauce. Pour servir, dressez la poule sur un plat de service et nappez-la de sauce préalablement passée.

Remarque: pour la cuisson, comptez de 1 heure et demie à 2 heures et demie pour une poule et 30 minutes seulement si vous prenez un jeune poulet. Si la sauce est trop liquide en fin de cuisson, enlevez la poule, portez à ébullition pour faire réduire, et réchauffez la poule dans la sauce.

BARBARA NORMAN
THE SPANISH COOKBOOK

Le poulet Célestine

Il y a trente ans, écrivait Tendret en 1892, existait à Lyon, dans la rue de Bourbon, un restaurant nommé le Café du Cercle. La cuisine y était raffinée, on n'y servait rien de médiocre, et toutes les provisions étaient choisies parmi les meilleures.

Le soir, à sept heures, et dans un petit cénacle, arrivaient les habitués, gastronomes illustres de la cité, pleins de verve et de gaieté : leur esprit était aussi fin que leur palais et les discours sortant de leur bouche avaient la saveur des morceaux qui y entraient.

Rousselot, le chef des cuisines du café, était un saucier de génie. Voici sa recette du poulet Célestine :

Pour 4 personnes

Une poulette coupée en morceaux	1,5 à 2 kg
Beurre	60 g
Champignons entiers	250 g
Tomate moyenne	1
Vin blanc sec	20 cl
Jus de viande ou fond de veau	10 cl
Fine champagne	1 cuillerée à soupe
Sel, poivre et poivre de Cayenne	
Persil haché	1 cuillerée à soupe
Gousse d'ail finement hachée	1

Placez le beurre frais dans une casserole, faites-le chauffer et remuez-le jusqu'à ce qu'il ait la teinte noisette.

Mettez les membres de la poulette dans la casserole.

Faites cuire sur un feu vif pour que la viande ne rende pas de mouillement, se raffermisse et prenne la couleur d'or ; retournez souvent les morceaux.

Ajoutez un quart de champignons, une tomate moyenne de l'espèce à grosses côtes, mûre, coupée en petits dés et purgée des graines contenues dans ses cellules. Faites sauter le tout pendant 5 minutes, mouillez d'un verre de vin blanc sec, de la moitié d'un verre de jus de viande et d'une cuillerée de fine champagne ; salez, poivrez et assaisonnez d'une prise de poivre rouge (poivre long mûr réduit en poudre).

Faites cuire pendant un quart d'heure.

Déposez la viande sur un plat chaud, dégraissez la sauce, la saupoudrez d'un peu de persil et d'une pointe d'ail finement hachés, si elle est longue et aqueuse, la faites réduire et la versez sur le ragoût.

LUCIEN TENDRET
LA TABLE AU PAYS DE BRILLAT-SAVARIN

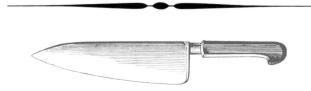

Poulet aux herbes de province

Le beurre d'herbes qui constitue la base de cette recette doit être préparé avec des herbes fraîches.

Pour 4 personnes

Un poulet salé et poivré à l'intérieur	1,5 kg
Persil	35 g
Estragon	15 g
Cerfeuil	10 g
Basilic	25 g
Menthe	5 g
Beurre ramolli	270 g
Sel et poivre	
Jus de citron	1 cuillerée à soupe
Branche de thym	1
Petite feuille de laurier	1
Branche de romarin	1
Feuille de sauge	1
Riz	180 g

Laver les herbes suivantes : persil, estragon, cerfeuil, basilic et menthe, les égoutter, les essorer dans un linge. En prendre un tiers et le ciseler. L'incorporer à 180 g de beurre ramolli, ajouter sel, poivre et le jus de citron. Bien malaxer le tout.

Poser le poulet sur le dos, la poitrine tournée vers soi. Décoller la peau sur toute la surface en glissant les doigts le long de la chair. Prendre la précaution de ne pas la déchirer. Dans chaque filet, faire une entaille sur toute la longueur et la farcir de la moitié du beurre d'herbes, l'autre étant répartie sous la peau. Brider la volaille, l'assaisonner intérieurement et extérieurement de sel et de poivre.

Dans une cocotte ovale, faire fondre le reste du beurre (90 g). Coucher le poulet sur une cuisse, le laisser prendre couleur et le retourner sur l'autre côté. Surveiller la marche du poêlage et le placer sur le dos. Cette opération doit prendre environ 10 minutes. Entourer la volaille du reste d'herbes et du thym, du laurier, du romarin et de la sauge. Couvrir la cocotte et laisser cuire très doucement sur le coin du feu ou sur une plaque d'amiante. Arroser fréquemment en cours de cuisson, les herbes devant confire mais non brûler. La cuisson doit durer à peu près 1 heure 10 minutes.

Lavez le riz à grande eau froide dans une passoire. Le plonger à grande eau bouillante salée 18 minutes, le refroidir légèrement et l'égoutter sur un tamis que l'on place dans une étuve.

Débrider le poulet, le mettre dans un plat au chaud en le couvrant de sa garniture d'herbes et laisser la cocotte sur le feu. Retirer le thym, le romarin et la sauge.

Mettre le riz sur un plat et l'arroser avec 8 cuillerées à soupe de beurre de cuisson qui surnage sur le jus. Saler et passer au four recouvert d'un papier sulfurisé.

Faire caraméliser sans les brûler les sucs du fond de la casserole si cela est nécessaire. Ajouter 10 cl d'eau, pour avoir un bon jus brun légèrement vert. Réduire jusqu'à ce que l'on obtienne 2 bonnes cuillerées à soupe par personne.

Dans un plat légèrement creux, présenter la volaille sur le dos recouverte des herbes et nappée de son jus de cuisson. Servir le riz à part.

JEAN ET PIERRE TROISGROS
CUISINIERS A ROANNE

Casserole de poulet grand-mère

Pour 4 personnes

Un poulet	1 à 1,5 kg
Gousse d'ail	1
Saindoux	30 g
Sel et poivre	
Eau	4 à 6 cuillerées à soupe
Petit salé coupé en lardons, blanchi et égoutté	120 g
Champignons nettoyés	120 g
Petits oignons	12
Sucre	
Beurre	30 g
Pommes de terre moyennes coupées en dés	2 ou 3
Persil haché	

Mettez l'ail à l'intérieur du poulet. Troussez la volaille pour la cuisson au four et placez-la dans une cocotte en terre avec le saindoux et un peu de sel. Mettez au four préchauffé à 200° ou 220° (6 ou 7 au thermostat). Laissez rôtir à découvert pendant 30 minutes, jusqu'à ce que le poulet soit bien doré sur toutes ses faces, en le retournant de temps en temps et en l'arrosant avec la graisse. Enlevez la graisse de la cocotte et réservez. Déglacez les sucs caramélisés sur les bords avec 2 ou 3 cuillerées à soupe d'eau. Mettez la cocotte de côté.

Pendant ce temps, versez la graisse que vous avez réservée dans une poêle et faites-y revenir les lardons. Une fois dorés, retirez-les et réservez. Faites revenir les champignons dans la graisse qui reste dans la poêle. Salez et poivrez. Dans une autre poêle, mettez les oignons avec 2 cuillerées à soupe d'eau, une pincée de sucre et une noisette de beurre. Faites cuire à petit feu jusqu'à ce que l'eau s'évapore et que les oignons se colorent bien dans le beurre. Mettez les lardons, les champignons et les oignons avec le poulet, dans la cocotte, en ajoutant un peu d'eau si la sauce a trop réduit. Couvrez, baissez la température du four entre 180° et 190° (4 ou 5 au thermostat) et laissez cuire encore 30 minutes, jusqu'à ce que le poulet soit cuit, en arrosant souvent.

Faites rissoler les pommes de terre dans le reste de beurre. Posez-les ensuite dans la cocotte, sur les autres légumes. Saupoudrez de persil haché et servez directement de la cocotte. Selon le goût, vous pouvez ajouter d'autres légumes comme des petits pois et des asperges.

LOUIS DIAT
FRENCH COOKING FOR AMERICANS

Poulet « Kubab »

Kubab Chicken

Si vous êtes de ceux qui s'intéressent aux épices et si vous tombez par hasard sur un vieux livre intitulé *Indian Domestic Economy and Receipt Book* édité à Madras en 1850 par l'auteur du *Manuel of Gardening for Western India*, sans autres précisions, ne le laissez surtout pas vous échapper.

Ce poulet rôti est adapté d'une des recettes figurant dans l'ouvrage en question.

Pour 4 personnes

Un poulet	1 kg
Graines de coriandre	2 cuillerées à café
Grains de poivre gris	12
Graines de 6 capsules de cardamome	
Clous de girofle moulus	½ cuillerée à café
Sel	1 cuillerée à café
Gingembre frais, épluché et coupé en tranches	15 g
Beurre	75 g
Citrons	1 ou 2

Pilez toutes les épices, puis travaillez la pâte obtenue avec 15 g de beurre.

Décollez la peau du poulet. Avec un petit couteau, faites des incisions dans les cuisses et le blanc. Remplissez ces incisions avec le mélange d'épices et remettez la peau en place. Attendez 2 heures avant de commencer la cuisson.

Dans un plat à four épais et profond, faites chauffer 60 g de beurre. Ajoutez le poulet, couché sur le côté. Couvrez hermétiquement. Mettez à four modéré, à 180° (4 au thermostat), entre 50 minutes et 1 heure, en retournant le poulet à mi-cuisson. Puis découvrez et mettez le volatile sur le dos pendant 10 minutes.

Servez le poulet recouvert du jus de cuisson et entouré de quartiers de citrons. Le riz blanc ou au safran constitue un bon accompagnement, bien que je préfère une salade.

Il m'arrive parfois d'éliminer le gingembre frais et les clous de girofle, me servant d'un mélange de cannelle, de cardamome, de safran et d'un peu de gingembre en poudre. Dans ce plat, le sel a beaucoup d'importance.

ELIZABETH DAVID
SPICES, SALT AND AROMATICS IN THE ENGLISH KITCHEN

Poulet à la livèche

Chicken and Lovage

Pour 4 personnes

Un poulet à rôtir	1,5 kg
Oignon	1
Carotte	1
Grains de poivre gris	
Botte de livèche	1
Sel	

Sauce :

Feuilles de livèche hachées	2 cuillerées à soupe
Beurre	30 g
Farine	1 cuillerée à soupe
Bouillon réservé du pochage	30 cl
Zeste râpé et jus de 2 petites oranges	
Crème fraîche	4 cuillerées à soupe
Sel et poivre	
Botte de cresson	1

Dans une grande casserole, mettez le poulet, l'oignon, la carotte, les grains de poivre et la botte de livèche. Couvrez d'eau jusqu'aux cuisses, salez et laissez mijoter à feu doux pendant 1 heure. Sortez le poulet et gardez-le au chaud.

Pour faire la sauce, faites fondre la livèche dans le beurre, dans une petite casserole, à feu modéré. Incorporez la farine et le bouillon, mélangez et portez à ébullition sans cesser de remuer. Ajoutez le zeste et le jus d'orange, et la crème. Salez et poivrez. Gardez la sauce sur le feu sans la laisser bouillir.

Découpez le poulet et dressez les morceaux sur un lit de cresson haché. Nappez de sauce et servez immédiatement.

GAIL DUFF
FRESH ALL THE YEAR

Poulet farci

Pullus farsilis

Cette recette est tirée du traité de l'art culinaire d'Apicius, gourmet qui vécut à Rome au Ier siècle. Ses réflexions sur la cuisine sont parvenues jusqu'à nous grâce aux nombreux traducteurs qui, au cours des siècles, se sont intéressés à son œuvre. L'édition utilisée ici est celle de Barbara Flower et Elizabeth Rosenbaum qui ont ainsi récemment traduit en anglais une compilation de son traité qui date du IVe ou du Ve siècle.

Certains ingrédients sont plus ou moins courants à notre époque. La spelta, *ou « blé épeautre », est un petit grain de blé dur que l'on peut remplacer par de l'orge, qui a presque les*

mêmes qualités, ou par du riz. Le liquamen *était la sauce de poisson fermenté que les Romains utilisaient comme assaisonnement de base ; on peut très bien y substituer des anchois pilés ou n'importe quelle sauce orientale au poisson fermenté (par exemple le* Nuoc Mam *vietnamien ou encore le* Nam Pla *thaïlandais).*

Bien qu'Apicius ne précise pas le mode de cuisson, le poulet farci peut se préparer en cocotte, au four ou poché.

Pour 4 personnes

Un poulet désossé	2 kg

Farce :

Branches de livèche	3 ou 4
Poivre	
Petit morceau de gingembre épluché et haché	1
Veau ou porc maigre, haché	125 g
Spelta (épeautre ou orge perlé) bouillie	100 g
Cervelle d'agneau (ou ½ cervelle de veau) cuite au bouillon et grossièrement hachée	1
Œufs	2
Liquamen (ou anchois pilés ou *Nuoc Mam*)	
Huile d'olive	2 cuillerées à soupe
Grains de poivre entiers	
Pignons	100 g

Pilez la livèche, le poivre, le gingembre, la viande hachée et les grains de blé d'épeautre bouillis, puis la cervelle. Incorporez les œufs et travaillez le tout pour obtenir un appareil homogène. Mélangez avec le *liquamen* et ajoutez l'huile, les grains de poivre et les pignons. Remplissez le poulet de cette farce, sans trop la tasser, et procédez à la cuisson.

APICIUS
THE ART OF COOKING

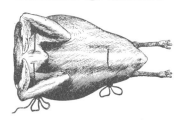

Poulet à la vapeur

Djej mafooar

Ce plat est remarquable de simplicité. Il suffit d'enduire le poulet de safran, de beurre et de sel avant de le cuire à la vapeur dans un couscoussier jusqu'à ce qu'il soit très tendre. La peau devient lisse et la chair prend un goût délicat.

A Tanger, on fourre des petits oignons blancs et quelques brins de persil dans le poulet. A Tétouan, on le farcit de légumes sauvages ou de riz, de tomates, d'olives et de citrons confits et on le relève avec du poivre de Cayenne. On fait parfois dorer le poulet dans du beurre après l'avoir sorti du couscoussier, ce qui, à mon avis, nuit à la délicatesse du plat.

Pour être mangé chaud, le poulet à la vapeur doit être servi immédiatement. Il se réchauffe mal. En revanche, il est excellent froid et accompagné de rondelles d'oignon cru et de persil haché.

Pour 4 personnes

Un poulet	1,5 kg
Safran en poudre	½ cuillerée à café
Sel	
Beurre ramolli	60 g
Cumin en poudre	
Gros sel	
Poivre de Cayenne (facultatif)	

Pilez le safran avec le sel et mélangez au beurre ramolli. Badigeonnez la peau du poulet de cette préparation.

Remplissez à moitié d'eau le bas de la marmite d'un couscoussier et portez à ébullition. Mouillez et farinez une bande de mousseline et entourez-en les bords de la marmite pour assurer l'étanchéité du haut du couscoussier. Vérifiez l'étanchéité: la vapeur ne doit s'échapper que par les trous du haut du couscoussier *qui ne doit pas toucher le liquide de la marmite.*

Placez le poulet dans le récipient du haut, couvrez-le avec un linge propre et humide en double épaisseur et placez dessus un couvercle que l'on peut luter. Laissez cuire à la vapeur pendant 1 heure sans découvrir. Servez immédiatement, *tel quel,* avec des bols de cumin et de gros sel ou avec un bol de cumin salé saupoudré de poivre de Cayenne.

Vous pouvez remplacer le poulet par une dinde de 3 kg et faire un *bibi mafooar.* Comptez alors 2 heures de cuisson. Il vous faudra évidemment un énorme couscoussier pour y arriver!

PAULA WOLFERT
COUSCOUS AND OTHER GOOD FOOD FROM MOROCCO

Poularde pochée aux huîtres

Boiled Fowl with Oysters

Pour 3 ou 4 personnes

Une poularde	2 kg
Huîtres fraîches	36
Crème	15 cl
Jaunes d'œufs	2
Macis en poudre (facultatif)	

Nettoyez les huîtres, lavez-les dans leur eau et fourrez-en la volaille en en réservant quelques-unes. Troussez la poularde, refermez-la et placez-la dans un pot en terre cuite. Mettez au bain-marie, dans une casserole d'eau bouillante, pendant 1 heure et demie ou davantage. Récupérez la sauce qui s'est écoulée abondamment des huîtres et de la poularde, incorporez la crème et les jaunes d'œufs, remuez et ajoutez quelques huîtres blanchies dans leur eau. Réchauffez la sauce sans la laisser bouillir. Versez-en un peu sur la poularde et servez le reste dans une saucière. Pour rehausser la sauce, ajoutez un soupçon de macis pilé.

MRS ISABELLA BEETON
THE BOOK OF HOUSEHOLD MANAGEMENT

Poule au pot Henri IV

Une des recettes classiques, qui doit son nom au roi Henri IV (1589-1610).

Pour 6 personnes

Une poule, foie réservé et haché	2 kg
Eau salée	2 à 2,5 l
Carottes et navets	250 g de chaque
Petit chou débarrassé de ses côtes	1

Farce:

Œufs	3
Mie de pain émiettée	125 g
Persil haché	2 à 3 cuillerées à soupe
Foie de la poule	
Jambon et lard coupés en dés	50 g de chaque
Echalotes hachées	2 ou 3
Sel	

Bourrer la poule avec une farce faite ainsi: battre les œufs dans un saladier, ajouter la mie de pain, le persil et le foie de volaille hachés, le jambon, le lard et l'échalote. Saler et remuer le mélange.

Quand la poule est bourrée, la trousser comme pour la faire rôtir et la mettre dans la marmite avec l'eau bouillante salée, cuire à couvert, à feu modéré. Au bout de 30 à 40 minutes, ajouter les légumes. Quand ils sont nouveaux, on laisse entiers carottes et navets et on conserve aux choux leurs côtes. On continue la cuisson pendant 25 à 30 minutes. Quand les carottes et les navets ne sont pas suffisamment tendres, on les coupe en morceaux et on les met dans la marmite en même temps que la poule pour qu'ils soient bien cuits.

Pour servir, verser le bouillon dans la soupière sur des tranches de pain grillé: c'est la soupe.

La poule, découpée, est dressée en buisson entourée de tous les légumes et de la farce coupée en rondelles.

On arrose le tout de quelques cuillerées de bouillon.

TANTE MARGUERITE
LA CUISINE DE LA BONNE MÉNAGÈRE

La poularde à la vapeur de Lucien Tendret

Dans la recette originale, extraite de La Table au Pays de Brillat-Savarin *de Lucien Tendret, la poularde était farcie de truffes entières, ce qui représentait un luxe même au début des années trente. Alexandre Dumaine, propriétaire du restaurant de la Côte d'Or à Saulieu, était alors considéré comme le meilleur chef de l'époque. Servie sur un lit de riz et nappée de sauce tomate, la queue de bœuf que l'on retire du bouillon après 3 heures de cuisson fera un délicieux souper. Pour luter le couvercle pendant la cuisson, vous pouvez remplacer la toile préconisée par Dumaine par une simple feuille de papier aluminium.*

Pour 4 personnes

Une poularde de Bresse	2 kg
Grosse truffe finement émincée	1
Sel épicé	
Vin de Marsala	3 cuillerées à soupe
Truffes entières (facultatif)	
Poireaux	2
Carottes	2
Bouquet garni	1
Tomates	3

Bouillon :

Eau	8 l
Jarret entier de veau coupé en morceaux	1
Couenne de lard frais, blanchie	150 g
Queue de bœuf coupée en morceaux	1
Cous de poulet	6
Carottes	2
Branches de céleri	2
Navet	1
Oignons piqués de clous de girofle	2

Il faut une marmite en terre contenant 12 litres. « Marquer » un consommé corsé de bœuf, de jarret de veau, petits paquets de couenne de lard frais blanchis, 1 morceau de queue de bœuf et des cous de volaille. Amener à ébullition lentement, bien écumer. Ajouter légumes classiques. Compter 3 heures minimum de cuisson à partir de l'ébullition. Passer ce bouillon gélatineux et le remettre dans la marmite. Il doit rester environ 4 litres et demi de ce super-consommé.

Mettre dans la marmite un trépied pour recevoir un plat important, la poularde de Bresse truffée sous la peau et assaisonnée intérieurement avec sel épicé et marsala, truffes entières (facultatif). Refleurir le consommé avec poireaux, carottes, bouquet garni et quelques tomates fraîches. Ramener à ébullition et déposer le plat de volaille sur le trépied qui doit dépasser légèrement la hauteur du bouillon. Couvrir. Mettre autour du couvercle une toile blanche assez longue, mouillée et pressée.

Cuire à feu régulier, ni trop fort, ni trop doux, 1 heure et demie environ.

Ce plat se présente directement sur la table. Lorsqu'on enlève la toile et le couvercle, le parfum envahit la salle et éveille l'appétit du gastronome.

Les morceaux de poularde découpés sont servis arrosés du jus du plat contenant la volaille. Ce consommé corsé a pour effet de refouler les sucs de la volaille en dedans et donne une couleur légèrement marbrée. Les morilles fraîches à la crème seront servies à part.

ALEXANDRE DUMAINE
MA CUISINE

La véritable poule au pot agenoise

Recette de Charles Derenne (1882-1930), romancier et poète français auteur de plusieurs volumes de poèmes en langue d'oc.

Pour 6 personnes

Un jeune coq, ou chapon, foie réservé	2,5 à 3 kg
Croûton de pain frotté d'ail	1
Carottes	500 g
Navets	500 g
Poireaux	2 ou 3
Cœur de laitue	1

Farce :

Mie de pain rassis émiettée	100 g
Lard de poitrine coupé en dés	100 g
Gousses d'ail hachées menu	2
Persil haché menu	2 cuillerées à soupe
Jaunes d'œufs	4 ou 5
Foie réservé pilé	

Préparez une farce de mie de gros pain rassis, de lard de poitrine, d'ail et de persil; délayez-la dans les jaunes d'œufs très frais. Cette farce, il est un peu rustique de l'introduire simplement dans le ventre du volatile. Pour plus d'élégance et de saveur, insinuez-la précautionneusement sous la peau des ailes, des entrecuisses, du croupion et jusqu'aux abords des filets. Le foie aura été pilé et mélangé à la farce.

Il n'est pas interdit de glisser dans la cavité abdominale du coq un croûton de pain bis frit à l'huile et enduit copieusement d'ail écrasé. Après quoi, vous recousez les peaux avec du gros fil et vous laissez reposer au frais toute la nuit votre aimable bestiole.

Cela vous laisse le temps de préparer vos légumes. Ce sont ceux du pot-au-feu traditionnel: carottes et navets en abondance, poireaux. Un cœur de laitue. Sous aucun prétexte, aucun de ces choux, de ces panais, aucune de ces pommes de terre qui demeurent l'apanage des potées au porc salé ou du cervelas bourguignon.

Le lendemain, quand les légumes convenablement assaisonnés commenceront à chantonner avec l'eau aromatisée de la marmite (celle-ci aussi vieille que possible et en terre), vous y introduirez votre volatile avec toute la délicatesse désirable. Dès lors, 1 heure et demie de cuisson suffisent amplement.

Voilà pourquoi la poule au pot exige son remplacement par un coq. La vieille pondeuse lasse de pondre, et qu'on sacrifie pour ne plus la nourrir à ne rien faire, exige 3 heures de cuisson, donc la nécessité d'introduire les légumes après elle... Et c'est le monde renversé, c'est comme si on commençait les vêpres par le Tantum ergo... La fin de tout, quoi !

Inutile d'ajouter que cette chair trop bouillie, trop « aygoulée » pour ne pas rester trop dure, n'a plus qu'une médiocre saveur.

Le bouillon, en été, dégraissé et glacé, constitue le plus savoureux des « consommés froids ».

Chaud, avec des croûtons frits à la graisse d'oie ou de poule, il a aussi des partisans qu'on ne saurait mésestimer. En même temps que la volaille savamment dépecée, les raffinés peuvent servir du riz au cari...

Il est mal vu de manger du pain avec ce plat. La farce doit suffire.

GASTON DERYS
L'ART D'ÊTRE GOURMAND

Poulet aux graines de fenouil

Chicken with Fennel Seeds

Les Florentins ont toujours aimé le goût légèrement anisé des graines de fenouil avec lesquelles ils parfument leur saucisse bien-aimée, la *finocchiona*. Au XIVe siècle, les cuisiniers florentins relevaient déjà la chair fade du poulet avec des graines de fenouil.

Pour 4 personnes

Un poulet coupé en 8 morceaux	1,5 kg
Graines de fenouil	1 cuillerée à café
Oignons moyens, hachés menu	2
Petit salé coupé en dés	125 g
Amandes mondées, hachées menu	100 g
Sel et poivre	

Dans une marmite, faites pocher le poulet à peine couvert d'eau pendant 20 minutes. Sortez-le. Ajoutez les graines de fenouil et les oignons dans le bouillon et laissez réduire des deux tiers.

Pendant ce temps, faites fondre le petit salé dans une poêle et mettez les amandes et le poulet à dorer. Versez le bouillon, salez et poivrez selon le goût, laissez cuire 5 minutes et servez immédiatement.

NAOMI BARRY ET BEPPE BELLINI
FOOD ALLA FLORENTINE

Poulet farci bouilli à la hongroise

Fött Töltött Csirke

Pour 8 à 10 personnes

Un poulet à rôtir désossé, sauf aux ailes et aux cuisses	2 à 2,5 kg
Sel	2 à 3 cuillerées à café
Oignon haché menu	1
Beurre	15 g
Veau haché	500 g
Foies de poulets, parés et débarrassés de leur membrane	250 g
Petit pain trempé dans du lait et exprimé	1
Œufs durs	2
Tomates pelées, épépinées et hachées	2
Paprika	1 cuillerée à café
Œufs crus	2
Crème aigre	4 cuillerées à soupe
Gousses d'ail épluchées	2
Carotte émincée	1
Persil haché	1 cuillerée à soupe
Brins de persil	6
Rondelles de citron	
Radis	

Frottez l'intérieur et l'extérieur du poulet de sel. Faites fondre l'oignon dans le beurre. Ajoutez le veau et les foies de volaille. Passez le pain trempé, les œufs durs et les tomates au tamis ou au mixer. Mélangez intimement avec la viande, le paprika, les œufs crus, la crème aigre et un peu de sel. Farcissez le poulet de cette préparation, recousez toutes les ouvertures et bridez le volatile. Ficelez-le dans une serviette beurrée ou dans une double épaisseur de mousseline et placez-le dans une casserole. Couvrez d'eau et ajoutez l'ail, la carotte et le persil haché. Laissez frémir 1 heure et demie jusqu'à ce que le poulet soit tendre, sans le laisser trop cuire.

Sortez le poulet, déballez-le soigneusement et dressez-le sur un plat. Gardez-le au réfrigérateur jusqu'au lendemain. Garnissez avec les brins de persil, les rondelles de citron et les radis. Pour servir, détachez d'abord les ailes, puis coupez en tranches dans le sens de la largeur.

INGE KRAMARZ
THE BALKAN COOKBOOK

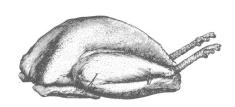

Poule Jacou-le-Croquant, sauce de Sorges

Recette de Colette Maudonnet, propriétaire du restaurant « Aux Naulets d'Anjou », à Gennes, près de Saumur. Les grillons d'oie — ou restes croquants de la graisse d'oie fondue — requis par la recette, donnent une saveur supplémentaire à la farce.

Pour 6 à 8 personnes

Une poule dodue	2 kg
Pied de céleri coupé en 2	1
Poireaux nettoyés, fendus et rincés	4
Carottes coupées en 2 dans le sens de la longueur	500 g
Gros navet coupé en 4	1
Oignons coupés en 4	2
Bouquet garni	1
Cerfeuil haché	

Farce :

Pain de campagne rassis	500 g
Gousses d'ail écrasées	2
Grillons d'oie (facultatif)	200 g
Gras de jambon de pays coupé en lardons	200 g
Persil haché	2 cuillerées à soupe
Sel et poivre	
Muscade râpée	
Œufs	3

Sauce :

Œufs	2
Jus et zeste râpé d'un citron	
Yaourt nature	15 cl
Huile	3 cuillerées à soupe
Sel et poivre	
Cerfeuil et ciboulette hachés	1 cuillerée à soupe
Estragon haché	1 cuillerée à café

Dans un saladier, coupez le pain en morceaux, ajoutez l'ail, les grillons d'oie, le gras de jambon, le persil. Salez, poivrez, muscadez. Cassez les œufs dans ce mélange, remuez, et mettez cette farce, à l'aspect grossier, dans la poule. Cousez toutes les ouvertures en veillant à ce que la farce ne soit pas comprimée en se dilatant, elle ferait éclater la poule.

Plongez-la dans une marmite d'eau froide, amenez à ébullition, écumez. Menez la cuisson à petit frémissement pendant 2 heures. Préparez les légumes en petites bottes ficelées, ajoutez-les avec le bouquet garni dans la marmite 30 minutes avant la fin de la cuisson.

Pour faire la sauce, faites cuire les œufs à la coque 4 minutes, pour extraire le jaune entier et hacher le blanc dans la sauce à la fin. Dans un bol, mettez les jaunes tout chauds, quelques gouttes de citron. Fouettez pour monter les jaunes en ajoutant petit à petit le yaourt, en alternant avec l'huile et le jus de citron, jusqu'à ce que la sauce soit onctueuse. Salez, poivrez, écrasez le blanc d'œuf à la fourchette et ajoutez-le avec le zeste de citron et les herbes.

Servez le bouillon passé, dégraissé à travers un torchon plié en deux, humecté et essoré, dans des tasses garnies d'une cuillerée à café de cerfeuil coupé aux ciseaux. Dressez la volaille découpée, sans la carcasse, dans le plat de service. Coupez la farce en tranches, enlevez les ficelles des légumes, disposez-les dans le plat, servez avec la sauce de Sorges en saucière.

MADELEINE PETER
GRANDES DAMES DE LA CUISINE

Poule au riz

Fowl with Rice

Pour 5 à 6 personnes

Une poule nettoyée et troussée	2 kg
Carottes	1 ou 2
Oignons piqués d'un clou de girofle	1 ou 2
Poireaux épluchés et bien lavés	1 ou 2
Bouquet garni	1
Sel	

Riz :

Beurre	45 g
Petit oignon haché	1
Riz	250 g
Cuisson de la poule	50 cl

Sauce :

Beurre	30 g
Farine	1 ½ cuillerée à soupe
Cuisson de la poule	35 cl
Sel et poivre	
Muscade râpée (facultatif)	
Jaune d'œuf	1
Crème liquide, ou crème du lait	3 à 4 cuillerées à soupe
Jus de citron	

Dans une grande casserole, mettez la poule et les autres ingrédients, couvrez d'eau, portez à ébullition, écumez et laissez cuire à feu doux pendant 2 heures environ, jusqu'à ce que la volaille soit tendre.

Une demi-heure avant la fin de la cuisson, préparez le riz. Dans une casserole, faites fondre 30 g de beurre et mettez l'oignon à blondir. Ajoutez le riz et secouez la casserole sur le feu pendant 1 ou 2 minutes jusqu'à ce que les grains soient bien enduits de beurre. Versez la cuisson de la poule chaude, couvrez hermétiquement et mettez à four modéré, préchauffé à 190° (5 au thermostat), ou sur feu doux pendant 20 à 25 minutes, jusqu'à ce que le liquide ait disparu. Lorsque le riz est cuit, arrosez-le avec le reste de beurre fondu et mélangez soigneusement avec une fourchette en veillant à ne pas écraser les grains.

Pendant que le riz cuit, préparez la sauce. Faites un roux avec le beurre et la farine, versez la cuisson de la poule en fouettant et faites cuire en remuant jusqu'à ce que la sauce soit lisse. Rectifiez l'assaisonnement, muscadez selon le goût et continuez la cuisson 10 minutes à feu très doux. Mélangez le jaune d'œuf et la crème et incorporez progressivement la sauce en mélangeant soigneusement. Arrosez de quelques gouttes de jus de citron et laissez cuire suffisamment longtemps pour que les ingrédients se mélangent bien, sans jamais porter à ébullition.

Tapissez un plat de service de riz. Découpez la volaille et dressez les morceaux sur le riz. Nappez avec la moitié de la sauce et servez le reste séparément.

LOUIS DIAT
FRENCH COOKING FOR AMERICANS

Poulet à la casserole
Pepitoria de gallina

Pour 4 personnes

Un poulet	1 à 1,5 kg
Bouquet garni (persil, thym frais et une feuille de laurier)	1
Sel et poivre	
Carotte	1
Petit oignon	1
Jambon coupé en dés	100 g
Saindoux	30 g
Persil haché	2 cuillerées à soupe
Gousses d'ail	4 ou 5
Noisettes grillées	10
Clou de girofle	1
Jaunes d'œufs durs	2
Bouillon du poulet	
Jaunes d'œufs crus, légèrement battus	2

Faites pocher le poulet dans de l'eau avec le bouquet garni, sel et poivre, la carotte et l'oignon, jusqu'à ce qu'il soit presque cuit (50 minutes environ). Sortez-le et réservez le bouillon.

Dans une grande casserole ou une cocotte, faites revenir le jambon dans le saindoux avec un peu de persil haché. Ajoutez le poulet et faites-le soigneusement dorer sur toutes ses faces.

Dans un grand mortier, pilez l'ail, les noisettes grillées, le clou de girofle, les jaunes d'œufs durs et le reste de persil haché. Diluez la pâte obtenue dans 2 ou plusieurs louches de bouillon et versez le tout dans la cocotte. Couvrez et laissez mijoter 20 minutes. Hors du feu, incorporez les jaunes d'œufs crus, remuez et servez immédiatement.

ANNA MACMIADHACHÁIN
SPANISH REGIONAL COOKERY

Ragoût du Kentucky au riz
Kentucky Burgoo with Rice

Pour 12 personnes

Une poule	2,5 kg
Sel et poivre	
Bœuf haché	500 g
Tranches de lard épaisses	6
Fèves	200 g
Haricots verts émincés	200 g
Gombos	125 g
Tomates pelées, épépinées et hachées	6
Oignons coupés en dés	250 g
Pommes de terre coupées en dés	2
Sauce Tabasco (ou Cayenne)	
Jus de citron	1 cuillerée à soupe
Sucre	1 cuillerée à soupe
Epis de maïs frais, égrenés	200 g
Muscade râpée	
Beurre	30 g

Dans un fait-tout, faites mijoter la poule recouverte d'eau assaisonnée pendant 1 heure, jusqu'à ce que la chair se détache des os. Coupez la chair en dés et jetez les os. Remettez dans le fait-tout et ajoutez tous les ingrédients sauf le maïs, la muscade et le beurre. Faites mijoter pendant 45 minutes environ en ajoutant de l'eau si besoin est : les légumes doivent toujours être recouverts de bouillon pendant la cuisson. Remuez souvent avec une cuillère à manche long. Ajoutez le maïs vers la fin de la cuisson. Quand le mélange commence à prendre la consistance d'une bouillie épaisse, ajoutez la muscade râpée et le beurre. Servez très chaud sur du riz blanc fumant.

PHYLLIS JERVEY
RICE & SPICE

Bouillabaisse de poulet

Pour 4 personnes

Un poulet coupé en 10 morceaux, foie réservé	1 à 1,5 kg
Safran en poudre	1 cuillerée à café
Pastis	2 cuillerées à soupe
Huile d'olive	20 cl
Sel et poivre	
Oignons hachés	2
Gousses d'ail écrasées	5
Tomates	6
Branches de fenouil	10
Persil haché	2 cuillerées à soupe
Pommes de terre	4
Tranches de gros pain rassis	4

Sauce rouille :

Gousse d'ail	1
Petits piments forts	4
Huile d'olive	2 cuillerées à soupe
Foie du poulet sauté	
Tranches de pommes de terre cuites dans la bouillabaisse	2
Bouillon de la bouillabaisse	4 à 6 cuillerées à soupe

Faites mariner les morceaux de poulet durant 20 minutes dans une terrine avec le safran, le pastis, un verre d'huile d'olive, sel et poivre.

Faites chauffer dans la cocotte un demi-verre d'huile d'olive, jetez-y les oignons et les gousses d'ail. Faites-les revenir un peu. Ajoutez les tomates épluchées, épépinées et coupées en morceaux. Lorsque tout est bien fondu, ajoutez le fenouil, le persil, les morceaux de poulet marinés et la marinade. Recouvrez largement d'eau bouillante. Salez, couvrez et faites bouillir doucement 10 minutes. Ajoutez les pommes de terre coupées en grosses rondelles, crues, laissez mijoter encore 20 minutes jusqu'à ce que les pommes de terre et le poulet soient cuits. Découvrez la cocotte, faites bouillir fort quelques minutes de façon que le bouillon épaississe.

Versez-le dans la soupière sur les tranches de pain arrosées d'huile d'olive. Dressez le poulet, les pommes de terre et les légumes du bouillon dans un plat creux. Réservez au chaud.

D'autre part, préparez la sauce rouille. Pilez au mortier ensemble : une gousse d'ail épluchée, les piments forts, un verre à liqueur d'huile d'olive. Ajoutez le foie du poulet sauté, les tranches de pommes de terre cuites dans la bouillabaisse. Pilez le tout ensemble. Mouillez avec les cuillerées à soupe du bouillon de la bouillabaisse. Mélangez bien pour obtenir une sauce onctueuse que vous servez dans un bol à part en même temps que la bouillabaisse.

RAYMOND OLIVER
LA CUISINE

Poulet circassien

Çerkez Tavuğu

Ce plat populaire du Moyen-Orient est représentatif d'une très ancienne tradition culinaire qui utilise des noix pulvérisées pour lier et enrichir les sauces.

Pour 4 à 6 personnes

Un poulet à rôtir	2 kg
Gros oignons coupés en 4	2
Branches de céleri	2
Sel et poivre	

Sauce :

Cerneaux de noix (ou amandes, noisettes ou mélange)	125 g
Bouillon du pochage	50 cl
Chapelure (facultatif)	60 g
Sel et poivre	
Huile	2 cuillerées à soupe
Paprika	1 cuillerée à café

Riz :

Riz à grain long	500 g
Beurre	30 g
Bouillon du pochage	1 l

Mettez le poulet lavé dans une grande casserole. Couvrez d'eau. Ajoutez les oignons et le céleri. Salez et poivrez. Portez à ébullition et laissez mijoter, à couvert, 1 heure environ, jusqu'à ce que le poulet soit tendre, en écumant le bouillon. Égouttez le poulet. Réservez le bouillon. Coupez la viande en morceaux et réservez au chaud.

La sauce traditionnelle est exclusivement à base de noix, mais on y ajoute souvent des amandes ou des noisettes et de la chapelure. Pilez les noix dans un mortier ou pulvérisez-les au mixer. Passez 50 cl de bouillon dans une casserole propre. Incorporez les noix et la chapelure. Portez à ébullition et laissez épaissir sans cesser de remuer. Si la sauce devient trop épaisse, ajoutez davantage de bouillon. Salez et poivrez.

Mélangez l'huile et le paprika.

Faites revenir doucement le riz dans le beurre pendant 1 minute environ, puis ajoutez 1 litre environ de bouillon et laissez cuire, à couvert, à petit feu jusqu'à ce que le riz ait absorbé tout le liquide.

Dressez les morceaux de poulet dans un grand plat de service. Entourez avec une couronne de riz. Nappez le tout de sauce aux noix et décorez avec un filet d'huile rouge. Ce plat se sert souvent froid et accompagné de salades.

CLAUDIA RODEN
A BOOK OF MIDDLE EASTERN FOOD

Poulette désossée farcie à l'italienne

Pollastra farcita lessata all'italiana

Pour désosser la poulette, reportez-vous aux explications données page 20.

Pour 6 personnes

Une poulette	2 kg
Sel	
Fond de volaille	3 l
Carottes émincées	2
Blancs de poireaux émincés	2
Branches de céleri émincées	3
Feuilles de bettes (facultatif)	125 g
Oignon piqué d'un clou de girofle	1

Farce :

Foies de poulet hachés et sautés rapidement dans 30 g de beurre	125 g
Lard de poitrine coupé en dés et blanchi pendant 10 minutes	60 g
Prosciutto ou jambon fumé, haché	60 g
Persil haché	1 cuillerée à soupe
Gousse d'ail pilée	1
Oignon haché	1
Dés de pain frais trempés dans du lait et pressés	100 g
Sel et poivre	
Noix de muscade râpée	
Jaunes d'œufs	2

Sauce :

Œufs durs	2
Moutarde de Dijon	4 cuillerées à soupe
Vinaigre de vin	3 cuillerées à soupe
Huile	15 à 20 cl
Oignon haché menu	2 cuillerées à soupe
Sel et poivre	

Désossez la volaille sans déchirer la peau. Vous pouvez laisser les os des pilons et des ailes pour lui redonner sa forme naturelle après l'avoir farcie.

Dans une terrine, mélangez tous les ingrédients de la farce. Salez l'intérieur de la poulette et farcissez-la sans tasser. Bridez la volaille et enveloppez-la dans une mousseline bien serrée pour qu'elle ne se déforme pas pendant la cuisson. Placez-la dans une grande marmite avec le fond de volaille et les légumes aromatiques, portez à ébullition, baissez le feu et laissez frémir 1 heure environ.

Pendant ce temps, préparez la sauce. Dans une terrine, écrasez les jaunes d'œufs durs et mélangez-les avec la moutarde et le vinaigre. Versez l'huile petit à petit, sans cesser de remuer, pour donner à la sauce la consistance d'une mayonnaise. Incorporez les blancs d'œufs hachés et l'oignon. Salez et poivrez.

Déballez la volaille et posez-la sur un plat de service chaud. Découpez-la en tranches, dans le sens de la largeur, à table. Arrosez chaque portion d'un peu de liquide de cuisson passé, et servez la sauce séparément.

LUICI CARNACINA
LA GRANDE CUCINA

Poularde Juteau

Une poularde, poitrine désossée	2 à 2,5 kg
Sel et poivre	
Foie gras d'oie frais entier, trempé dans de l'eau pour le vider de son sang, vésicule retirée	1
Vieux porto	35 à 40 cl
Fond de volaille	45 cl
Echalotes hachées	2 cuillerées à café
Ail haché	2 cuillerées à café
Crème double	10 cl
Truffes fraîches moyennes, finement hachées	2

Farce Zéphyr :

Blanc de poulet cru	250 g
Blanc d'œuf	1
Crème	25 cl

Pour faire la farce, piler le blanc de volaille avec le blanc d'œuf. Lorsque le mélange est bien lisse, le passer dans un tamis, puis le mettre sur de la glace et incorporer la crème avec une cuillère en bois.

Assaisonner la poularde, tapisser ses parois intérieures de farce et glisser le foie gras dans la bête. Brider la poularde. La placer dans une cocotte en terre vernissée la contenant juste et la couvrir de vieux porto. Laisser mariner 24 heures.

Ayez un bon fond de volaille réduit et dégraissé à fond. Pochez-y la poularde (environ 1 heure et demie). Une fois cuite, la sortir, la tenir au chaud.

D'autre part, faire réduire le porto de la marinade en y adjoignant l'échalote et l'ail haché.

Ajouter 3 petites louches du fond de cuisson (bien dégraissé), autant de crème double et les truffes. Laisser réduire, assaisonner à point.

Pendant ce temps, découper la volaille de façon que chaque convive ait une escalope de foie gras tenant au suprême de volaille.

Napper de la sauce réduite; envoyer le reste en saucière; placer autour de la poularde des fonds d'artichauts braisés garnis de pointes d'asperges vertes à la crème.

ANDRÉ GUILLOT
LA FRANCE A TABLE

Poularde mousseline à l'oseille dans sa gelée au champagne

La veille, désossez la poularde *(page 20)* et préparez le fond de veau et la farce mousseline brute. La poularde doit être pochée, refroidie et mise dans sa gelée 6 à 8 heures avant d'être servie.

Pour 6 personnes

Une belle poularde désossée, os réservés	2 kg
Jus de citron	2 cuillerées à soupe
Feuilles d'estragon blanchies (facultatif)	10 à 12
Olives noires dénoyautées et émincées (facultatif)	6
Blancs d'œufs durs hachés (facultatif)	2
Poivron rouge, grillé, pelé, épépiné et détaillé en fines lanières (facultatif)	1

Fond de veau :

Os réservés de la poule	
Crosse de veau	1
Jarret de veau	1 kg
Cous, têtes, pattes et os de poulets	
Gros bouquet garni	1
Eau	3 à 3,5 l
Champagne	30 cl

Farce mousseline :

Filets de poulet	300 g
Blanc d'œuf de gros calibre	1
Sel et poivre blanc	
Muscade râpée	
Crème fleurette	30 cl

Purée d'oseille :

Oseille	200 g
Sel et poivre	
Beurre	30 g
Jaune d'œuf	1

Pour préparer le fond de veau, mettez tous les ingrédients sauf le champagne dans une grande casserole. Amenez à ébullition, écumez et laissez cuire pendant au moins 6 heures. Passez-le à travers un linge fin.

Pour préparer la farce mousseline brute, retirez toute trace de peau, de gras et d'os des blancs de poulet, grattez-les avec un couteau pour enlever le maximum de matières nerveuses et pilez-les longuement au mortier en marbre. Ajoutez le blanc d'œuf en plusieurs fois en pilant jusqu'à absorption totale chaque fois. Assaisonnez et passez la farce brute au tamis fin en nylon (dit de «crin»), une cuillerée à la fois en vous servant d'une corne. Gardez-la dans une terrine et au réfrigérateur, bien tassée, surface lissée et une feuille de plastique ou d'aluminium pressée dessus pour qu'elle soit bien protégée.

Pour préparer la purée d'oseille, faites blanchir pendant quelques secondes l'oseille préalablement lavée et épluchée. Laissez-la bien égoutter sans pression, assaisonnez et faites-la étuver très doucement au beurre et dans une petite casserole épaisse, de préférence en cuivre, pendant une demi-heure en la remuant régulièrement toutes les quelques minutes. Passez-la au tamis fin, incorporez intimement le jaune d'œuf, étalez le mélange sur une assiette et laissez-le bien refroidir au réfrigérateur.

Une heure avant de commencer à monter la farce, incrustez la terrine dans de la glace pilée. Ajoutez la crème bien froide en petites quantités en travaillant vigoureusement avec une cuillère en bois et en remettant le tout au réfrigérateur pour un repos de 15 minutes chaque fois. Ayant absorbé environ 15 cl de crème, la farce aura pris de la souplesse, incorporez-y la purée d'oseille en travaillant jusqu'à amalgamation complète, laissez reposer encore et incorporez la crème restante à moitié fouettée.

Remplissez-en la poularde (sans forcer, car à la cuisson la farce gonfle légèrement, alors que la chair du poulet rétrécit), bridez-la et donnez un tour de ficelle sans serrer, pour tenir les pattes pliées contre la poitrine. Frottez-la doucement sur toute la surface d'un jus de citron, reformez la poularde dans vos mains afin qu'elle prenne sa forme primitive et enveloppez-la dans un linge fin.

Placez la volaille dans une cocotte à sa taille, ovale et aux parois hautes, et versez dessus louche par louche le fond que vous aurez fait bouillir; amenez à ébullition et réglez la chaleur afin que le bouillon reste à peine frémissant, cocotte couverte, pendant 1 heure et demie à 2 heures, suivant la taille de la poularde. Laissez-la tiédir dans sa cuisson, sortez-la, retirez les ficelles et laissez refroidir au réfrigérateur. Passez le bouillon à travers un linge, laissez-le reposer et dégraissez-le totalement. Laissez-le refroidir (il devrait y en avoir un bon litre). Quand il aura perdu toute sa chaleur, mais avant qu'il commence à prendre en gelée, ajoutez le champagne bien frais.

Vous pouvez remettre la poularde dans une terrine à sa taille et verser sa gelée dessus ou, pour une présentation plus élégante, la poser sur un grand plat ovale assez creux, la décorer (feuilles d'estragon blanchies, rondelles d'olives dénoyautées, fragments de blancs d'œufs, poivrons rouges, truffes, etc., chaque élément trempé dans la gelée avant sa mise en place), la lustrer de gelée (quelques cuillères à la fois dans un petit bol), tournée avec une cuillère sur la glace, puis versée au moment où elle commence à prendre, cuillerée par cuillerée, sur la poularde qui sera remise au réfrigérateur pour la prise complète de la gelée et à maintes reprises jusqu'à ce que les contours de la poularde soient fondus dans la masse dorée de la gelée. Vous mettrez une partie de la gelée à prendre à part afin d'entourer la poularde de gelée hachée ou coupée en losanges, si vous voulez.

COMITÉ INTERPROFESSIONNEL DU VIN DE CHAMPAGNE
LA CUISINE AU VIN DE CHAMPAGNE

Poulet à l'estragon

Chicken with Tarragon

Pour 4 personnes

Un poulet	1,5 à 2 kg
Jus de citron	2 ou 3 cuillerées à soupe
Beurre	60 g
Sel et poivre	
Estragon haché, plus quelques feuilles entières	2 cuillerées à soupe
Jaunes d'œufs	2
Crème	15 à 20 cl

Enduisez l'extérieur du poulet de jus de citron. Écrasez le beurre avec le sel, le poivre et une cuillerée à soupe d'estragon haché et placez ce mélange dans la volaille.

Faites mijoter le poulet à peine couvert d'eau jusqu'à ce qu'il soit cuit (environ 1 heure). Laissez-le refroidir dans le bouillon. Sortez-le et placez-le entier dans un plat de service assez creux. Passez le bouillon. Battez les jaunes d'œufs avec la crème et le reste d'estragon haché. Dans une petite casserole, réchauffez 30 cl environ de bouillon, versez-en une ou deux cuillerées sur le mélange d'œuf et de crème et remettez le tout sur le feu sans cesser de remuer jusqu'à ce que la sauce épaississe, mais pas trop car elle se solidifiera légèrement en refroidissant.

Nappez le poulet de sauce et laissez refroidir. Décorez avec quelques feuilles d'estragon et servez.

ELIZABETH DAVID
FRENCH COUNTRY COOKING

Poulet farci au persil et cuit à la vapeur

Pour préparer les citrons confits nécessaires à cette recette, reportez-vous aux explications données dans la recette du Poulet aux œufs, aux citrons et aux olives, page 136.

Pour 6 à 8 personnes

Deux poulets	1,5 kg chacun
Persil	150 g
Branches de céleri	2
Tomates	1 kg
Ecorce d'un citron confit	
Sel et poivre	
Piment fort pilé	½ cuillerée à café
Beurre	30 g
Cumin	

Hacher finement persil, céleri et écorce de citron confit, y mélanger les tomates pelées, épépinées et coupées en morceaux. Saler, ajouter poivre et piment fort. Introduire cette

farce à l'intérieur des poulets, y adjoindre une noix de beurre pour chaque volaille.

Placer dans le haut du couscoussier, mettre sur la marmite à couscous contenant 3 à 4 litres d'eau bouillante. Luter les deux ustensiles à l'aide d'une bande de tissu trempée dans une pâte de farine et d'eau. Couvrir les poulets d'un linge propre et humide et placer dessus un couvercle que l'on peut également luter. Cuire sur feu moyen.

Vérifier la cuisson au bout de 1 heure et demie et, lorsque la chair se détache facilement avec les doigts, retirer du feu. Dresser sur un plat et servir aussitôt accompagnés de sel et de cumin mélangés, servis à part, dans une petite assiette.

LATIFA BENNANI SMIRES
LA CUISINE MAROCAINE

Poulet Williamsburg

Williamsburg Chicken Pudding

Adaptation d'une recette originale de Mary Randolph parue dans Virginia Housewife *en 1831.*

Pour 4 à 6 personnes

Un poulet coupé en morceaux	2 à 2,5 kg
Oignon	1
Feuilles de céleri	
Brins de persil	2 ou 3
Thym séché	1 cuillère à café
Sel et poivre	
Bouillon du pochage	25 cl
Pâte à crêpes :	
Lait	60 cl
Œufs bien battus	3
Farine	30 g
Beurre fondu	60 g
Sel	1 cuillerée à café

Mettez les morceaux de poulet dans une marmite, couvrez-les d'eau et ajoutez l'oignon, quelques feuilles de céleri, le persil et le thym. Salez et poivrez. Faites cuire à petit feu seulement, jusqu'à ce que la chair soit à peine tendre (environ une demi-heure). Sortez les morceaux de poulet, débarrassez-les de leur peau et placez-les dans un plat à four peu profond. Mouillez avec un peu de bouillon. Faites une pâte avec le lait, les œufs, la farine, le beurre fondu et le sel. Versez-la sur le poulet et mettez à four modéré, à 180° (4 au thermostat) pendant 35 minutes environ, jusqu'à ce que la pâte soit ferme. Vérifiez la cuisson en piquant avec un couteau: la lame doit ressortir propre. Servez avec une sauce préparée à partir du bouillon lié avec un roux et passée séparément.

MRS HELEN CLAIRE BULLOCK
THE WILLIAMSBURG ART OF COOKERY

Poulet pané, frit et rôti

Fried and Roasted Breaded Chicken

Pour 8 personnes

Deux poulets coupés en 4	1 kg chacun
Beurre	250 g
Farine	
Œufs	2
Chapelure	
Crème aigre	25 cl

Mettez le beurre dans une poêle. Farinez bien les morceaux de poulet, trempez-les dans un plat creux contenant les œufs battus et couvrez-les d'une couche épaisse de chapelure. Il faut absolument que le poulet soit d'abord enduit de farine, puis d'œuf, enfin de chapelure. Dans la poêle contenant le beurre, faites légèrement dorer le poulet des deux côtés, à feu moyen. Dressez-le sur un plat à four, en plaçant les ailes d'un côté, les cuisses de l'autre et les carcasses au milieu. Faites rôtir 2 heures au four préchauffé à 150° (2 au thermostat) en arrosant fréquemment avec la crème aigre.

ALICE B. TOKLAS
THE ALICE B. TOKLAS COOKBOOK

Poulet Romertopf

Romertopf's Beggar's Chicken

La poudre chinoise aux cinq épices utilisée dans cette recette est un mélange d'anis étoilé, de piment du Sseu-Tch'ouan, de graines de fenouil, de cannelle et de clous de girofle. Vous pouvez la remplacer par de l'anis étoilé ou des graines d'anis pilées.

Pour 3 ou 4 personnes

Un poulet coupé en morceaux	2 kg
Arrow-root ou fécule de marante, dilué dans un peu d'eau	1 cuillerée à café
Amandes et graines de sésame (facultatif)	

Marinade :	
Huile de sésame	1 cuillerée à café
Xérès sec	1 cuillerée à soupe
Poudre chinoise aux cinq épices	1 pincée
Poivre blanc	1 pincée
Gousse d'ail pilée	1
Sauce de soja	4 cuillerées à soupe
Gingembre frais râpé	1 cuillerée à café

Dans une terrine, mélangez les ingrédients de la marinade et faites macérer les morceaux de poulet pendant une demi-journée au moins, en les retournant fréquemment. (N'ajoutez pas de sel car la sauce de soja est suffisamment salée).

Juste avant de faire cuire le poulet, immergez totalement un récipient en terre cuite dans de l'eau pendant 15 minutes. Sortez-le, placez-y le poulet et la marinade, couvrez et mettez au four froid. Allumez le four à 230° (8 au thermostat) et laissez cuire 45 minutes.

Sortez le récipient du four et versez le liquide dans une casserole. Remettez le récipient découvert au four encore 10 minutes. Pendant ce temps, portez le liquide de la casserole à ébullition et liez avec l'arrow-root.

Servez avec du riz généreusement arrosé de sauce. Si vous voulez donner un cachet chinois à votre plat, saupoudrez la volaille d'amandes et de graines de sésame.

GEORGIA MACLEOD SALES ET GROVER SALES
THE CLAY-POT COOKBOOK

Poulet aux œufs, aux citrons et aux olives

Djej Masquid Bil Beid

Les citrons confits constituent un ingrédient indispensable de la cuisine marocaine. Aucun jus de citron frais ne peut reproduire leur goût de saumure et leur consistance si particuliers. Vous pouvez les utiliser pour parfumer vos ragoûts, marinades, pilafs et salades.

Pour confire des citrons, le plus important est de les recouvrir entièrement de jus de citron salé. Avec ma recette, vous pourrez réutiliser indéfiniment la saumure.

Une sorte de substance blanche et fine se colle parfois aux fruits dans le pot. Bien qu'elle soit parfaitement inoffensive, il vaut mieux la rincer pour des raisons d'esthétique. De toute façon, il faut toujours dessaler les citrons confits en les rinçant avant de les utiliser. Vous pouvez les faire cuire avec leur pulpe si vous le désirez.

Citrons confits :	
Citrons	5
Gros sel	60 g

Epices de Safi (facultatif) :	
Bâton de cannelle	1
Clous de girofle	3
Graines de coriandre	5 ou 6
Grains de poivre	3 ou 4
Feuille de laurier	1
Jus de citron frais (si besoin est)	

Pour ramollir l'écorce, laissez tremper les citrons dans de l'eau tiède pendant 3 jours, en renouvelant l'eau chaque jour.

Coupez les citrons en croix jusqu'à 1 cm du bas, salez la pulpe et refermez-les.

Déposez une cuillerée à soupe de sel sur le fond d'un bocal stérilisé de 1 litre. Intercalez une couche de citrons, une couche de sel et d'épices. Tassez bien les fruits pour en exprimer le jus et pour laisser de la place aux autres. (Si vous n'obtenez pas assez de jus pour recouvrir le tout, ajoutez du jus de citron frais). Laissez un peu d'air sous le couvercle.

Laissez mûrir 30 jours les citrons dans une pièce tempérée en retournant le bocal tous les jours pour bien répartir le sel et le jus.

Avant l'utilisation, rincez les citrons à l'eau courante. Enlevez et jetez la pulpe si vous n'en voulez pas. Il est inutile de mettre le bocal au réfrigérateur après l'avoir ouvert. Les citrons confits peuvent se garder un an.

Pour 6 personnes

Deux poulets coupés en morceaux	1,5 kg chacun
Grosse botte de persil haché	1
Gousses d'ail hachées	3
Oignon d'Espagne râpé	1
Sel	
Gingembre en poudre	¾ de cuillerée à café
Poivre gris	¾ de cuillerée à café
Safran en poudre	1 pincée
Beurre fondu	50 g
Grands bâtons de cannelle (ou 6 petits)	3
Eau	50 cl
Œufs	10
Citrons confits	2
Olives rouge-marron, comme des Kalamatas, dénoyautées et hachées	8
Jus de citron	10 cl

Dans une cocotte, mettez les morceaux de poulet avec les deux tiers du persil, l'ail, l'oignon, le sel, les épices, la moitié du beurre et les bâtons de cannelle. Versez l'eau, portez à ébullition, couvrez et laissez mijoter 1 heure jusqu'à ce que le poulet soit très tendre et que la chair se détache presque des os. (Si besoin est, rajoutez de l'eau en cours de cuisson).

Préchauffez le four à 180° (4 au thermostat).

Dressez le poulet (sans la sauce) dans le plat à four de service. Enlevez les os, s'il y en a, et les bâtons de cannelle de la cocotte et faites réduire rapidement, à découvert, à 50 cl de sauce riche et épaisse. Versez sur le poulet.

Battez les œufs avec le reste de persil jusqu'à ce qu'ils moussent. Rincez les citrons confits, coupez-les en dés en gardant la pulpe. Incorporez-les aux œufs avec les olives hachées et versez le tout sur les poulets. Couvrez avec une feuille de papier d'aluminium et mettez au four pendant 20 minutes.

Augmentez la température au maximum, enlevez le papier aluminium et versez le reste de beurre fondu sur les œufs. Laissez 10 minutes de plus, jusqu'à ce que les œufs aient légèrement durci et que le poulet ait commencé à dorer. Arrosez de jus de citron et servez immédiatement.

PAULA WOLFERT
COUSCOUS AND OTHER GOOD FOOD FROM MOROCCO

Poule de la fête

Hindle Wakes

Le nom de cette recette vient de l'anglais « Hen de la Wake » ou « Hen of the Wake » qui signifie littéralement : « Poule à manger pendant la fête ». Il s'agit de la version moderne d'une recette très ancienne qui fut recueillie vers 1900, dans sa forme actuelle, près de Wigan, dans le Lancashire. Ce plat de festin médiéval est excellent et décoratif avec sa viande blanche, sa farce noire et ses garnitures jaunes et vertes ; il se déguste froid.

Pour 8 personnes

Une poule	2,5 kg
Vinaigre de vin	15 cl
Cassonade	2 cuillerées à soupe
Citron coupé en 4	1
Brins de persil	
Farce :	
Gros pruneaux dénoyautés et trempés	500 g
Chapelure	250 g
Amandes mondées, concassées	60 g
Sel et poivre	
Persil, marjolaine, thym et ciboulette frais, hachés menu	1 cuillerée à soupe
Graisse de rognon de bœuf émincée	60 g
Vin rouge	15 cl
Sauce :	
Fécule	1 cuillerée à soupe
Bouillon de poule refroidi et écumé	25 cl
Zeste et jus de 2 citrons	
Sel et poivre	
Œufs	2

Réservez 6 pruneaux pour la garniture. Mélangez tous les autres ingrédients de la farce et remplissez la volaille. Recousez les ouvertures. Dans une grande casserole d'eau contenant le vinaigre et la cassonade, faites cuire la poule à petit feu pendant 3 heures environ, puis laissez-la refroidir dans son bouillon.

Pendant ce temps, préparez la sauce au citron. Diluez la fécule dans le bouillon et portez à ébullition en incorporant petit à petit le jus des 2 citrons. Salez, poivrez, ajoutez le zeste d'un citron et faites bouillir 2 minutes. Laissez tiédir. Hors du feu, ajoutez les œufs battus. Mélangez au fouet à feu doux jusqu'à ce que la sauce soit épaisse et crémeuse en ne la laissant bouillir sous aucun prétexte. Laissez refroidir.

Nappez la poule froide de sauce et décorez avec le reste de zeste, les quartiers de citron, les pruneaux réservés coupés en deux et les brins de persil.

ELISABETH AYRTON
THE COOKERY OF ENGLAND

Poulet à la pâte d'épices

Murgi Survedar

Vous trouverez le lait de coco nécessaire pour cette recette dans les épiceries antillaises ou orientales. Vous pouvez également le préparer vous-même avec la pulpe d'une noix de coco fraîche. Râpez la pulpe sans enlever l'écorce marron. Mesurez le volume obtenu et mélangez avec le même volume d'eau chaude du robinet — l'eau ne doit pas être bouillante. (N'utilisez pas le lait de la noix de coco.) Pressez le mélange dans un tamis fin garni d'une double épaisseur de mousseline humide. Avec 25 cl de pulpe râpée et 25 cl d'eau chaude, vous obtiendrez 25 cl environ de lait de coco.

Pour 4 personnes

Morceaux charnus de poulet	750 g
Ail haché menu	2 cuillerées à café
Gingembre frais haché	1 cuillerée à soupe
Huile	1 cuillerée à soupe
Sel	2 cuillerées à café
Curcuma en poudre	½ cuillerée à café
Noix de cajou non salées	8
Amandes non salées, mondées	8
Eau	75 cl
Beurre	90 g
Oignon grossièrement haché	5 cuillerées à soupe
Yogourt nature, battu avec une fourchette	4 cuillerées à soupe
Lait de coco	25 cl
Feuilles de coriandre fraîches hachées (facultatif)	2 cuillerées à soupe

Pâte d'épices:

Graines de pavot	1 cuillerée à soupe
Clous de girofle	4
Bâton de cannelle de 3 cm	1
Capsules de cardamome (graines seulement)	4
Grains de poivre	½ cuillerée à café
Gingembre frais haché	2 cuillerées à café
Gousses d'ail	8
Oignon haché menu	2 ½ cuillerées à soupe
Eau	4 cuillerées à soupe

Passez l'ail, le gingembre et l'huile au mixer. Versez dans une marmite et faites cuire à feu moyen pendant 5 minutes. Ajoutez les morceaux de poulet, le sel, le curcuma, les noix de cajou et les amandes. Remuez pour bien mélanger. Faites sauter à feu vif jusqu'à ce que le poulet soit bien doré et que tous les jus soient évaporés. Versez l'eau. Couvrez et laissez mijoter jusqu'à ce que la chair soit tendre. Enlevez le poulet et les noix, égouttez et laissez en attente. Passez le bouillon, faites-le réduire à 25 cl et réservez séparément.

Pour faire la pâte d'épices: passez successivement au mixer les graines de pavot, les clous de girofle, la cannelle, la cardamome, le poivre, le gingembre, l'ail et l'oignon. Pulvérisez chaque ingrédient avant d'ajouter le suivant. Ajoutez l'eau et mélangez pour obtenir une pâte lisse et épaisse. Réservez.

Dans une cocotte moyenne à fond épais, faites revenir l'oignon grossièrement haché dans le beurre jusqu'à ce qu'il commence à prendre couleur. Hors du feu, incorporez la pâte d'épices en mélangeant. Remettez sur le feu et continuez la cuisson en grattant et en remuant avec une spatule. Ajoutez une cuillerée d'eau de temps en temps pour que la préparation n'attache pas. Continuez la cuisson jusqu'à ce que le beurre fasse des bulles à la surface et que votre spatule déplace la pâte en une masse compacte.

Hors du feu, ajoutez le poulet et les noix égouttés. Remuez. Ajoutez le yogourt. Remettez à feu moyen. Une fois que le yogourt a été absorbé, versez le bouillon, une cuillerée après l'autre, puis le lait de coco. Remuez constamment jusqu'à ce que le poulet soit tendre et nappé d'une sauce riche et dorée. Servez chaud sur du riz. Garnissez avec les feuilles de coriandre à la dernière minute.

SHIVAJI RAO ET SHALINI DEVI HOLKAR
COOKING OF THE MAHARAJAS

Pain de volaille à la sauce au cresson

Chicken Loaf with Watercress Sauce

Pour 6 à 8 personnes

Blancs de poulet débarrassés de leur peau et désossés	1 kg
Oignons hachés menu	125 g
Jaunes d'œufs	2
Mie de pain frais, émiettée	125 g
Crème épaisse	15 cl
Botte de cresson haché menu	1
Muscade râpée	
Sel et poivre fraîchement moulu	

Sauce au cresson:

Beurre	90 g
Farine	4 cuillerées à soupe
Fond de volaille	75 cl
Botte de cresson	1
Crème épaisse	25 cl
Sel et poivre	
Muscade râpée	

Préchauffez le four à 200° (6 au thermostat). Coupez le poulet en dés et passez au mixer.

Mettez la préparation obtenue dans une terrine; ajoutez le

reste des ingrédients et mélangez bien le tout. Versez dans un moule beurré de 22 cm sur 12, et 8 de hauteur, recouvrez avec du papier sulfurisé et fermez avec un couvercle. Mettez au bain-marie à four doux pendant 1 heure et demie, jusqu'à ce que le pain de volaille soit bien ferme et entièrement cuit.

Pour préparer la sauce au cresson, faites fondre dans une casserole 60 g de beurre et ajoutez la farine en mélangeant avec un fouet. Lorsque ce roux est bien homogène, versez le fond de volaille en remuant rapidement avec le fouet. Laissez cuire 20 minutes environ en remuant fréquemment avec le fouet.

Faites blanchir le cresson dans une petite casserole d'eau bouillante, à petit feu, pendant 30 secondes environ. Égouttez, pressez et hachez. Réservez.

Versez la crème dans la sauce. Salez et poivrez selon le goût, puis muscadez. Laissez cuire à petit feu 15 minutes environ. Passez la sauce à la passoire fine et réchauffez-la dans la casserole. Incorporez le cresson, mélangez, puis incorporez le reste de beurre en agitant la casserole.

Servez le pain de poulet chaud et coupé en tranches avec la sauce au cresson.

CRAIG CLAIBORNE
CRAIG CLAIBORNE'S FAVOURITES FROM THE NEW YORK TIMES

Pudding de poulet Shaker

Shaker Chicken Pudding

Pour 4 à 6 personnes

Chair de poulet cuit, coupée en dés	500 g
Pomme épluchée et coupée en dés	1
Oignon moyen haché	1
Branche de céleri hachée	1
Beurre	90 g
Cidre brut	10 cl
Sel	½ cuillerée à café
Poivre	
Muscade râpée	
Chapelure	90 g

Sauce :

Farine	2 cuillerées à soupe
Beurre	30 g
Crème fraîche	25 cl

Faites sauter la pomme, l'oignon et le céleri dans 60 g de beurre. Versez le cidre, salez, poivrez et muscadez. Couvrez et laissez cuire à petit feu pendant 30 minutes, jusqu'à ce que les légumes soient très tendres. Faites épaissir à découvert.

Pour la sauce, faites un roux avec la farine et le beurre. Incorporez la crème et poursuivez la cuisson en remuant jusqu'à ce que la sauce épaississe. Mélangez-y la purée de légumes et le poulet. Versez le tout dans un plat à four beurré, saupoudrez de chapelure, arrosez avec le reste de beurre fondu et laissez 20 minutes au four préchauffé à 180° (4 au thermostat).

CARL LYREN
365 WAYS TO COOK CHICKEN

Tourte de poulet

Charter Pie

Pour 8 à 10 personnes

Pâte brisée :

Farine	250 g
Beurre et saindoux	60 g de chaque
Sucre glace	2 cuillerées à café
Œuf	1
Sel	
Crème de lait, ou œuf battu	

Garniture :

Deux poulets coupés en morceaux	1,5 kg chacun
Gros oignon haché	1
Beurre	100 g
Farine	
Sel et poivre	
Bottes de persil haché	2
Lait	15 cl
Crème épaisse	40 cl

Faites la pâte *(page 167)* et laissez-la reposer.

Dans une sauteuse, faites suer l'oignon dans la moitié du beurre jusqu'à ce qu'il soit transparent et mettez-le dans une tourtière (ovale et évasée de préférence). Ajoutez le reste de beurre dans la poêle et faites revenir le poulet assaisonné et fariné. Lorsque les morceaux sont légèrement dorés, posez-les dans la tourtière, sur les oignons. Faites blanchir le persil dans le lait pendant 3 minutes et versez le lait sur le poulet avec la moitié de la crème. Assaisonnez bien.

Collez une bande de pâte sur les bords du plat, mouillez légèrement et appliquez le couvercle de pâte, en prenant soin que les os des poulets ne le percent pas. Décorez et faites une cheminée au centre, que vous maintiendrez ouverte avec un petit rouleau de bristol. Dorez avec la crème de lait ou l'œuf battu et mettez 15 minutes au four chaud, à 220° (7 au thermostat). Protégez le haut avec une feuille d'aluminium, baissez le four à 180° (4 au thermostat) et laissez 1 heure.

Juste avant de servir, faites chauffer le reste de crème et versez-le dans la tourte par la cheminée, après avoir enlevé le bristol. Ce plat est très bon froid avec la sauce en gelée.

JANE GRIGSON
GOOD THINGS

Filets de poularde à la béchamel

Pour 4 personnes

Poitrines de poularde cuites, désossées et coupées en filets	4
Beurre	30 g
Persil haché	2 cuillerées à soupe
Ciboules hachées	3 ou 4
Echalotes hachées	1 cuillerée à soupe
Gousse d'ail hachée menu	1
Sel et poivre	
Muscade râpée	
Farine	1 cuillerée à café
Jaune d'œuf	1
Crème	10 cl
Jus de citron	2 cuillerées à soupe

Mettez dans une casserole deux pains de beurre, ajoutez le persil, les ciboules, les échalotes, un peu d'ail, le sel, le poivre la muscade, la farine et faites cuire quelques instants. Mélangez un jaune d'œuf délayé avec de la crème et tournez sur le feu. Donnez-lui la consistance qui convient, et jetez dedans vos filets avec du citron.

BERTRAND GUÉGAN
LA FLEUR DE LA CUISINE FRANÇAISE

Poulet au fromage

Pour 4 à 6 personnes

Deux poulets fendus par le dos et aplatis	1,5 kg chacun
Beurre	90 g
Vin blanc	10 cl
Bouillon	10 cl
Bouquet garni	1
Oignon haché	1
Gousse d'ail hachée menu	½
Clous de girofle	2
Feuille de laurier	½
Thym frais	
Basilic frais	
Sel et gros poivre	
Farine	1 cuillerée à café
Gruyère râpé	50 g

Faites revenir les poulets dans une casserole avec 60 g de beurre; mouillez avec un demi-verre de vin blanc et autant de bon bouillon; mettez-y le bouquet, l'oignon, la demi-gousse d'ail, les clous de girofle, la demi-feuille de laurier, thym, basilic, peu de sel, gros poivre. Faites cuire 1 heure à petit feu

(150°, 2 au thermostat), qu'il ne fasse que mijoter; ensuite vous ôtez les poulets, et mettez dans la sauce gros comme une noix de bon beurre, manié d'une bonne pincée de farine. Faites-la lier sur le feu, prenez le plat que vous devez servir, mettez une partie de cette sauce dans le fond, et sur la sauce une petite poignée de fromage de gruyère râpé. Mettez les poulets dessus, et sur les poulets vous mettez le restant de la sauce, et ensuite autant de fromage de gruyère râpé que vous en avez mis dessous. Mettez le plat sur un petit feu doux (180°, 4 au thermostat), et un couvercle de tourtière avec du feu; quand ils seront d'une belle couleur dorée, et qu'il n'y aura plus de sauce, servez chaudement. Si votre fromage est fort de sel, il n'en faut point mettre dans la cuisson des poulets.

OFFRAY AINÉ
LE CUISINIER MÉRIDIONAL

Pâté-chaud de poulets dans un plat

Pour 4 à 6 personnes

Deux petits poulets coupés en morceaux	1 kg chacun
Sel et poivre	
Tranches de jambon cru	4
Tranches de veau coupées très fin	2
Echalote hachée	1
Œufs durs coupés en 4	3 ou 4
Jus froid de poulet ou de veau	20 cl
Feuilletage ou pâte brisée fine	
Œuf mélangé avec un peu d'eau, pour dorer	1

Dépecez les petits poulets, chacun en cinq parties, coupez les ailerons et les pattes, brisez l'os du gras-de-cuisse sur le milieu pour l'enlever; assaisonnez les morceaux.

Masquez le fond d'un plat à tarte, avec les tranches de jambon cru; sur celles-ci, étalez le veau, saupoudrez avec une pincée d'échalotes hachées, assaisonnez avec sel et poivre; sur ces viandes, rangez les morceaux de volaille, les cuisses en dessous, les ailes et les estomacs en haut; placez dans les cavités les œufs durs; puis versez au fond du plat la valeur d'un verre de jus froid; humectez les bords évasés du plat, masquez-les avec une bande de pâte, faite avec des rognures de feuilletage, ou pâte brisée fine; humectez aussi cette bande, couvrez le pâté avec une abaisse de même pâte; appuyez celle-ci sur les contours afin de la souder avec la bande; coupez-la tout autour du plat et ciselez-la. Ornez le dessus du pâté avec quelques feuilles imitées en pâte; dorez toute la surface supérieure; faites cuire le pâté au four (180°, 4 au thermostat) pendant 1 heure, en ayant soin de le couvrir avec du papier, aussitôt que la pâte commence à prendre couleur; en le sortant du four, posez-le sur un plat.

URBAIN DUBOIS
L'ÉCOLE DES CUISINIÈRES

Boulettes de poulet

Fu-Jung Chi-P'ien

Pour 4 personnes

Poitrines de poulet, dépouillées de leur peau	2
Eau glacée	2 cuillerées à café
Huile d'arachide	40 cl
Fond de volaille	10 cl
Sel	
Sucre	
Pois mange-tout	6
Champignons de Paris	6
Jambon à l'os coupé en bâtonnets (facultatif)	60 g

Marinade :

Fécule diluée dans de l'eau en pâte fluide	1 cuillerée à soupe
Blanc d'œuf	1
Sel	
Mirin (vin de riz chinois) ou xérès sec léger	

Enlevez le tendon de chaque filet et fendez la poitrine en deux. Grattez la chair dans le sens des fibres pour obtenir une pâte. Versez l'eau glacée pour ramollir cette dernière. Placez dans une terrine avec les ingrédients de la marinade et mélangez intimement avec les doigts pour obtenir une consistance bien lisse et sans bulles.

Versez l'huile dans un *wok* chaud et faites-la chauffer à 75° — pas davantage pour ne pas colorer le poulet. Divisez la pâte en morceaux de la taille d'une grosse amande. Rangez toutes les boulettes obtenues dans l'huile. Au bout de 30 secondes, sortez-les avec une écumoire. A ce stade, les boulettes sont déjà blanches et cuites en surface, mais l'intérieur est encore un peu cru. Videz le *wok* de son huile et remplacez par le fond de volaille salé et sucré. Faites sauter rapidement les boulettes avec les pois mange-tout, les champignons et le jambon en remuant le tout. Cette cuisson rapide ne prendra que 30 secondes en plus. Servez immédiatement.

CECILIA SUN YUN CHIANG
THE MANDARIN WAY

Pudding de poulet

Kentish Chicken Pudding

La pâte, pour cette recette, se prépare avec de la graisse de rognon de bœuf frais. Enlevez la peau très mince et hachez-la très finement avec un peu de farine, pour qu'elle ne colle pas. Mélangez 1 kg de farine, 7 g de sel et 250 g de graisse de rognon. Versez progressivement 30 cl environ d'eau froide et fraisez la pâte jusqu'à ce qu'elle prenne une consistance ferme et élastique.

Pour 8 personnes

Deux poulets coupés en 4, abattis réservés	1,5 kg chacun
Poitrine de porc salée, coupée en dés	500 g
Pâte à la graisse de rognon	1 kg
Sel et poivre	
Oignons hachés	250 g
Persil haché menu	2 cuillerées à café
Fond de volaille passé	30 cl

Faites un fond de volaille avec les ailerons, les parures et les abattis du poulet. Blanchissez la poitrine de porc salée coupée en dés, rafraîchissez-la et égouttez-la.

Foncez un moule à pudding beurré (ou une terrine en porcelaine) de 2 litres avec les trois quarts de la pâte à la graisse de rognon. Mélangez les morceaux de poulet salés et poivrés avec le porc, les oignons et le persil. Remplissez le moule et versez le fond de volaille passé. Refermez le moule avec le reste de pâte en pinçant les bords. Maintenez le tout avec une feuille de papier sulfurisé ou de papier aluminium beurré et un linge. Laissez cuire 2 heures à la vapeur au bain-marie dans un récipient bien fermé en maintenant une ébullition modérée. Rajoutez de l'eau bouillante pour maintenir le niveau d'eau s'il le faut. Servez directement du moule.

LIZZIE BOYD (RÉDACTEUR)
BRITISH COOKERY

Poulet à la portugaise

Chicken not in a Púcara

Pour 4 personnes

Un poulet coupé en morceaux	1 kg
Tomates pelées, épépinées et concassées	3
Jambon maigre fumé, finement émincé et coupé en carrés de 1 cm	175 g
Petits oignons	8
Moutarde de Dijon	1 cuillerée à soupe
Grosse gousse d'ail hachée menu ou écrasée	1
Vin blanc sec et porto rouge ou blanc	10 cl de chaque
Sel et poivre gris	
Beurre	60 g
Cognac	6 cuillerées à soupe

Dans un plat à four ou une cocotte, mélangez les tomates, le jambon, les oignons, la moutarde, l'ail, le vin blanc et le porto. Salez et poivrez les morceaux de poulet et dressez-les en une seule couche sur la garniture. Parsemez de beurre. Faites cuire à four modéré, à 180° (4 au thermostat) pendant 1 heure, jusqu'à ce que le poulet soit tendre et doré. Arrosez de cognac. Servez le poulet recouvert de sauce.

SHIRLEY SARVIS
A TASTE OF PORTUGAL

141

La Pochette surprise

Recette de Léon Abric, membre de l'Académie des Gastronomes.

Pour 2 personnes

Petit poulet de grain, fendu en 2 dans le sens de la longueur	1
Huile d'olive	
Chapelure très fine	
Sel et poivre blanc fraîchement moulu	

Farce :

Foies de volaille hachés	3
Cœur du poulet haché	1
Ciboulette fraîche hachée menu	10 g
Echalotes fraîches ou petits oignons	7 ou 8
Cerfeuil frais haché menu	15 g
Folioles d'estragon	20
Mie de pain trempée dans du lait	50 g
Beurre	15 à 20 g
Œuf	1
Sel et poivre blanc fraîchement moulu	
Muscade	

Pour faire la farce, mélangez les foies, le cœur, la ciboulette, les échalotes, le cerfeuil et l'estragon. Jetez ce hachis dans un mortier avec la mie de pain, le beurre et l'œuf. Pilez, puis ajoutez le sel, le poivre et un rien de muscade. Vérifiez l'assaisonnement.

Badigeonnez d'huile d'olive l'intérieur de chaque moitié de poulet, que vous remplissez de farce. Oignez cette surface et tout l'extérieur du poulet abondamment ; puis roulez dans la chapelure additionnée d'un peu de sel fin et de poivre, ou plutôt appliquez à la main cette chapelure qui adhérera grâce à l'huile épandue. Étalez une feuille de papier, bien graissée d'huile, entourez-en votre demi-poulet (si le format ne le permet pas, conjuguez deux feuilles). Il faut que cette papillote soit bien close. Ficelez, pour plus de sûreté, avec du fil de lin. Arrangez ça gentiment, songez que votre pochette ira à table telle quelle.

Faites cuire au four (180°, 4 au thermostat) de 30 à 40 minutes, réglez la chaleur de telle façon que le poulet cuise doucement de tous côtés dans son enveloppe, et que celle-ci ne se carbonise pas. C'est assez délicat, mais les grands artistes cherchent souvent la difficulté.

Chaque convive doit éventrer lui-même sa papillote, d'abord pour savoir ce qu'il y a dedans, et puis pour jouir à pleines narines de l'ineffable parfum qui s'en échappe.

GASTON DERYS
L'ART D'ÊTRE GOURMAND

Dinde

Dinde rôtie

C'est ainsi qu'on rôtissait la dinde dans ma famille. J'ai légèrement modifié et amélioré la recette initiale et c'est celle que je vous propose ici que j'utilise toujours le jour du Thanksgiving (dernier jeudi de novembre) ou pour les autres fêtes traditionnelles aux États-Unis.

Pour 8 à 10 personnes

Une dinde, abattis réservés	8 à 9 kg
Oignon piqué de 2 clous de girofle	1
Branche de persil	1
Sel	
Thym séché	½ cuillerée à café
Eau	1 l
Citron	½
Beurre ramolli	125 à 175 g
Poivre	
Bardes de lard frais ou salé, ou couenne	
Farine	4 cuillerées à soupe
Cognac ou madère (facultatif)	

Farce :

Echalotes ou petits oignons hachés menu	150 g
Estragon séché, ou 3 cuillerées à soupe d'estragon frais haché menu	1 ½ cuillerée à soupe
Beurre	250 à 350 g
Sel et poivre	
Pignons	75 g
Mie de pain fraîche, émiettée	500 g
Gousses d'ail hachées menu (facultatif)	1 ou 2

Préparez d'abord la farce. Dans une cocotte à fond épais, de 30 cm de diamètre si possible, faites étuver les échalotes ou les petits oignons et l'estragon dans 125 g de beurre fondu jusqu'à ce que les échalotes commencent à peine à fondre. Ajoutez le sel, le poivre, les pignons et le reste du beurre. Incorporez la mie de pain. Mélangez bien. Goûtez et ajoutez davantage d'ingrédients si besoin est. Vous pouvez également mettre une ou deux gousses d'ail.

Dans une casserole de 2 litres, mettez le cou, le foie, le gésier, le cœur, l'oignon, le persil, 2 cuillerées à café de sel et le thym. Versez l'eau et portez à ébullition. Baissez le feu au bout de 5 minutes, couvrez la préparation et laissez frémir pendant 1 heure. Passez et réservez pour la sauce. Vous pouvez hacher le gésier, le cœur et le foie de la dinde pour les ajouter à la sauce.

Frottez l'intérieur de la dinde avec le citron. Farcissez légèrement par le cou et par le croupion — la farce ne doit pas être trop tassée. Bridez la volaille. Massez bien avec 60 g environ de beurre ramolli. Salez et poivrez. Foncez une grille avec des bardes de lard frais ou salé ou avec de la couenne. Posez la grille sur une lèchefrite et mettez-y la dinde sur le ventre. Laissez rôtir pendant 1 heure à 180° (4 au thermostat). Sortez la lèchefrite, tournez la dinde sur le côté et frottez-la avec la moitié du reste de beurre ramolli. Remettez au four pendant 1 heure. Sortez-la à nouveau du four, mettez-la sur le dos et frottez la poitrine avec le reste de beurre. Remettez au four et continuez la cuisson jusqu'à ce que la dinde soit cuite. Mettez sur un plat chaud.

Si vous voulez servir la volaille chaude, laissez-la se détendre 15 minutes. Pour la servir tiède, laissez refroidir doucement à température ambiante.

Pour la sauce, enlevez et jetez la graisse de la lèchefrite en y laissant 4 cuillerées à soupe seulement. A feu moyen, liez avec la farine et mélangez intimement en grattant les sucs caramélisés. S'il y a du jus dans le plat de la dinde, dégraissez-le et ajoutez-le. Incorporez petit à petit 45 cl du bouillon et laissez cuire en remuant constamment jusqu'à ce que le mélange épaississe. Rectifiez l'assaisonnement. Selon le goût, ajoutez les abattis hachés, le madère ou le cognac, et laissez cuire à petit feu de 4 à 5 minutes. Servez la sauce avec la dinde et la farce.

JAMES BEARD
JAMES BEARD'S AMERICAN COOKERY

Dindonneau à la bretonne

Pour 6 à 8 personnes

Un dindonneau	4 kg
Sel et poivre	
Barde de lard gras	
Beurre fondu	30 g

Farce :

Raisins de Malaga épépinés	200 g
Porto	30 cl
Chair à saucisse	500 g
Beurre	30 g
Pruneaux cuits dans du thé et dénoyautés	24
Foie du dindonneau	
Thym séché, avec les fleurs si possible	1 cuillerée à café
Sel et poivre	

En notre beau pays de Bretagne, on farcit les volailles comme suit : à 500 grammes de chair à saucisse bien grasse, raidie au beurre, mélangez 200 grammes de raisins de Malaga épépinés et gonflés au porto après macération de 5 à 6 heures, 24 beaux pruneaux cuits fermes dans du thé, le foie haché fin, et une

prise de ce thym qui croît sur les collines près des bruyères roses et pourprées. Quand la bête est fourrée de ce mélange, enveloppez-la bien d'un manteau de lard gras; après l'avoir solidement bridée, ficelée, arrosée de beurre fondu, poussez-la au four (préchauffé à 180°, 4 au thermostat) et cuisez-la (2 heures à feu foux pour une pièce de 4 kilos). Arrosez-la souvent et prodiguez-lui vos soins attentifs. Servez-la dorée, toute fumante; adressez à part le jus que vous aurez obtenu en mouillant de temps à autre d'une cuillerée d'eau froide. N'ajoutez surtout ni bouillon ni aucun autre jus.

ÉDOUARD NIGNON
ÉLOGES DE LA CUISINE FRANÇAISE

Dinde farcie

Yemistes yallopoules

Pour 15 personnes

Une dinde, abattis réservés	5,5 à 6,5 kg
Citron coupé en 2	1
Sel et poivre	
Beurre fondu	

Farce de viande :

Beurre	50 à 90 g
Oignons hachés menu	2
Agneau haché	175 g
Cœur et foie de la dinde hachés	
Morceaux de marrons bouillis et épluchés	500 g
Pignons	1 cuillerée à soupe
Consommé de dinde préparé avec le cou et le gésier	60 cl
Riz	125 g
Foie d'agneau haché	1
Chapelure	60 g
Pommes à cuire pelées, évidées et coupées en petits morceaux	2

Lavez la dinde à l'eau froide, épongez l'intérieur et l'extérieur et laissez en attente pendant 30 minutes environ, le temps de préparer la farce.

Dans une cocotte, chauffez le beurre et faites revenir les oignons jusqu'à ce qu'ils commencent à prendre couleur. Ajoutez l'agneau et laissez cuire à feu doux pendant 15 minutes. Ajoutez ensuite le cœur et le foie de dinde, les marrons et les pignons et laissez cuire 5 minutes de plus. Versez le consommé et portez à ébullition. Ajoutez le riz, laissez cuire rapidement pendant 10 minutes, puis incorporez le foie d'agneau, la chapelure et les pommes. Remuez bien toute la préparation.

Pour farcir la dinde, faites une incision dans la peau, derrière le cou, et coupez celui-ci au niveau des épaules.

Farcissez la cavité du sternum sans trop tasser. N'oubliez pas que la farce gonfle toujours à la cuisson et qu'une farce qui gonfle trop risque de faire craquer la peau du cou. Cousez la peau sur le dos ou refermez le cou avec une brochette. Farcissez l'intérieur de la carcasse aussi légèrement et refermez l'ouverture avec du fil ou avec une brochette.

Bridez. Frottez la dinde avec du citron, du sel, du poivre, badigeonnez de beurre fondu et mettez dans un grand plat creux à four moyen. Comptez 25 à 30 minutes de cuisson par livre, farce comprise.

S'il vous reste de la farce, faites-la cuire dans la cocotte et servez-la avec la dinde, comme le font les Grecs. Vous pouvez également en faire des rissoles trempées dans de l'œuf battu et de la chapelure, que vous servirez en garniture.

ROBIN HOWE
GREEK COOKING

Dinde au chile

Turkey Chili

Pour 8 à 10 personnes

Une dinde coupée en 4	2,5 à 3 kg
Oignon piqué de clous de girofle	1
Branches de céleri	2
Brins de persil	2 ou 3
Petits piments séchés	2
Sel	
Poivre de Cayenne	½ cuillerée à café
Petits piments chile verts en boîte, hachés menu	100 g
Amandes pilées	125 g
Cacahuètes pilées	50 g
Chile en poudre (facultatif)	
Gros oignon haché menu	1
Gousses d'ail hachées menu	3
Poivrons verts hachés menu	2
Huile d'olive	4 cuillerées à soupe
Petites olives vertes dénoyautées	150 g
Amandes mondées	75 g

Mettez la volaille dans une marmite, couvrez d'eau et ajoutez l'oignon clouté, le céleri, le persil et les piments. Portez à ébullition. Baissez le feu, écumez, couvrez et laissez frémir jusqu'à ce que la volaille soit à peine tendre. Sortez alors les morceaux de dinde et laissez-les refroidir avant de détacher la chair des os en gros morceaux.

Faites réduire le bouillon de moitié, à feu vif. Vous devez en obtenir 1 litre. Passez-le, salez-le si besoin est et ajoutez le poivre de Cayenne, les piments chile, les amandes et les cacahuètes. Poursuivez la cuisson à petit feu jusqu'à obtention d'une sauce épaisse et sans grumeaux. Goûtez l'assaisonnement et ajoutez un peu de chile en poudre si vous le désirez.

Faites revenir l'oignon, l'ail et les poivrons dans l'huile d'olive. Ajoutez-les à la sauce et laissez cuire 5 minutes. Ajoutez la chair de la dinde, les olives et les amandes, mélangez intimement et faites mijoter pendant 3 minutes.

JOSÉ WILSON (RÉDACTEUR)
HOUSE AND GARDEN'S NEW COOK BOOK

L'aliquid

Pour 6 à 8 personnes

Une dinde	4 à 4,5 kg
Couenne coupée en lardons et blanchie	100 g
Saindoux	30 g
Sel et poivre	
Bouquet garni	1
Lard et jambon finement hachés	60 g de chaque
Eau-de-vie	10 cl
Oignon haché	4 cuillerées à soupe
Carottes coupées en dés	2
Gousse d'ail écrasée	1
Farine	3 ou 4 cuillerées à soupe
Eau	1 l
Coulis de tomates	4 cuillerées à soupe

Coupez la dinde en morceaux d'égale grosseur. Faites-les roussir avec quelques morceaux de couenne dans du saindoux. Mettez ensuite ces morceaux dans une daubière avec sel, poivre, bouquet garni, lard et jambon, sans oublier l'eau-de-vie. Dans la graisse qui vient de vous servir pour faire roussir la dinde, faites revenir l'oignon haché, les carottes et la gousse d'ail. Saupoudrez de la farine que vous laisserez roussir un petit moment, mouillez avec l'eau et ajoutez le coulis de tomates. Laissez bouillir quelques minutes, et ajoutez cette préparation aux morceaux de dinde. Fermez hermétiquement la daubière et laissez cuire tout doucement pendant 2 heures.

RENÉ JOUVEAU
LA CUISINE PROVENÇALE

Dinde à la Tetrazzini

Turkey Tetrazzini-Style

Pour 6 personnes

Viande de dinde cuite, coupée en fines lanières	250 g
Spaghetti cuits, égouttés et hachés	90 g
Champignons émincés et sautés	60 g
Chapelure	30 g
Beurre	
Parmesan râpé	4 à 5 cuillerées à soupe

Sauce à la crème :

Beurre	30 g
Farine	3 cuillerées à soupe
Crème épaisse	25 cl
Fines rondelles d'oignon	2 ou 3
Brins de persil	3
Feuille de laurier	½
Clou de girofle	1
Sel et poivre	
Muscade râpée	

Faites une sauce avec le beurre, la farine et la crème préalablement bouillie avec l'oignon, le persil, le laurier et le clou de girofle et passée. Salez-la, poivrez-la et muscadez-la selon le goût. Lorsqu'elle est lisse et bouillante, incorporez la dinde, les spaghetti et les champignons. Mélangez bien et transférez dans un plat à four ou dans 6 petits moules individuels. Saupoudrez de chapelure mouillée avec un peu de beurre fondu et mélangée au parmesan râpé et faites gratiner à four modéré, préchauffé à 190° (5 au thermostat), pendant 10 à 15 minutes. Servez immédiatement.

LOUIS P. DE GOUY
THE GOLD COOK BOOK

Chaussons de dinde
Turkey Turnovers

Pour 4 personnes

Viande de dinde cuite (aile et/ou cuisse), hachée	250 g
Persil frais, haché menu	1 cuillerée à soupe
Ciboulette fraîche, hachée	1 cuillerée à soupe
Petits oignons blancs, hachés menu	1 cuillerée à soupe
Poivron vert haché	1 cuillerée à soupe
Jus de dinde	10 cl
Xérès sec	2 cuillerées à soupe
Sel et poivre	
Jaune d'œuf	1
Crème fraîche épaisse	2 cuillerées à soupe

Pâte :

Farine	125 g
Sel	1 pincée
Beurre	100 g
Eau glacée	5 à 10 cl

Mélangez la dinde, le persil, la ciboulette, les oignons et le poivron vert dans le jus de dinde. Ajoutez le xérès et assaisonnez. Préchauffez le four à 190° (5 au thermostat).

Pour la pâte, tamisez la farine et le sel dans une terrine.

Ajoutez le beurre en copeaux et travaillez avec le bout des doigts jusqu'à obtention d'une préparation friable. Versez juste assez d'eau glacée pour rassembler la pâte rapidement.

Sur une planche légèrement farinée, étalez la pâte au rouleau sur 3 mm d'épaisseur environ. Découpez des carrés de 10 cm. Posez une cuillerée à soupe de la garniture préparée sur chaque carré. Repliez la pâte sur la garniture, en triangle. Humectez les bords avec un peu d'eau et pincez soigneusement pour bien les fermer. Battez le jaune d'œuf avec la crème et dorez la pâte au pinceau. Disposez les chaussons sur une plaque à pâtisserie non graissée. Mettez au four pendant 15 minutes jusqu'à ce qu'ils soient bien dorés.

Sortez les chaussons du four, empilez-les sur un plat de service chaud dans une serviette chaude pliée et servez immédiatement.

DIONE LUCAS ET MARION GORMAN
THE DIONE LUCAS BOOK OF FRENCH COOKING

Boulettes de dinde au yaourt

Recette de E. Nizan, membre de la Comédie Française.

Pour 4 personnes

Poitrine de dinde débarrassée de sa peau et finement hachée	500 g
Feuilles de vigne jeunes et tendres ou feuilles de blette, ou feuilles de chou parées de leurs côtes et blanchies	30 g
Gros oignon finement haché	1
Mie de pain trempée dans du lait	60 g
Œufs	2
Sel et poivre	
Beurre	30 g
Jus de citron	2 cuillerées à soupe
Eau	10 cl
Yaourt nature	

Faites blanchir les feuilles de vigne dans l'eau bouillante pendant 1 minute. Préparez la farce avec le blanc de poitrine de la dinde, haché fin, l'oignon, la mie de pain, les œufs entiers, le sel et le poivre. Travaillez la farce jusqu'à ce qu'elle devienne bien consistante. Enveloppez dans chaque feuille de vigne une boulette de farce.

Mettez dans une casserole, en terre de préférence, un peu de beurre à fondre et placez chaque boulette avec précaution pour qu'elle ne se défasse pas.

Couvrez et laissez cuire à feu très doux, ajoutez du jus de citron et, de temps en temps, un peu d'eau chaude. Il faut que la sauce soit assez réduite. Dix minutes avant de servir, faites gratiner au four légèrement. Servez bien chaud. Ces boulettes se mangent recouvertes de yaourt.

GASTON DERYS
L'ART D'ÊTRE GOURMAND

Goulash de dinde

Porkölt von Puter

Cette recette d'origine hongroise peut se préparer avec d'autres volailles ou avec du gibier à plumes.

Pour 8 personnes

Une dinde coupée en morceaux	4 kg
Paprikaspeck ou bardes de lard gras enduites de paprika	500 g
Fond de poule ou de dinde	45 cl
Crème aigre	4 cuillerées à soupe
Tokay ou muscat sec	4 cuillerées à soupe

Bardez les morceaux de dinde dans le *paprikaspeck*. Faites-les brunir sur toutes leurs faces dans une casserole, puis mettez-les dans une cocotte. Versez 40 cl de fond de volaille, couvrez et faites braiser lentement au four préchauffé à 150° (2 au thermostat). Ajoutez la crème aigre à mi-cuisson.

Lorsque le braisage est terminé (environ 2 heures après), sortez la dinde, déglacez la cocotte avec le reste de bouillon et le vin et portez à ébullition. Vous pouvez servir cette sauce sans autre liaison.

IDA SCHULZE
DAS NEUE KOCHBUCH FÜR DIE DEUTSCHE KÜCHE

Pintade

Pintade rôtie au lard fumé

Roast Guinea-Fowl with Bacon

Pour 3 ou 4 personnes

Une grosse pintade, ou 2 petites (700 g à 1 kg), fourchette enlevée	1,5 kg
Sel et poivre fraîchement moulu	
Fleurs d'origan séchées	
Beurre	30 g
Huile	1 cuillerée à café
Bardes de lard fumé	175 g
Vin blanc sec	5 cuillerées à soupe

Saupoudrez l'intérieur de la volaille de sel, de poivre et d'une pincée d'origan. Ajoutez la noix de beurre. Troussez la pintade, enduisez-la de quelques gouttes d'huile, assaisonnez-la sur toutes ses faces de sel, de poivre, d'un peu d'origan et recouvrez la poitrine de bardes de lard fumé que vous maintiendrez avec de la ficelle. Mettez à four chaud, à 190° (5

au thermostat), dans un récipient creux et épais (plat à gratin, petite sauteuse, etc.) juste assez grand pour contenir la pintade. Comptez 45 à 50 minutes de cuisson pour une pintade adulte et 30 pour une jeune. De 8 à 10 minutes avant la fin de la cuisson, enlevez les bardes pour que la poitrine dore.

Coupez et enlevez les fils de troussage. Dressez la pintade dans un plat chaud. Enlevez l'excès de la graisse de cuisson et déglacez à feu vif avec le vin blanc jusqu'à ce qu'il ait réduit de moitié. Versez le jus obtenu dans une saucière chaude et servez la pintade avec une purée de marrons généreusement beurrée, dans laquelle vous aurez incorporé un hachis de cœur de céleri cru.

RICHARD OLNEY
THE FRENCH MENU COOKBOOK

Poulet d'Inde à la framboise farci

Cette recette date du milieu du XVIIᵉ siècle. Le poulet d'Inde était alors une pintade ou une dinde. Ici, nous avons utilisé une pintade, désossée selon la méthode décrite à la page 20. Si vous la faites rôtir à la broche, il vous faudra une broche filet (ou broche à panier). Vous obtiendrez du vinaigre de framboises en faisant macérer des framboises fraîches dans du vinaigre de vin rouge pendant un mois environ, à température ambiante. Passez ce vinaigre avant de l'utiliser.

Pour 2 personnes

Une pintade désossée	1,5 kg
Lard gras haché	100 g
Chair de veau hachée	125 g
Jaunes d'œufs	3
Sel et poivre	
Clou de girofle pilé	1 ou 2
Câpres	1 cuillerée à soupe
Bouillon de veau ou de poule	25 cl
Champignons émincés	125 g
Bouquet garni	1
Lard fumé, coupé en lardons	30 g
Farine	1 cuillerée à soupe
Vinaigre de framboises ou, à défaut, de vin rouge	2 cuillerées à soupe
Jus de citron	1 cuillerée à soupe
Framboises fraîches	

Après que le poulet d'Inde est habillé, levez-en le bréchet et tirez la chair que vous hacherez avec le lard et la chair de veau que vous mêlerez ensemble avec les jaunes d'œufs. Assaisonnez bien le tout. Vous remplirez votre poulet d'Inde avec la farce, le sel, le poivre, le clou battu et les câpres, puis le mettrez à la broche, et le ferez tourner bien doucement.

Étant presque cuit, tirez-le et mettez-le dans une terrine avec le bouillon, les champignons et un bouquet. Pour lier la sauce, prenez un peu de lard coupé, faites-le fondre dans une poêle, mêlez-y un peu de farine, que vous laisserez bien roussir, et délaierez avec un peu de bouillon et du vinaigre; mettez-la ensuite dans votre terrine avec le jus de citron et servez. Si c'est au temps des framboises, vous y mettrez une poignée par-dessus.

LA VARENNE
LE CUISINIER FRANÇOIS

Pigeon

Pigeonneaux à la catalane

Ce plat peut se servir directement dans la casserole. Vous pouvez également passer, dégraisser et faire réduire le jus de cuisson, verser la sauce sur les pigeonneaux et garnir le tout avec les gousses d'ail.

Pour 4 personnes

Pigeonneaux, foies réservés	4
Beurre ou graisse d'oie fondue	30 g
Jambon cru coupé en dés	2 à 3 cuillerées à soupe
Farine	1 cuillerée à soupe
Vin blanc sec	8 cl
Fond de volaille ou de veau	4 cuillerées à soupe
Gousses d'ail épluchées, blanchies pendant 5 minutes dans l'eau bouillante salée et égouttées	24
Bouquet garni	1

Farce:

Foies des pigeonneaux hachés menu	
Jambon cuit, haché menu	1 cuillerée à soupe
Mie de pain fraîche, émiettée	75 g
Œuf	1
Persil haché	1 cuillerée à soupe
Ail haché menu	½ cuillerée à café
Sel et poivre	
Thym séché et feuille de laurier émiettée	
Cognac	1 cuillerée à café

Garnir les pigeons avec la farce préparée (en mélangeant tous les ingrédients). Les trousser et les mettre à revenir au beurre (ou à la graisse d'oie comme on le fait en pays catalan) dans une casserole en terre, avec le jambon cru. Les pigeonneaux étant dorés de toutes parts, les transférer de la casserole sur un plat chaud. Mettre dans le beurre de cuisson la farine. Faire blondir cette dernière. Mouiller avec le vin et le fond de volaille. Bien mélanger. Remettre les pigeonneaux dans la casserole. Ajouter les gousses d'ail. Il ne faut pas s'effrayer d'une telle quantité de gousses d'ail: ainsi traité, l'ail n'a ni l'âcreté, ni le «parfum» un peu violent qu'il a lorsqu'on le fait revenir à cru, entier ou haché. Ajouter le bouquet garni. Cuire au four, à couvert, pendant 45 minutes, à 170° (3 au thermostat).

PROSPER MONTAGNÉ
MON MENU

Pigeonneaux à la casserole

Pour 6 personnes

Pigeonneaux, foies hachés réservés	6
Sel et poivre	
Bardes de lard	6
Beurre	30 g
Eau-de-vie	2 cuillerées à soupe
Vin blanc sec	5 cuillerées à soupe

Farce:

Foies des pigeonneaux hachés	
Mie de pain	40 g
Lait	20 cl
Beurre	125 g
Sel et poivre	
Persil haché	1 cuillerée à café
Jaunes d'œufs	2

Après avoir plumé et nettoyé les pigeonneaux, hacher les foies et les mélanger avec la mie de pain trempée dans le lait et le beurre, assaisonner cette petite farce de sel et de poivre, ajouter le persil et les jaunes d'œufs, mélanger le tout avec soin et diviser en six parties égales; farcir les pigeonneaux après les avoir légèrement salés à l'intérieur et à l'extérieur; les envelopper avec les bardes de lard et les ficeler tout simplement sans les brider.

Mettre les pigeonneaux dans une casserole dans laquelle on aura fait fondre le beurre, couvrir la casserole et laisser cuire à feu doux pendant 18 à 20 minutes. Au moment de servir, retirer les ficelles, ajouter l'eau-de-vie et le vin blanc, couvrir la casserole et servir.

ESCOFFIER
LE CARNET D'ÉPICURE

Pigeons farcis

Pour 2 à 4 personnes

Pigeons, foies hachés réservés	2
Beurre	60 g
Fond de volaille ou de veau, ou eau	4 à 5 cuillerées à soupe

Farce :

Beurre	15 g
Oignon haché	1 cuillerée à soupe
Lard maigre haché	3 cuillerées à soupe
Foies de pigeon hachés	2
Foie de poulet haché (facultatif)	1 ou 2
Mie de pain fraîche, émiettée	3 à 4 cuillerées à soupe
Persil haché	1 cuillerée à café
Sel, poivre et épices	
Jaunes d'œufs	2

Pour faire la farce, faire fondre le beurre dans une casserole, ajouter l'oignon, le laisser cuire doucement 6 à 8 minutes, puis ajouter le lard. Dès que celui-ci devient transparent, au bout de 10 minutes, ajouter les foies des pigeons et éventuellement ceux de poulet, la mie de pain, le persil haché, le sel, le poivre, les épices, et les jaunes d'œufs. Mélanger le tout.

Farcir les pigeons, les trousser et les faire cuire à couvert avec le beurre pendant 30 à 35 minutes, à feu doux, en les retournant de temps en temps. Au moment de servir, enlever les ficelles, ajouter le fond de volaille ou, à défaut, de l'eau chaude et porter à ébullition pendant quelques secondes jusqu'à ce que le fond et le beurre soient bien mélangés.

ESCOFFIER
LE CARNET D'ÉPICURE

Pigeonneaux à la languedocienne

Pour 2 personnes

Pigeonneaux	2
Sel et poivre	
Paprika	
Œufs battus avec 1 cuillerée à soupe d'huile	2
Mie de pain fraîche, émiettée	
Beurre clarifié	

Garnitures :

Pommes de terre nouvelles	500 g
Beurre	50 g
Sel et poivre	
Aubergines moyennes	2
Huile d'olive	4 cuillerées à soupe
Oignon finement haché	1 cuillerée à soupe
Tomates	4
Gousse d'ail finement hachée	1
Persil haché	1 cuillerée à soupe
Lames de citron	4

Sauce :

Abattis et os des pigeonneaux	
Beurre	30 g
Carotte détaillée en gros dés	1
Oignon moyen détaillé en gros dés	1
Sel et poivre	
Farine	1 cuillerée à soupe
Vin blanc sec	10 cl
Bouillon	20 cl
Bouquet garni	
Petite gousse d'ail écrasée	1
Moutarde de Dijon	1 ou 2 cuillerées à soupe
Zeste de citron détaillé en fine julienne blanchi et égoutté	1 cuillerée à soupe
Câpres	1 cuillerée à soupe
Jus de citron	1 cuillerée à soupe

Fendre les oiseaux sur le dos (après les avoir vidés, flambés et épluchés) et les désosser complètement (les os et les parures seront utilisés pour préparer une sauce dont la recette est donnée ci-après). Aplatir légèrement les pigeonneaux, les assaisonner de sel et de paprika (poivre rose), les tremper dans l'œuf battu avec une cuillerée d'huile, sel et poivre et les paner, c'est-à-dire les recouvrir de mie de pain fraîchement passée, mie de pain que l'on fera bien adhérer en appuyant dessus du plat d'un couteau. Faire cuire les pigeonneaux pendant 20 minutes au beurre clarifié, dans un sautoir (ou à la poêle), en les faisant bien dorer des deux côtés.

Avant de mettre les pigeonneaux à cuire, on aura préparé la garniture suivante : *Galette de pommes de terre :* cuire à la poêle, au beurre, les pommes de terre nouvelles détaillées en minces rondelles. Assaisonner ces pommes de sel et de poivre. Appuyer dessus avec le dos d'une fourchette de façon à bien les tasser dans la poêle. Les cuire sur feu vif à la façon d'une grosse crêpe. *Aubergines sautées :* détailler en gros dés les aubergines pelées. Faire sauter ces aubergines à la poêle, à l'huile. Les assaisonner de sel et de poivre. *Fondue de tomates :* faire fondre dans 2 cuillerées d'huile une cuillerée d'oignon finement haché. Ajouter à cet oignon, lorsqu'il est cuit, les tomates pelées, pressées et hachées un peu gros. Assaisonner de sel et de poivre, condimenter d'une pointe d'ail. Cuire jusqu'à ce que soit évaporée l'eau de végétation des tomates. Ajouter une petite cuillerée de persil haché.

Sauce languedocienne: faire revenir dans 15 g de beurre les abattis et les os des pigeonneaux avec carotte et oignon moyens coupés en gros dés. Assaisonner de sel et de poivre. Saupoudrer d'une cuillerée de farine. Faire blondir légèrement. Mouiller avec le vin blanc sec et le bouillon (ou de l'eau additionnée d'un peu de glace de viande). Ajouter le bouquet garni, la gousse d'ail écrasée. Cuire 40 minutes. Passer à la passoire fine. Remettre la sauce dans la casserole. La faire bouillir: y ajouter, en dernier lieu, la moutarde, le zeste de citron, blanchi et égoutté, les câpres, une cuillerée de beurre et un filet de jus de citron.

Tous ces articles étant prêts, on finira ainsi le plat. Dresser les pigeonneaux sur un plat rond en les plaçant sur la galette de pommes. Mettre tout autour les aubergines et la fondue de tomates et les disposant par bouquets. Arroser les pigeonneaux avec le beurre de cuisson et mettre dessus les lames de citron pelées à vif. Servir la sauce à part.

PROSPER MONTAGNÉ
MON MENU

Pigeon bressane

Pour 6 personnes

Pigeons, foies et cœurs réservés	6
Sel	1 cuillerée à café
Poivre blanc fraîchement moulu	1 cuillerée à café
Beurre	15 g
Carotte taillée en brunoise	1
Oignon taillé en brunoise	1
Vin blanc sec et eau	10 cl de chaque

Farce:

Beurre frais	40 g
Champignons taillés en brunoise	125 g
Sel et poivre	
Foies et cœurs des pigeons grossièrement hachés	
Oignons hachés	100 g
Riz	175 g
Fond de volaille	35 cl

Pour préparer la farce, faites fondre 15 g de beurre dans une casserole, ajoutez les champignons et faites-les revenir pendant 5 à 6 minutes, jusqu'à ce qu'ils aient évaporé tout leur jus. Salez, poivrez, ajoutez les cœurs et les foies hachés et faites-les revenir à feu moyen pendant 2 minutes. Réservez.

Faites fondre le reste de beurre dans une autre casserole et mettez les oignons à dorer pendant 1 minute. Ajoutez le riz et mélangez bien pour que tous les grains soient enduits de beurre. Versez le fond de volaille, portez à ébullition, couvrez et laissez cuire à petit feu pendant 20 minutes. Mélangez avec la préparation aux champignons et vérifiez l'assaisonnement. Remplissez les pigeons de cette farce, sans la tasser, et troussez-les selon la technique habituelle.

Salez et poivrez les pigeons. Dans une grande cocotte contenant le beurre fondu, faites-les revenir à feu moyen pendant 10 minutes environ, jusqu'à ce qu'ils soient bien dorés sur toutes leurs faces. Ajoutez la carotte et l'oignon, baissez le feu et laissez mijoter 15 minutes. Versez le vin et l'eau, couvrez et faites mijoter encore 30 minutes. Dressez les pigeons sur un grand plat de service, enlevez les fils de troussage et servez immédiatement, arrosé de jus passé.

JACQUES PÉPIN
A FRENCH CHEF COOKS AT HOME

Tourte de pigeon

Squab Pie

D'après une vieille recette américaine de Lynchburg, Virginie.

Pour 4 personnes

Pigeons troussés	2
Sel et poivre	
Oignon piqué de 2 ou 3 clous de girofle	1
Beurre	2 cuillerées à soupe
Persil haché	2 cuillerées à soupe
Thym haché	1 cuillerée à café
Œufs durs	2
Lait ou crème	15 cl
Biscuits salés émiettés	2 cuillerées à soupe
Pâte brisée *(page 167)*	250 g

Mettez les pigeons dans une casserole fermant hermétiquement et couvrez-les d'eau bouillante. Salez, ajoutez l'oignon clouté et faites pocher à petit feu jusqu'à ce que les pigeons soient tendres. Sortez-les, égouttez-les, épongez-les et farcissez chaque pigeon avec une cuillerée à café de beurre, un peu de poivre, du sel, du persil et du thym hachés, puis avec un œuf dur. Dressez-les dans un grand plat à four rond en terre cuite de 8 à 10 cm de profondeur. Mouillez avec le bouillon de pochage passé. Ajoutez le reste de beurre, le lait ou la crème, les miettes de biscuit, le reste de persil et de thym et un peu de sel. Mettez également quelques morceaux de pâte. Couvrez avec la pâte brisée et mettez au four préchauffé à 180° (4 au thermostat) pendant 30 à 40 minutes.

MRS HELEN CLAIRE BULLOCK
THE WILLIAMSBURG ART OF COOKERY

Pigeons bouillis au riz

Recette de l'époque de Shakespeare, extraite d'un livre de cuisine de 1609. Aussi bonne qu'originale.

Pour 4 personnes

Pigeons	4
Thym, persil et marjolaine	4 bouquets
Beurre	30 g
Huile	1 cuillerée à soupe

Bouillon de mouton :

Os de mouton ou d'agneau avec un peu de viande autour	
Eau	1 l
Bouquet garni	1
Carotte moyenne coupée en rondelles	1
Oignon moyen émincé	1
Sel et poivre	

Riz :

Riz à grain long	40 g
Crème fleurette	60 cl
Gros citron finement pelé	1
Sucre	
Noix de muscade en poudre	½ cuillerée à café

Faites mijoter les ingrédients du bouillon pendant 3 à 4 heures (ceci peut être fait à l'avance). Filtrez et réduisez à 75 cl. Salez et poivrez.

Dans une cocotte, mettez le riz, la crème, le citron et la muscade. Faites cuire au four à 130-140° (1 au thermostat). Remuez la croûte de temps en temps et ajoutez de la crème si le contenu est trop sec. Laissez de 2 à 3 heures — plus un pudding de riz cuit lentement, meilleur il est.

Introduisez les herbes aromatiques dans les pigeons. Faites-les revenir au beurre et à l'huile. Ensuite, disposez-les serrés dans une cocotte, sur le ventre, et recouvrez à peine avec le bouillon bouillant. Laissez mijoter sur la cuisinière, ou au four avec le riz. Dans le second cas, portez le contenu de la cocotte à ébullition avant de la mettre au four.

Enlevez le bréchet quand la chair commence à s'en détacher et coupez chaque pigeon en deux. Dressez sur un plat de service et tenez au chaud.

Faites réduire le bouillon à demi-glace.

Sucrez et saupoudrez de muscade le pudding de riz. Versez sur les pigeons et pressez le citron sur le tout ; servez la sauce séparément.

JANE GRIGSON
GOOD THINGS

Pigeons aux pois

Pour 4 personnes

Pigeons coupés en 4	2
Petits pois fins écossés	500 g
Beurre	60 g
Bouquet garni	1
Farine	1 cuillerée à café
Bouillon	20 cl
Coulis (ou à défaut 3 jaunes d'œufs délayés dans un peu de bouillon)	1 cuillerée à soupe
Sucre	1 cuillerée à café
Sel	

Mettez les morceaux de pigeon dans une casserole avec les petits pois fins, un morceau de beurre, le bouquet ; passez-les sur le feu, mettez-y la farine et mouillez avec du bon bouillon.

Quand ils sont cuits (30 à 40 minutes), mettez-y une cuillerée de coulis, un peu de sucre et du sel fin.

MENON
LA CUISINIÈRE BOURGEOISE

Canard

Canetons nantais

Pour 2 ou 3 personnes

Un caneton	3 kg
Petits pois frais écossés	2 kg
Petits oignons	12
Beurre	30 g
Lard de poitrine fumé, coupé en lardons	100 g
Fond de veau	4 cuillerées à soupe
Bouquet de sarriette	1

Faire rôtir le caneton au four, à 220° (7 au thermostat) pendant environ 45 minutes ; retirer, dégraisser. Ensuite faire cuire quelques minutes à grande eau les petits pois nouveaux, glacer les petits oignons, les égoutter ainsi que les petits pois. Joindre le lard de poitrine fumé, mettre le tout autour du caneton, assaisonner, mouiller avec le fond de veau et laisser mijoter jusqu'à parfaite cuisson (de 20 à 30 minutes environ). Ne pas oublier de mettre le bouquet de sarriette, ce qui est indispensable pour les petits pois. Servir très chaud.

AUSTIN DE CROZE
LES PLATS RÉGIONAUX DE FRANCE

Canard rôti aux concombres

Roast Duck with Cucumbers

Adaptation de la recette anglaise «To Dress a Duck with Cucumbers» publiée en 1747 par Hannah Glasse, célèbre auteur d'ouvrages culinaires.

Pour 4 à 6 personnes

Deux canards	3 kg chacun
Concombres pelés, épépinés et coupés en dés de 1 cm	3
Gros oignons émincés	2
Vin rouge de Bordeaux	15 cl
Farine	
Sel et poivre	
Beurre	90 g
Bouillon	30 cl
Riz	250 g
Persil haché	1 cuillerée à soupe

Mélangez les concombres et les oignons avec le vin et laissez macérer 2 heures.

Placez chaque canard dans un plat à rôtir. Farinez, salez et poivrez les blancs et les cuisses. Recouvrez toute la volaille de 30 g de beurre en copeaux. Mettez au four préchauffé à 200° (6 au thermostat). Au bout de 20 minutes, sortez les canards et piquez la peau avec une fourchette pointue ou avec une brochette en une douzaine d'endroits, en prenant soin de ne pas percer la chair. La graisse pourra ainsi s'écouler et vous obtiendrez une peau fine et croustillante avec une viande pas trop grasse. Remettez les canards au four refroidi à 170° (3 au thermostat). Laissez-les 20 minutes, ressortez-les et piquez-les légèrement à nouveau. Si les blancs sont déjà bien dorés, recouvrez-les avec du papier sulfurisé ou d'aluminium. Remettez 20 minutes au four.

Égouttez les concombres et les oignons en réservant le vin et faites-les revenir dans 30 g de beurre. Saupoudrez le tout d'une pincée de farine et mélangez 3 ou 4 minutes après. Assaisonnez bien, versez le bouillon et le vin rouge réservé et laissez cuire à l'étuvée pendant 15 minutes.

Faites cuire le riz dans l'eau salée pendant 20 minutes environ. Égouttez-le et incorporez le reste de beurre. Sortez

les canards de leur plat et découpez-les. Dressez les morceaux sur un plat et nappez-les de sauce. Garnissez avec une couronne de riz saupoudrée de persil haché. Servez avec du pain bien croustillant.

ELISABETH AYRTON
THE COOKERY OF ENGLAND

Caneton rôti en sauce

Basic Roast Duckling and Sauce

Pour 4 personnes

Un caneton, abattis hachés	2 à 2,5 kg
Sel et poivre	
Romarin séché	½ cuillerée à café
Branche de céleri grossièrement hachée	1
Carotte, oignon et tomate grossièrement hachés	1 de chaque
Bouillon	25 cl

Sauce aux baies de sureau et au gingembre:

Sucre	3 cuillerées à soupe
Beurre	15 g
Vinaigre de cidre	5 cuillerées à soupe
Compote de baies de sureau (facultatif)	250 g
Cognac	3 cuillerées à soupe
Gingembre frais haché menu, ou ½ cuillerée à café de gingembre en poudre (facultatif)	1 cuillerée à café

Préchauffez le four à 230° (8 au thermostat).

Enlevez l'excès de graisse de l'intérieur du caneton. Frottez-le, à l'intérieur et à l'extérieur, avec du sel, du poivre et du romarin. Piquez la peau des hauts-de-cuisse et du blanc pour que la graisse puisse s'écouler. Placez le caneton et les abattis hachés dans un plat. Mettez dans le four préchauffé à 230° (8 au thermostat). Au bout de 30 à 40 minutes, abaissez la température à 180° (4 au thermostat) et laissez rôtir environ 1 heure. Sortez-le du plat et réservez au chaud.

Jetez toute la graisse du plat en n'y laissant que 2 cuillerées à soupe. Faites-y sauter les légumes hachés pendant 10 minutes sans cesser de remuer. Déglacez avec le bouillon et passez la sauce. Vous pouvez la servir telle quelle ou l'agrémenter de baies de sureau et de gingembre.

Faites fondre le sucre et le beurre dans une casserole et remuez jusqu'à ce que le mélange brunisse. Versez le vinaigre et faites réduire de moitié à feu vif. Incorporez la compote de baies de sureau, la sauce du caneton, le cognac et le gingembre. Remuez et faites cuire à feu doux pendant 10 minutes. Goûtez et ajoutez du sel si besoin est. Découpez le caneton en 4, nappez de sauce et servez.

ALBERT STOCKLI
SPLENDID FARE, THE ALBERT STOCKLI COOKBOOK

Canard des quatre Länder

Vierländer Ente

Pour préparer la sauce du canard, dégraissez bien les sucs de cuisson avant de les déglacer avec le bouillon et la crème.

Pour 3 ou 4 personnes

Un canard	2 kg
Beurre	90 g
Bouillon	50 cl
Crème aigre	5 cuillerées à soupe

Farce :

Jambon coupé en dés	200 g
Beurre	60 g
Pommes moyennes épluchées, évidées et coupées en rondelles	3
Chapelure	4 cuillerées à soupe

Badigeonnez entièrement le canard de beurre. Pour préparer la farce, faites revenir le jambon dans le beurre et mélangez avec les pommes et la chapelure. Farcissez le canard de ce mélange et bridez. Faites rôtir 1 heure à 220° (7 au thermostat). Préparez une sauce avec le jus de cuisson, le bouillon et la crème aigre et servez cette sauce séparément.

MARIA ELISABETH STRAUB
GRÖNEN AAL UND RODE GRÜTT

Canard désossé farci au four

Roasted Stuffed Boneless Duck

La technique utilisée pour désosser et farcir est toujours la même mais les farces varient selon les régions. Cette recette est d'origine cantonaise. Pour désosser le canard, reportez-vous aux explications données page 20.

Pour 4 ou 6 personnes

Un canard, abattis réservés	2,5 kg
Champignons séchés	90 g
Eau chaude	25 cl
Riz gluant ou riz piémontais	400 g
Eau froide	60 cl
Saucisses chinoises ou saucisses italiennes (*Salsiccia loganica*)	4
Huile	2 cuillerées à soupe
Sel	4 cuillerées à café
Tranche de gingembre frais de 1 cm d'épaisseur environ	1

Faites tremper les champignons dans l'eau chaude pendant 20 minutes. Égouttez-les, parez les pieds, coupez-les en dés.

Dans une casserole de 2 litres, mettez le riz dans l'eau froide. Portez à ébullition, puis couvrez et laissez cuire 10 minutes à petit feu. Éteignez le feu sans découvrir ni remuer le riz et laissez le riz gonfler pendant 20 minutes.

Faites cuire les saucisses chinoises dans 25 cl d'eau pendant 6 minutes. Jetez l'eau. Laissez refroidir les saucisses et coupez-les en dés.

Faites sauter les champignons dans l'huile pendant 1 minute. Ajoutez les saucisses et mélangez. Incorporez ensuite le riz et mélangez bien. Ajoutez 2 cuillerées à café de sel et mélangez encore.

Désossez le canard en laissant la chair et la peau intactes. Retournez-le, côté peau à l'intérieur. Frottez de gingembre et saupoudrez avec les 2 cuillerées à café de sel qui restent. Remettez le canard à l'endroit. Fourrez-le de farce et troussez-le. Recouvrez une grille de four avec une feuille de papier d'aluminium dans laquelle vous percerez des trous pour que l'air puisse circuler.

Préchauffez le four à 190° (5 au thermostat). Versez 4 cm d'eau froide dans la lèchefrite. Posez le canard sur la grille, au-dessus de la lèchefrite, et laissez rôtir 1 heure et demie.

Pour servir, coupez le canard farci avec un couteau ou une cuillère en portions égales.

GRACE ZIA CHU
MADAME CHU'S CHINESE COOKING SCHOOL

Caneton grillé

Grilled Duckling

Pour 4 personnes

Un caneton coupé en 4, lavé, séché et paré	2,5 à 3 kg
Sel (gros de préférence)	

Marinade :

Huile	15 cl
Vinaigre de vin rouge	10 cl
Sel et poivre noir fraîchement moulu	
Gros oignon émincé	1
Gousses d'ail émincées	3
Feuilles de laurier émiettées	2

Dans une terrine assez grande pour que les quarts de caneton soient côte à côte, préparez la marinade en mélangeant l'huile, le vinaigre, le sel et un peu de poivre. Ajoutez l'oignon, l'ail et les feuilles de laurier. Disposez les morceaux de volaille dans cette marinade, imbibez-les bien et laissez macérer à température ambiante pendant 3 heures au moins, en retournant les morceaux toutes les demi-heures.

Le caneton ayant bien macéré, il est prêt à griller: retirez-le de la marinade. Passez cette dernière et enlevez les légumes. Préchauffez le four, la grille placée au cran le plus élevé. Dressez les quarts de caneton sur le gril, côté peau vers le bas. Saupoudrez légèrement de gros sel et faites griller à 10 cm de la source de chaleur ou en baissant la grille pour que la viande brunisse lentement sans se carboniser. Mouillez toutes les 10 minutes environ avec la marinade. Tournez la volaille de l'autre côté, salez et faites griller de 10 à 15 minutes environ en arrosant deux ou trois fois avec la marinade. Lorsque le caneton est tendre et bien doré, dressez-le sur un plat de service chaud, versez les jus dégraissés dessus et servez immédiatement.

LES RÉDACTEURS DES ÉDITIONS TIME-LIFE
FOODS OF THE WORLD — AMERICAN COOKING

Canard laqué de Pékin
Peking Duck

Le canard laqué de Pékin est un plat de renommée internationale qui est, en fait, très simple à réaliser. Il doit sa célébrité à la fois à sa préparation et à la manière dont on le déguste, roulé dans une crêpe. Les crêpes sont plus petites et plus sèches que les pannequets car elles ne contiennent pas d'œuf.

Pour 4 personnes

Un canard	1,5 à 2 kg
Sucre de malt	1 cuillerée à café
Sauce de soja	2 cuillerées à soupe
Sauce aux prunes salées	8 cuillerées à soupe
Marmelade de pâte de soja sucrée ou sauce hoisin	8 cuillerées à soupe
Petits oignons frais parés et coupés dans le sens de la longueur	10
Concombre épluché et coupé en bâtonnets de 5 cm de longueur environ	½

Crêpes :

Farine	250 g
Eau	25 cl
Huile	

Nettoyez le canard, placez-le dans une terrine, ébouillantez-le bien avec le contenu d'une grande bouilloire d'eau et sortez-le immédiatement. Séchez-en l'intérieur et l'extérieur avec une serviette en papier. Suspendez-le par le cou et laissez-le sécher toute une nuit dans un endroit aéré.

Diluez le sucre de malt dans la sauce de soja et enduisez le canard de cette préparation. Laissez sécher, dressez dans un plat à four et faites rôtir pendant 1 heure sur la grille du four préchauffé à 190° (5 au thermostat), sans arroser.

Pendant ce temps, préparez les crêpes. Dans une terrine, versez progressivement l'eau bouillante sur la farine. Mélangez bien avec une cuillère en bois, sans pétrir. Couvrez avec un linge et laissez reposer 20 minutes.

Donnez à votre pâte la forme d'un long rouleau de 5 cm de diamètre. Découpez des rondelles de 1 cm d'épaisseur, met-tez-les en boules et aplatissez-les en galettes de 0,5 cm d'épaisseur.

Lorsqu'il ne vous reste plus de pâte à crêpe, farinez les galettes et abaissez-les en crêpes aussi fines que du papier. Faites-les cuire à feu doux dans une poêle épaisse légèrement huilée en comptant 75 secondes pour chaque côté. Les crêpes sont prêtes quand elles commencent à s'enrouler et à faire des bulles. Sortez-les doucement de la poêle, empilez-les, couvrez-les avec un linge humide et réservez.

Pour servir le canard, commencez par découper la peau croustillante en carrés de 3 à 5 cm de côté, puis émincez la chair. Servez la peau, la viande, la sauce aux prunes, la marmelade, les petits oignons et le concombre dans des plats séparés. Arrosez chaque crêpe d'une cuillerée de sauce, mettez du concombre et de l'oignon au milieu, ajoutez la peau et la viande du canard et enroulez le tout dans la crêpe.

La carcasse bouillie avec beaucoup de chou se sert traditionnellement comme soupe en fin de repas.

KENNETH LO
CHINESE FOOD

Canard laqué au miel
Roast Honey Duck

Pour 6 à 8 personnes

Un canard	2 à 2,5 kg
Sel	
Gousses d'ail pilées	2
Petits oignons hachés menu	2 ou 3
Sauce de soja	3 cuillerées à soupe
Xérès	3 cuillerées à soupe
Miel	2 cuillerées à soupe
Eau bouillante	25 cl

Essuyez le canard avec un linge humide. Frottez légèrement de sel à l'intérieur et à l'extérieur. Préchauffez le four à 180° (4 au thermostat).

Mélangez l'ail et les petits oignons avec la sauce de soja et le xérès et séparez la préparation en deux.

Mélangez le miel avec une moitié de la préparation obtenue. Frottez le tout sur la peau du canard et laissez sécher quelques minutes. Répétez l'opération. (Réservez le reste du mélange au miel et diluez-le dans l'eau bouillante pour le mouillement. Versez l'autre moitié de la préparation de soja dans le canard. Enfournez sur la grille au-dessus de la lèchefrite contenant quelques centimètres d'eau.

Laissez rôtir de 1 heure trois quarts à 2 heures en arrosant toutes les 15 minutes avec le mélange au miel que vous avez réservé. (A mesure que l'eau de la lèchefrite s'évapore, remplacez-la.)

GLORIA BLEY MILLER
THE THOUSAND RECIPE CHINESE COOKBOOK

Le canard laqué aux aromates cantonais

Cantonese Aromatic Roast Duck

Pour 6 personnes

Un canard	2 kg
Sauce de soja	10 cl
Vin blanc sec	2 cuillerées à soupe
Gousse d'ail	½
Pâte de soja	½ cuillerée à soupe
Sucre	1 cuillerée à café
Ecorce d'orange râpée	1 cuillerée à café
Petit oignon nettoyé	1
Un morceau de gingembre vert, frais et épluché	
Huile	5 cuillerées à soupe

Fourrez le canard avec la sauce de soja, le vin, l'ail, la pâte de soja, le sucre, l'écorce d'orange râpée, le petit oignon et le gingembre. Fermez l'ouverture en la cousant avec du fil de cuisine.

Huilez la peau du canard. Mettez au four à 170° (3 au thermostat) pendant 1 heure en badigeonnant la peau d'huile toutes les 10 minutes. Laissez refroidir ; puis réfrigérez-le et coupez-le en petits morceaux. Servez froid.

YU WEN MEI ET CHARLOTTE ADAMS
100 MOST HONORABLE CHINESE RECIPES

Canard Holstein

Ente auf Holsteiner Art

Pour 2 ou 3 personnes

Un canard, foie et gésier réservés	1,5 à 2 kg
Sel et poivre	
Marjolaine	
Eau salée (avec 2 cuillerées à café de sel)	3 à 4 cuillerées à soupe
Crème aigre	25 cl
Farce :	
Foie et gésiers hachés	
Pommes à cuire épluchées et coupées en petits morceaux	1 kg
Oignon moyen haché	1
Jambon cru, coupé en dés	250 g
Œufs	2
Mie de pain fraîche, émiettée	2 cuillerées à soupe

Salez, poivrez et parsemez de marjolaine l'intérieur et l'extérieur du canard. Mélangez le foie et le gésier avec les pommes, l'oignon, le jambon, les œufs et la mie de pain.

Farcissez le canard de ce mélange et bridez-le. Placez-le sur le ventre dans un plat à rôtir rincé à l'eau, mouillez-le légèrement avec de l'eau et faites rôtir à four modéré (180°, 4 au thermostat). Retournez le canard au bout de 15 minutes. Arrosez fréquemment avec le jus de cuisson. Piquez la chair sous les ailes et les cuisses. Dès que le jus de cuisson commence à brunir, remettez un peu d'eau. Après 60 ou 70 minutes de cuisson, versez l'eau salée sur le canard pour que la peau devienne croustillante. Laissez rôtir encore 10 minutes. Sortez le canard du four, et découpez-le. Dégraissez la sauce avec un peu d'eau et faites réduire. Ajoutez la crème aigre et assaisonnez selon le goût avec du sel et de la marjolaine.

Cette recette peut également se faire avec une oie.

JUTTA KÜRTZ
DAS KOCHBUCH AUS SCHLESWIG-HOLSTEIN

Canard braisé à la sauce aux noix et aux grenades

Fesenjan

Pour 4 personnes

Un canard coupé en 4 et débarrassé de toute graisse apparente	2 à 2,5 kg
Huile d'olive	4 cuillerées à soupe
Oignons moyens coupés en tranches	2
Curcuma	½ cuillerée à café
Cerneaux de noix pulvérisés au mixer ou au pilon dans un mortier, plus 1 cuillerée à soupe de noix grossièrement hachées (facultatif)	500 g
Eau	1 l
Sel et poivre gris	
Sirop de grenade en bouteille ou jus de fruit frais	4 cuillerées à soupe
Jus de citron	5 cuillerées à soupe
Sucre	60 g

Faites chauffer l'huile d'olive, sur feu moyen, dans un poêlon à fond épais. Faites-y revenir les oignons et le curcuma pendant 8 à 10 minutes, en remuant fréquemment, de manière à bien faire dorer les oignons. Mettez-les dans une cocotte de 5 à 6 litres. Ajoutez les noix en poudre, l'eau, le sel et quelques pincées de poivre et mélangez soigneusement le tout. Portez à ébullition sur feu vif, baissez le feu et laissez mijoter, à demi-couvert, pendant 20 minutes.

Pendant ce temps, remettez le poêlon sur le feu jusqu'à dégagement d'une légère buée. Placez-y le canard et faites-le dorer légèrement, en tournant les morceaux. Ajoutez de l'huile si besoin est et réglez le feu de manière à dorer la volaille uniformément sans la brûler.

Ajoutez les morceaux de canard au mélange à base de noix et retournez-les avec une cuillère pour bien les enrober. Portez à ébullition, baissez le feu, couvrez hermétiquement et laissez mijoter 1 heure et demie, jusqu'à ce que le canard soit tendre.

Avec une grande cuillère, dégraissez la sauce aux noix autant que possible. Mélangez le sirop ou le jus de grenade, le jus de citron et le sucre et incorporez à la sauce. Laissez mijoter encore 30 minutes. Goûtez l'assaisonnement.

Pour servir, dressez les morceaux de canard sur un plat chaud et nappez de 30 cl de sauce environ. Parsemez de noix grossièrement hachées. Servez le reste de la sauce à part.

LES RÉDACTEURS DES ÉDITIONS TIME-LIFE
FOODS OF THE WORLD — THE COOKING OF THE MIDDLE EAST

Dodine de canard à la ménagère

La dodine à la ménagère peut se préparer avec toutes espèces de canards, oies et gibier à plumes. Le temps de cuisson dépendra de la nature du volatile : à poids égal, compter approximativement 20 minutes de plus pour une oie que pour un canard. Lorsqu'il s'agit du canard ou de l'oie, le croupion doit toujours être rejeté.

Pour 6 personnes

Un canard	4 kg
Sel et poivre	
Quatre-épices	1 pincée
Gros oignons finement hachés	2 ou 3
Eau-de-vie	10 cl
Vin blanc ou rouge	50 cl
Lard gras	100 g
Huile d'olive	1 cuillerée à soupe
Bouquet garni	1
Têtes de champignons frais (facultatif)	125 g

On coupe la pièce à dodine, soit canard ou autre gibier, en morceaux carrés de 60 à 80 g environ, ces morceaux seront mis dans une terrine; on les assaisonne de sel, poivre, épices, on y ajoute les oignons, le tout arrosé de deux ou trois petits verres d'eau-de-vie et mouillé avec le vin blanc ou rouge; l'un et l'autre sont parfaits à la condition que ces vins soient naturels. Couvrir la terrine et laisser mariner pendant quelques heures.

Hacher ou râper le lard gras, le mettre au fond de la daubière en y joignant l'huile d'olive. Mettre la daubière sur un feu doux, dès que le lard commencera à chauffer, ajouter les morceaux de canard que l'on aura égouttés de la marinade. Couvrir la daubière, laisser étuver les chairs de 15 à 20 minutes; ajouter alors la marinade, compléter l'assaisonnement en joignant le bouquet garni, composé de branches de persil, une feuille de laurier, une gousse d'ail et brindilles de thym, le tout bien ficelé. Si l'on peut y joindre quelques têtes de champignons frais, l'assaisonnement sera complet. Couvrir la daubière, cuire à petit feu, sur la cendre si possible, pendant 2 heures. La daubière doit être servie sur table, accompagnée d'un plat de nouilles ou de toutes autres pâtes à la disposition de la ménagère.

ESCOFFIER
LE CARNET D'ÉPICURE

Canard à la sauce aigre-douce

Anitra in agrodolce

Pour 3 ou 4 personnes

Un canard	2 à 2,5 kg
Gros oignons finement émincés	2
Beurre	60 g
Sel et poivre	
Farine	
Clous de girofle moulus	
Fond de veau ou de volaille, ou eau	40 cl
Menthe fraîche hachée	2 cuillerées à soupe
Sucre	2 cuillerées à soupe
Vinaigre de vin	2 cuillerées à soupe

Faites fondre les oignons dans le beurre. Salez, poivrez, farinez le canard et faites-le revenir avec les oignons. Ajoutez une pincée de clous de girofle moulus. Lorsque le canard est bien doré, versez le fond (ou l'eau) réchauffé, couvrez et laissez cuire doucement de 2 à 3 heures. Retournez le canard de temps en temps pour qu'il cuise de façon régulière. Lorsque la chair est tendre, sortez-le de la cocotte et gardez-le au chaud au four. Dégraissez la sauce autant que possible et incorporez en remuant la menthe hachée. Caramélisez le sucre en le faisant cuire avec de l'eau jusqu'à ce qu'il prenne couleur, versez-le dans la sauce et ajoutez le vinaigre. Vérifiez l'assaisonnement et servez la sauce séparément dès qu'elle a pris une consistance sirupeuse.

Ce plat est excellent froid. Dans ce cas, ajoutez la menthe, le sucre et le vinaigre à la sauce, et dégraissez-la une fois qu'elle a refroidi — ce qui vous donnera une gelée succulente.

ELIZABETH DAVID
ITALIAN FOOD

Le canard à la mantouane

Pour 4 personnes

Un canard nantais	2,5 à 3 kg
Très bon porto rouge	50 cl
Figues confites	24
Beurre	40 g
Fond de veau légèrement lié	50 cl

Dans un vase en porcelaine empli de porto et clos hermétiquement, faites mariner les figues pendant 36 heures. Ce temps écoulé, cuisez au beurre le canard bridé puis, après 15 minutes de cuisson, arrosez-le avec le porto toutes les 20 à 30 minutes, jusqu'à ce qu'ait été utilisé tout le vin.

Entourez alors la bête avec les figues et versez sur le tout le fond de veau. Faites cuire à four modéré préchauffé à 180° (4 au thermostat) pendant 45 minutes, en arrosant fréquemment.

Vous dresserez ensuite le canard sur un plat rond au milieu des figues, répandant sur lui le fond dégraissé qui sera onctueux et fin.

ÉDOUARD NIGNON
L'HEPTAMÉRON DES GOURMETS

Canard au poivre

Pepereend

Pour améliorer ce plat, passez le bouillon de cuisson, dégraissez-le et faites-le réduire avant d'ajouter le poivron rouge, les grains de poivre vert et les olives.

Pour 4 personnes

Un canard troussé	2 kg
Oignon émincé	1
Beurre	15 g
Fines bardes de lard de poitrine	4
Carotte émincée	1
Bouquet garni	1
Sel et poivre	
Vin blanc sec	15 cl
Consommé de bœuf	30 cl
Petit poivron rouge coupé en dés	1
Grains de poivre vert	1 cuillerée à soupe
Olives vertes farcies	12

Faites étuver l'oignon émincé dans le beurre. Foncez une braisière de lard, disposez la carotte, l'oignon et le beurre par-dessus et ajoutez le bouquet garni. Frottez le canard de sel et de poivre et mettez-le dans la braisière. Couvrez et mettez au four préchauffé à 220° (7 au thermostat) pendant 15 minutes pour que la volaille prenne couleur.

Découvrez, versez le vin et faites réduire à feu vif pendant quelques minutes. Ajoutez le consommé, portez à ébullition, recouvrez et remettez au four chaud, à 190° (5 au thermostat), pendant 45 minutes.

Retirez le canard et tenez-le au chaud. Passez soigneusement le liquide de cuisson, retransvasez-le dans la braisière et ajoutez le poivron rouge coupé en dés, le poivre vert et les olives. Remettez le canard, couvrez et faites braiser 15 minutes au four à 180° (4 au thermostat).

Découpez le canard, dressez les morceaux sur un plat ovale chaud et couvrez-les de sauce. Servez avec du riz à l'eau et du concombre étuvé avec une pincée de graines de fenouil moulues, du sel, du poivre et du sucre, puis coupé en dés.

HUGH JANS
VRIJ NEDERLAND

Caneton polonais braisé au chou rouge

Kaczka Duszona z Czerwonq Kapusta

En Europe de l'Est et en Scandinavie, on fait souvent cuire le canard avec du chou. Cette recette est également délicieuse avec une oie ou du gibier à plumes. La durée de cuisson varie en fonction du volatile utilisé.

Pour 4 personnes

Un caneton	2,5 à 3 kg
Sel et poivre	
Chou rouge moyen émincé	1
Jus de citron	1 cuillerée à soupe
Petit salé coupé en dés	125 g
Oignon moyen haché	1
Farine	2 cuillerées à soupe
Vin rouge	25 cl
Sucre	1 ou 2 cuillerées à café
Graines de carvi	1 cuillerée à café

Frottez l'intérieur et la peau du caneton avec un peu de sel et de poivre. Troussez-le. Piquez toute la surface avec les dents d'une fourchette. Placez-le sur la grille de la lèchefrite et mettez au four préchauffé à 220° (7 au thermostat). Au bout de 10 minutes, baissez la température du four à 180° (4 au thermostat) et laissez 50 minutes. Sortez le caneton et gardez-le au chaud.

Pendant que le caneton cuit, ébouillantez et égouttez immédiatement le chou rouge. Arrosez-le de jus de citron pour qu'il garde sa couleur. Mettez le petit salé à dessaler dans de l'eau froide pendant 10 minutes, en changeant l'eau deux fois. Égouttez-le, séchez-le et faites-le revenir à feu modéré dans une cocotte à fond épais jusqu'à ce qu'il devienne transparent, en prenant soin de ne pas le brûler. Incorporez l'oignon et la farine et laissez cuire pendant 5 minutes sans cesser de remuer. Ajoutez le chou, le vin rouge, le sucre, le poivre selon le goût et les graines de carvi. Couvrez et laissez mijoter à feu doux pendant 30 minutes, jusqu'à ce que le caneton soit cuit. Remuez de temps en temps.

Mettez le caneton dans la cocotte. Couvrez et laissez mijoter de 45 minutes à 1 heure, jusqu'à ce qu'il soit tendre. Dressez-le sur un plat chaud et servez le chou rouge à part. Accompagnez de pommes de terre cuites à l'eau et d'un autre légume, céleri ou navets braisés, par exemple.

NIKA STANDEN HAZELTON
THE CONTINENTAL FLAVOUR

Canard à l'orange ou à la bigarade

Pour cette recette, on se sert ordinairement de l'orange bigarade, laquelle est un peu amère et à écorce tachetée de vert mais, à défaut, l'orange ordinaire peut convenir.

Ne pas confondre le *zeste* avec l'*écorce*; celui-là n'est que la partie extérieure de cette dernière, c'est-à-dire celle qui contient l'huile essentielle ou arôme du fruit; il s'agit donc de l'obtenir aussi mince que possible avec *élimination complète* de la partie spongieuse. Ce zeste émincé doit être blanchi, c'est-à-dire passé 1 minute à l'eau bouillante, avant d'être ajouté à la sauce.

Le canard à l'orange peut se servir rôti, mais il faut qu'il soit jeune, tendre et bien en chair. S'il ne remplit pas ces conditions, il vaut mieux alors le braiser, comme ici.

Une autre solution consiste à faire rôtir le canard assez longtemps pour en faire fondre l'excès de graisse avant de le braiser (page 62).

Pour 4 personnes

Un canard	2,5 kg
Beurre ou saindoux	50 g
Carotte	1
Gros oignon	1
Sel et poivre	
Vin blanc sec	20 cl
Bouillon de veau	30 cl
Fécule diluée dans un peu d'eau	1 cuillerée à café
Jus de bigarade	2 cuillerées à soupe
Zeste de bigarade émincé en julienne et blanchi	1 cuillerée à soupe

Mettez le canard troussé dans une casserole avec 50 g de beurre ou saindoux, et une carotte et un oignon coupés en rondelles; faites-le revenir à bon feu pour le faire colorer de toutes parts en ayant soin de le retourner; assaisonnez; arrosez d'un bon verre de vin blanc que vous laissez réduire aux trois quarts en retournant toujours le canard; mouillez ensuite avec le bouillon et laissez cuire *tout doucement* à casserole couverte. Lorsque le canard est suffisamment attendri, c'est-à-dire au bout de 1 heure et demie environ,

sortez-le; ajoutez à son jus un peu d'eau pour en avoir en tout 30 cl; passez le tout dans une petite casserole; dégraissez, puis liez ce jus avec une cuillère à café de fécule; faites bouillir 2 minutes; exprimez finalement dedans le jus d'une demi-orange et jetez-y le zeste émincé et blanchi comme nous avons dit ci-devant.

On sert ordinairement le canard sur un plat et la sauce séparément.

J.B. REBOUL
LA CUISINIÈRE PROVENÇALE

Canard aux amandes

Pato en salsa de almendras

Pour 4 personnes

Un canard coupé en morceaux, foie réservé et grossièrement haché	2,5 à 3 kg
Farine salée et poivrée	
Saindoux	100 g
Oignon coupé en rouelles	1
Gousses d'ail finement hachées	2
Tomates pelées, épépinées et hachées ou une petite boîte de tomates égouttées et hachées	4
Amandes mondées et grillées	15
Xérès sec	4 cuillerées à soupe
Persil haché	1 cuillerée à soupe

Otez l'excès de graisse des morceaux de canard. Lavez-les, séchez-les et farinez-les. Dans un grand plat creux en terre cuite ou, à défaut, dans un plat à sauter, faites chauffer le saindoux et faites revenir le foie à petit feu. Enlevez le foie avec une écumoire et réservez.

Faites fondre l'oignon et l'ail dans le même récipient, enlevez et réservez avec le foie en dégraissant le plus possible. Mettez le canard dans la graisse restante en ajoutant un peu de matière grasse si besoin est et faites dorer avec soin de tous les côtés. Ajoutez les tomates. Baissez le feu et faites mijoter à couvert.

Pendant ce temps, pilez le foie, l'oignon, l'ail et les amandes dans un grand mortier (ou au mixer) pour obtenir une pâte lisse. Diluez avec le xérès et versez le tout sur le canard. Saupoudrez de persil haché et rectifiez l'assaisonnement. Couvrez et laissez mijoter pendant 1 heure environ, ou jusqu'à ce que le canard soit tendre. Il sera peut-être nécessaire de mouiller un peu avec du bouillon ou de l'eau en cours de cuisson. Si le canard a cuit dans un plat en terre, servez-le à table tel quel. Autrement, dressez-le sur un plat de service chaud. On peut accompagner ce plat de pommes de terre à la crème.

ANNA MACMIADHACHÁIN
SPANISH REGIONAL COOKERY

Canard en saumure

Salt Duck

Pour préparer la saumure, versez 3 litres d'eau dans une grande casserole. Ajoutez 350 g de gros sel de mer, la même quantité de sucre en poudre. Portez à ébullition, laissez refroidir, puis transvasez dans un pot en terre bien lavé. Retirez les abattis du canard et faites mariner la volaille dans la saumure pendant 36 à 48 heures.

Pour 4 personnes

Un canard en saumure, abattis réservés	2,5 kg
Eau	50 cl
Cidre sec	50 cl

Sauce à l'oignon :

Oignons émincés	500 g
Lait	60 cl
Beurre	30 g
Farine	30 g
Sel et poivre	
Muscade râpée	

Sortez le canard de la saumure, rincez-le rapidement à l'eau froide et mettez-le dans une marmite. Couvrez-le avec l'eau et le cidre et ajoutez tous les abattis à l'exception du foie (dont vous pourrez faire un pâté). Fermez la marmite avec son couvercle ou avec une feuille de papier aluminium et mettez-la au four, à 170° (3 au thermostat) pendant 2 heures, jusqu'à ce que la volaille soit cuite.

Le canard chaud se sert avec une sauce à l'oignon à la galloise : faites cuire les oignons dans une quantité de lait suffisante pour les couvrir. Juste avant la fin de la cuisson, faites fondre le beurre dans une autre casserole, ajoutez la farine et laissez cuire 2 minutes. Incorporez le reste de lait en remuant. Lorsque votre sauce blanche est bien lisse, versez-la sur les oignons. Salez, poivrez et muscadez le tout et laissez mijoter 30 minutes. Servez la sauce séparément.

Vous pouvez également laisser le canard refroidir dans l'eau et le cidre et le servir froid avec une salade d'oranges et de tomates assaisonnée de sucre, de sel, de poivre, de vinaigre de vin et d'huile d'olive.

JANE GRIGSON
GOOD THINGS

Canards à la mode

Ducks à la mode

Cette recette fut consignée en 1747 par Hannah Glasse. Hormis une légère modification de ma part, je vous la donne selon ses propres termes.

« Prenez deux beaux canards, coupez-les en 4, faites-les frire dans du beurre un peu noisette, puis jetez toute la graisse et saupoudrez d'un peu de farine. Ajoutez 30 cl de bon jus, 15 cl de vin rouge, deux échalotes, un anchois et une botte de fines herbes. Couvrez bien et laissez mijoter un quart d'heure ; enlevez les herbes, dégraissez et laissez votre sauce prendre la consistance d'une crème épaisse. Garnissez de citron et servez. »

Pour 6 à 8 personnes

Deux canards	3 kg chacun
Beurre	90 g
Farine	
Fond de veau ou de volaille	30 cl
Vin rouge	15 cl
Echalotes	2
Filets d'anchois trempés et égouttés	4 ou 5
Bouquet garni de thym, persil, marjolaine et sauge	1
Sel et poivre	
Citron coupé en 4	1

Coupez les canards en 4. Farinez-les légèrement avant et après rissolage, comme le suggère Mme Glasse. Vous pouvez remplacer les échalotes par un oignon. Pour la botte de fines herbes, prenez un bouquet garni de thym, persil, marjolaine et sauge. Quinze minutes de cuisson semblent très court : il vaut mieux laisser les canards mijoter 30 minutes. Mme Glasse donnait souvent des temps de cuisson insuffisants. Épaississez la sauce selon le procédé habituel pour lui donner la consistance d'une crème et assaisonnez ; bien que Mme Glasse n'en parle pas, ne salez et poivrez qu'à la fin de préférence car les anchois salent déjà beaucoup.

ELISABETH AYRTON
THE COOKERY OF ENGLAND

Oie

Oie rôtie à la sauce aux abattis

Roast Goose with Giblet Sauce

Pour 6 à 8 personnes

Une oie lavée et séchée, abattis réservés	5 kg
Pommes épluchées, évidées et coupées en 4	8
Sel	1 cuillerée à soupe
Beurre	15 g
Eau bouillante	25 cl
Botte de cresson	1

Sauce aux abattis :	
Abattis de l'oie	
Fond de volaille	50 cl
Oignon	1
Sel	
Thym séché	
Carotte	½
Branche de céleri	½
Beurre	30 g
Fécule de pomme de terre	2 cuillerées à café
Graisse d'oie récupérée de la cuisson au four	4 cuillerées à soupe

Fourrez l'oie avec les pommes et bridez-la. Frottez la volaille de sel, piquez-la partout avec une fourchette, parsemez le sternum de beurre et placez sur la grille de la lèchefrite. Versez l'eau bouillante dans la lèchefrite et mettez au four préchauffé à 190° (5 au thermostat). Comptez 20 minutes de cuisson par livre. Retournez l'oie pour la faire légèrement dorer sur toutes ses faces, et arrosez fréquemment avec le bouillon d'abattis frémissant.

Pour la sauce, recouvrez le cou, le cœur et le gésier de fond de volaille et ajoutez l'oignon, du sel selon le goût, une pincée de thym, la demi-carotte et le céleri. Laissez mijoter 2 heures. Passez le bouillon et réservez. Hachez le cœur et le gésier. Faites revenir le foie dans le beurre et hachez-le.

Lorsque l'oie est cuite, enlevez les fils et la brochette, placez-la sur un plat de service et laissez en attente au chaud pendant que vous terminez la sauce aux abattis.

Délayez la fécule de pomme de terre dans 4 cuillerées à soupe environ de la graisse écoulée dans la lèchefrite. Incorporez progressivement 35 cl environ du bouillon passé et laissez sur le feu 5 minutes sans cesser de remuer. Ajoutez les abattis hachés et servez séparément.

Décorez le plat de service avec le cresson.

JULIE DANNENBAUM
MENUS FOR ALL OCCASIONS

Oie de la Saint-Michel

Michaelmas Goose

Un vieux dicton irlandais prétend que ceux qui mangent de l'oie le jour de la saint Michel (29 septembre) n'auront pas de soucis d'argent pendant l'année. A cette saison, les oies pèsent 4,5 kg environ et sont très tendres. En Irlande, on les farcit de pommes de terre qui absorbent la graisse.

Pour 6 personnes

Une oie, foie réservé	4,5 kg
Cou, gésier et cœur cuits dans de l'eau salée	

Farce :	
Pommes de terres cuites	750 g
Oignon moyen haché	1
Petits lardons	125 g
Foie de l'oie haché	
Persil haché	1 cuillerée à soupe
Sauge hachée	1 cuillerée à café
Sel et poivre	

Sauce à l'oignon :	
Oignons émincés	500 g
Rouelle de navet	1
Lait et eau	10 cl de chaque
Beurre	30 g
Muscade	
Sel et poivre	
Crème (facultatif)	

Compote de pommes :	
Pommes	250 g
Eau	10 cl
Beurre	30 g
Sucre	2 cuillerées à soupe
Muscade	
Sel	

Mélangez tous les ingrédients de la farce et assaisonnez fortement. Farcissez l'oie et refermez l'ouverture. Placez dans un plat à four avec 25 cl du bouillon préparé avec les abattis. Recouvrez d'une feuille de papier d'aluminium. Mettez à four chaud, 200° (5 au thermostat). Au bout de 30 minutes, baissez le four à 180° (4 au thermostat) et poursuivez la cuisson en comptant 20 minutes par livre. Arrosez au moins deux fois et ajoutez 25 cl de bouillon supplémentaire si besoin est. Quinze minutes avant la fin de la cuisson, enlevez la feuille de papier d'aluminium pour que la peau devienne croustillante.

Aux XVIIIe et XIXe siècles, on servait les oies avec une sauce à l'oignon que l'on préparait en faisant cuire les oignons avec une rouelle de navet dans de l'eau et du lait en quantité égale. On écrasait ensuite les oignons avec une noix de beurre, une pincée de muscade, du sel et du poivre et on battait le tout en purée — en ajoutant parfois un peu de crème à la fin. De nos jours, les Irlandais servent l'oie avec une compote de pommes.

Faites cuire les pommes épluchées et évidées dans de l'eau jusqu'à ce qu'elles soient tendres. Passez-les ou écrasez-les et ajoutez le beurre, le sucre, une pincée de muscade et une de sel. Réchauffez et servez chaud.

THEODORA FITZGIBBON
A TASTE OF IRELAND

Oie rôtie farcie aux pommes de terre

Gänsebraten mit Kartoffelfüllung

Pour 7 à 8 personnes

Une oie assaisonnée de sel	4 à 5 kg

Farce :

Pommes de terre coupées en dés	500 g
Oignon haché	6 cuillerées à soupe
Persil haché	3 cuillerées à soupe
Beurre	20 g
Sel et poivre	
Marjolaine	

Faites cuire les pommes de terre 8 minutes dans de l'eau salée et égouttez. Faites revenir à feu doux l'oignon et le persil dans le beurre. Ajoutez les pommes de terre, secouez, assaisonnez et ajoutez une petite pincée de marjolaine. Fourrez l'oie avec la farce obtenue et bridez-la. Faites rôtir selon la technique habituelle.

HANS KARL ADAM
DAS KOCHBUCH AUS SCHWABEN

Oie aux poires

Goose with Pears

D'après la recette du restaurant Tinell à Barcelone.

Pour 6 personnes

Une oie	3 à 4 kg
Sel	
Gros oignon	1
Carotte	1
Poires	6
Citron coupé en 2	1
Cognac	2 cuillerées à soupe
Fond de volaille	25 cl

Préchauffez le four à 180° (4 au thermostat).

Nettoyez l'oie avec un linge humide. Enlevez la graisse visible à l'intérieur de la volaille et réservez-la pour la faire fondre. Salez et placez l'oignon et la carotte à l'intérieur de l'oie. Percez la peau en plusieurs endroits, surtout sous les membres et sous le blanc, pour que la graisse puisse s'écouler pendant la cuisson.

Placez l'oie sur une grille dans un plat à four creux et mettez à rôtir en comptant 20 minutes par livre. Quand l'oie sera cuite, le thermomètre à viande que vous placerez dans le haut-de-cuisse, sans toucher l'os, devra indiquer 85°. Pendant la cuisson, enlevez souvent la graisse qui s'écoule et réservez-

la soigneusement. L'oie perdra à peu près 40% de son poids initial à la cuisson.

Environ 30 minutes avant la fin de la cuisson, coupez les poires en 2 ou en 4, évidez-les et frottez-les de citron. Disposez dans un plat à four et recouvrez d'une tasse de la graisse récupérée. Laissez cuire au four, avec l'oie, de 20 à 30 minutes, jusqu'à ce qu'elles soient tendres.

Dans une petite casserole, faites réduire le cognac de moitié à feu moyen et versez sur les poires cuites.

Quand l'oie est prête, disposez dans un plat chaud. Décantez la graisse qui reste dans le plat de cuisson et réservez-la pour une utilisation future. Grattez les sucs de cuisson solidifiés au fond du plat et déglacez à feu doux avec le fond de volaille.

Découpez l'oie. Enlevez les poires cuites de la graisse et mélangez-les avec la volaille découpée. Versez le jus ; servez.

LEE FOSTER (RÉDACTEUR)
THE NEW YORK TIMES CORRESPONDENTS' CHOICE

L'oie à l'instar de Visé

Il s'agit d'une spécialité belge que vous préparerez selon la recette de Maurice des Ombiaux, célèbre gastronome des années vingt et trente. Vous trouverez des explications sur la manière de lier une sauce avec de la crème et des jaunes d'œufs, dans la recette de la Poule au riz (page 130).

Pour 6 à 8 personnes

Une oie	5 kg
Bouquet garni	1
Gros oignons	2
Carottes	4
Tête d'ail	1
Grains de poivre	
Beurre	15 g
Lait	1 l
Gousses d'ail épluchées	15
Jaunes d'œufs	5
Crème fraîche	20 cl

Mettez l'oie, dans une marmite contenant de l'eau salée, au feu. Après écumage, garnissez avec le bouquet, les oignons, les carottes, la tête d'ail et des grains de poivre.

Après 2 heures de cuisson, dépecez la volaille et faites prendre couleur aux morceaux dans une casserole beurrée.

Vous avez fait bouillir le lait dans lequel vous avez jeté les gousses d'ail et, après une cuisson de 15 à 20 minutes, vous avez lié avec les jaunes d'œufs et la crème fraîche.

Rassemblez sur un plat les morceaux de l'oie. Versez dessus le beurre de cuisson, puis la sauce.

GASTON DERYS
L'ART D'ÊTRE GOURMAND

La compote d'oie comme autrefois

Pour 6 personnes

Une oie	3 kg
Beurre	50 g
Oignons	1 kg
Echalotes	500 g
Gousses d'ail	10
Vin blanc sec	1 l
Tomates pelées et épépinées	6
Bouquet garni	1
Sel et poivre	
Marc du pays (Poitou)	10 cl

Faire revenir l'oie dans du beurre. Hacher très finement ensemble les oignons, les échalotes et les gousses d'ail.

Mettre ces ingrédients avec l'oie dans la casserole. Laisser revenir encore quelques instants, mouiller d'un litre de marigny (vin blanc); y ajouter les belles tomates concassées, le bouquet garni; saler, poivrer légèrement et laisser braiser au four à couvert pendant 5 heures, jusqu'à ce que les chairs de l'oie se détachent des os. Mettre ces chairs en terrine couverte, conserver au chaud, réduire le fond à consistance épaisse, y ajouter un verre de marc du pays, retirer le bouquet garni, terminer l'assaisonnement et verser sur les morceaux d'oie. Servir bouillant.

MAURICE BÉGUIN
LA CUISINE EN POITOU

Oie rôtie

En dépit de son nom, cette recette juive polonaise consiste à faire cuire l'oie dans du bouillon pendant plusieurs heures et à ne la rôtir que quelques minutes avant de la servir. Le bouillon d'orge peut être servi en soupe.

Pour 6 à 8 personnes

Une oie coupée en 8 morceaux, abattis réservés	3 à 4 kg
Sel	
Orge perlée, lavée et égouttée	250 g
Eau salée	4 l
Oignons, carottes et poireaux coupés en morceaux	2 ou 3 de chaque
Bouquet garni	1
Graisse d'oie fondue	

Salez les morceaux d'oie, attendez 30 minutes, passez-les à l'eau fraîche. Depuis 4 heures au moins, vous avez fait bouillir de l'orge perlée, dans de l'eau salée, avec des légumes et des aromates.

Dans ce bouillon, plongez les morceaux d'oie et laissez-les bouillir à petit feu jusqu'au moment où la viande commence à devenir tendre. Ce temps est éminemment variable suivant la race de l'oie et surtout suivant son âge. Les jeunes oies sont tendres après 1 heure. Les vieilles ont besoin de 2 heures de cuisson, et plus.

Lorsque vous jugez que la viande est mangeable, sortez-la de la marmite. Placez les morceaux sur un plat en terre, après les avoir laissé égoutter. Arrosez-les de graisse d'oie fondue et portez-les au four préchauffé à 230° (8 au thermostat), jusqu'à ce qu'ils aient acquis une belle couleur dorée. Servez-les tels quels, sans aucune garniture.

L'oie ainsi traitée est aussi bonne froide que chaude.

ÉDOUARD DE POMIANE
CUISINE JUIVE, GHETTOS MODERNES

Oie ou dinde en daube

Goose or Turkey à-la-Daube

Adaptation d'une recette extraite de Compleat Housewife *de E. Smith, Williamsburg, 1742.*

Pour 6 à 8 personnes

Une oie ou une dinde	4,5 kg
Bardes de lard	5 ou 6
Vin blanc	1 l
Consommé d'oie, de dinde ou de veau	2 à 3 l
Vinaigre	50 cl
Poivre de la Jamaïque en grains	
Feuilles de laurier	2
Marjolaine et sarriette fraîches, hachées	
Botte de ciboule hachée	1
Champignons émincés et sautés	250 g
Citron pelé, épépiné et coupé en dés	1
Anchois pilés	2 ou 3
Beurre noisette	30 g
Citron coupé en rondelles	1

Bardez l'oie ou la dinde et faites-la rôtir à moitié à 190° (5 au thermostat) pendant 1 heure environ, sur une broche ou au four. Mettez-la dans un récipient juste assez grand pour la contenir. Couvrez-la avec le vin blanc et le consommé. Ajoutez le vinaigre, du poivre de la Jamaïque, les feuilles de laurier, la marjolaine, la sarriette et la ciboule. Laissez frémir à feu doux encore 1 heure. Lorsque la volaille est cuite, dressez-la sur un plat de service et faites une sauce en ajoutant au bouillon les champignons, le citron coupé en dés et les anchois pilés. Hors du feu, incorporez le beurre noisette en remuant pour lier la sauce et décorez la volaille avec des rondelles de citron.

MRS HELEN CLAIRE BULLOCK
THE WILLIAMSBURG ART OF COOKERY

Ragoût d'oie aux pommes

Pour 6 à 8 personnes

Une oie coupée en morceaux	5 kg
Sel	
Graisse d'oie	50 g
Gros oignons émincés	2
Grosses pommes reinettes épluchées, épépinées et coupées en 8	5 kg
Paprika	2 cuillerées à café
Eau	10 cl

Salez les morceaux d'oie, attendez 30 minutes et rincez à l'eau fraîche. Essuyez.

Dans une casserole faites fondre de la graisse d'oie. Faites revenir les morceaux jusqu'à belle teinte dorée. Ajoutez les oignons. Laissez-les prendre couleur. Salez légèrement.

Ajoutez alors des pommes reinettes. Saupoudrez de paprika. Versez très peu d'eau. Couvrez et laissez cuire 2 heures au moins, jusqu'au moment où la viande devient tendre. Rectifiez le sel. De temps en temps, ajoutez un peu d'eau, si c'est nécessaire. Mais arrangez-vous pour qu'au moment de servir il n'y ait plus d'eau du tout et que les pommes baignent dans la graisse.

ÉDOUARD DE POMIANE
CUISINE JUIVE, GHETTOS MODERNES

Cuisses d'oie à la sauce aigre-douce

Goosküül Söötsuur

Dans cette recette, vous pouvez remplacer les cuisses d'oie par des cuisses de dinde.

Pour 4 personnes

Cuisses d'oie entières	4
Beurre	50 g
Sucre	1 cuillerée à soupe
Fécule de maïs diluée dans un peu d'eau	½ cuillerée à soupe

Bouillon :

Vinaigre de vin blanc	25 cl
Sucre	4 cuillerées à soupe
Gros oignons épluchés	2
Feuilles de laurier	2
Graines de moutarde	1 cuillerée à soupe
Cannelle en poudre	1 pincée
Sel	1 cuillerée à café

Mettez tous les ingrédients du bouillon dans une casserole. Ajoutez les cuisses d'oie, couvrez d'eau, portez à ébullition, baissez le feu et laissez frémir pendant 2 heures. Sortez la volaille, laissez-la refroidir et couvrez-la. Réservez le bouillon au frais pendant quelques heures pour que la graisse se solidifie. Dans une cocotte profonde à fond épais, faites dorer les cuisses en les saupoudrant d'un peu de sucre. Enlevez la graisse solidifiée de bouillon froid et versez-la sur la volaille. Ajoutez le reste de sucre et laissez-le se caraméliser à feu modéré. Dressez les morceaux d'oie sur un plat chaud. Versez 35 cl de bouillon vinaigré dans la cocotte, liez avec la fécule de maïs et laissez cuire quelques minutes à feu doux. Nappez l'oie de sauce et servez avec des pommes de terre frites.

JUTTA KÜRTZ
DAS KOCHBUCH AUS SCHLESWIG-HOLSTEIN

Confit d'oie

Preserved Goose

Pour 8 à 10 personnes

Une oie	6 à 8 kg
Eau	10 cl
Gros sel	
Gousses d'ail	3
Clous de girofle	2
Grains de poivre	12
Feuille de laurier	1
Thym	

Nettoyez l'oie. Enlevez la graisse à l'intérieur et autour du gésier et faites-la fondre. Vous devez en obtenir au moins 1 litre. Complétez éventuellement avec du saindoux. Ajoutez l'eau et faites fondre à feu doux. Pendant ce temps, coupez l'oie en 4 de manière à obtenir 2 morceaux de poitrine et 2 cuisses. Frottez généreusement de gros sel les morceaux obtenus. Laissez mariner 24 heures dans une terrine avec l'ail, les clous de girofle, les grains de poivre, la feuille de laurier et un peu de thym. Retournez les morceaux de temps en temps pour bien les imprégner de gros sel.

Le lendemain, enlevez le sel et séchez dans un torchon. Faites cuire doucement l'oie dans la graisse pendant 1 heure jusqu'à ce qu'elle soit cuite. Ne laissez pas la graisse devenir trop chaude, car elle frirait la chair. Vérifiez la cuisson avec une aiguille à brider : l'oie est cuite lorsque le jus qui s'écoule est clair, sans coloration rose. Sortez-la de la graisse.

Séparez la graisse du jus en la passant. Versez-en 2,5 cm environ dans un pot en terre et laissez-la se solidifier. Recouvrez avec les morceaux d'oie et versez le reste de la graisse en vous assurant que la viande ne dépasse pas et ne touche pas les bords du pot. Aucun jus ne doit rester dans la graisse. Laissez reposer 2 jours, puis versez encore de la graisse pour combler les interstices formés pendant la solidification. Couvrez hermétiquement avec du papier paraffiné et conservez au réfrigérateur ou dans un endroit frais.

LOUIS DIAT
FRENCH COOKING FOR AMERICANS

Cou d'oie farci

Stuffed Goose Neck

Lorsque vous achetez une oie, assurez-vous que l'on vous donne le cou entier avec la volaille. Avec la peau du cou, vous confectionnerez un repas succulent. Farcissez-la avec le foie haché, du porc ou du veau émincé, de l'oignon et des herbes, et servez chaud avec du chou rouge ou froid, ou avec une salade. Vous pouvez également servir le cou d'oie farci en tranches sur un plateau de hors-d'œuvre variés.

Pour 4 personnes

Cou d'oie	1
Foie d'oie haché menu	1
Oignon moyen, haché menu	1
Persil haché	1 cuillerée à soupe
Sauge séchée	
Sel et poivre	
Mie de pain émiettée	3 cuillerées à soupe
Œufs battus	2
Graisse d'oie fondue	125 g

Détachez la peau du cou et réservez les os pour faire un bouillon. Mélangez le foie, l'oignon, le persil, la sauge, le sel, le poivre et la mie de pain émiettée. Liez avec les œufs battus et farcissez la peau.

Fermez les extrémités du cou avec du fil de cuisine, et faites-le rôtir dans la graisse d'oie, en arrosant fréquemment, pendant 40 minutes au four préchauffé à 190° (5 au thermostat). Enlevez le fil, coupez en tranches et servez.

MARIKA HANBURY-TENISON
LEFT OVER FOR TOMORROW

Farces et sauces

Farce d'oie

Soyer's Recipe for Goose Stuffing

Proportions pour une oie de 5 kg

Pommes épluchées et évidées	4
Oignons	4
Feuilles de sauge fraîches	4
Feuilles de thym citronnelle fraîches	4
Pommes de terre à l'eau, écrasées en purée	4 ou 5
Sel et poivre	

Dans une grande casserole, faites cuire les pommes, les oignons, la sauge et le thym couverts d'eau. Lorsqu'ils sont cuits, retirez la sauge et le thym et passez le reste dans un tamis. Ajoutez suffisamment de purée de pommes de terre pour que la farce absorbe le liquide sans coller sur la main. Salez, poivrez et farcissez la volaille.

MRS ISABELLA BEETON
THE BOOK OF HOUSEHOLD MANAGEMENT

Farce de poule au pot

Cette recette est extraite d'un livre publié anonymement en 1922. On pense que son auteur pourrait être l'écrivain et gastronome Léo Larguier.

Proportions pour une poule de 2,5 kg

Olives noires dénoyautées	50
Gousse d'ail	1
Oignon	½
Mie de pain	100 g
Brin de persil	1
Sel et poivre	
Œuf	1
Noix de muscade	

Hachez, pour une poule au pot, les olives noires, la gousse d'ail, l'oignon, la mie de pain trempée d'eau et bien égouttée, le brin de persil. Salez, poivrez, liez avec l'œuf et râpez sur le tout un peu de noix de muscade.

CLARISSE OU LA VIEILLE CUISINIÈRE

Farce de dinde aux huîtres

Oyster Stuffing for Turkey

Adaptation d'une recette de Williamsburg de 1837 environ.

Proportions pour une dinde de 5 kg

Huîtres écaillées	60 cl
Biscuits salés émiettés	200 g
Crème fleurette	20 cl
Beurre fondu	60 g
Sel et poivre	

Mettez les huîtres et les miettes de biscuits dans une grande terrine. Ajoutez la crème et le beurre, salez et poivrez selon le goût et mélangez doucement le tout. Faites reposer pendant 1 heure environ pour que les arômes se mélangent.

MRS HELEN CLAIRE BULLOCK
THE WILLIAMSBURG ART OF COOKERY

Farce aux ignames et aux pommes de Louisiane

Louisiana Yam and Apple Stuffing

Proportions pour 2 canetons,
2 chapons ou une dinde de 5 kg

Pommes coupées en dés	500 g
Branches de céleri hachées	2
Eau	25 cl
Ignames	1,5 kg
Jus de citron	2 cuillerées à soupe
Cannelle en poudre	1 cuillerée à café
Beurre	125 g
Cassonade	150 g
Sel	
Noix pécan hachées	125 g
Zeste râpé de 1 citron	

Faites blanchir les pommes et le céleri dans l'eau jusqu'à ce qu'ils soient juste tendres. Égouttez et réservez le liquide de cuisson. Pendant ce temps, recouvrez les ignames d'eau et laissez bouillir 25 minutes environ. Pelez-les et écrasez-les avec le jus de citron, la cannelle, le beurre, la cassonade et le sel. Humectez avec le liquide de cuisson des pommes et du céleri. Ajoutez ces derniers avec les noix pécan et le zeste de citron. Mélangez. Corrigez l'assaisonnement.

THE JUNIOR LEAGUE OF NEW ORLEANS INC.
THE PLANTATION COOKBOOK

Farce aux oignons et à la sauge

Sage and Onion Stuffing

Proportions pour une oie ou 2 canards

Gros oignons	4
Feuilles de sauge fraîches	10
Mie de pain fraîche, émiettée	125 g
Sel et poivre	
Beurre	50 g
Jaune d'œuf	1

Épluchez les oignons et faites-les blanchir dans de l'eau bouillante pendant 5 minutes ou davantage. Deux minutes avant de sortir les oignons, ajoutez les feuilles de sauge. Hachez menu les oignons et la sauge. Ajoutez le pain, l'assaisonnement et le beurre et travaillez le tout avec le jaune d'œuf. Votre farce est prête. Elle doit être assez relevée et les feuilles de sauge doivent être hachées très finement. Beaucoup de cuisinières utilisent les oignons crus sans les faire blanchir. Elles obtiennent une farce au goût plus relevé

qui risque de déplaire. Lorsque vous désirez farcir une oie, ajoutez un peu de son foie que vous aurez fait cuire à petit feu pendant quelques minutes avant de le hacher.

MRS ISABELLA BEETON
BOOK OF HOUSEHOLD MANAGEMENT

Farce au pain de maïs

Cornbread Stuffing

Proportions pour une dinde de 6 kg

Cou, gésier et foie de dinde	1 de chaque
Beurre	50 g
Ciboules hachées menu	150 g
Branches de céleri hachées menu	2
Poivron vert haché menu	½
Huîtres ouvertes, égouttées (eau réservée) et hachées	24
Sel et poivre	
Eau des huîtres, ou lait	

Pain de maïs :

Farine	125 g
Semoule de maïs (polenta)	150 g
Levure chimique	1 cuillerée à café
Bicarbonate de soude	½ cuillerée à café
Sel	1 cuillerée à café
Babeurre	25 cl
Œuf	1
Beurre fondu (ou lard fumé fondu)	2 cuillerées à soupe

Vous pouvez préparer la pâte plusieurs heures à l'avance. Tamisez la farine, la semoule de maïs, la levure chimique, le bicarbonate de soude et le sel dans une terrine. Ajoutez le babeurre et mélangez bien. Incorporez l'œuf et le beurre fondu et battez le tout. Juste avant de procéder à la cuisson, mélangez l'appareil, versez-le dans une cocotte en fonte graissée, de 20 ou 25 cm de diamètre. Mettez au four préchauffé à 200° (6 au thermostat) pendant 20 minutes environ jusqu'à ce que le pain soit bien doré.

Faites cuire le cou et le gésier dans une quantité d'eau suffisante pour donner 15 cl de bouillon. Laissez refroidir le gésier et hachez-le avec le foie. Dans une grande sauteuse contenant le beurre, faites fondre les ciboules, le céleri et le poivron vert. Ajoutez le foie, le gésier et les huîtres et mélangez doucement pendant 1 ou 2 minutes. Hors du feu, incorporez le pain de maïs émietté. Salez et poivrez selon le goût. Mouillez avec l'eau des huîtres ou le lait jusqu'à obtention de la consistance désirée.

THE JUNIOR LEAGUE OF NEW ORLEANS INC.
THE PLANTATION COOKBOOK

Farce de pommes de terre
Potato Filling

Les Hollandais de Pennsylvanie sont très friands de cette farce de pommes de terre avec la dinde et les autres volailles. Bien qu'elle soit moins raffinée que certains autres farces, elle est originale et délicieuse.

Proportions pour une dinde de 5,5 kg

Lard ou graisse de volaille	100 g
Petit gousse d'ail hachée menu	1
Gros oignon haché menu	1
Foie de dinde, porc ou poulet, haché	200 g
Branche de céleri hachée	1
Purée de pommes de terre, mélangée à ½ cuillerée à café de levure chimique	400 g
Xérès ou vin blanc (facultatif)	
Pain coupé en croûtons de 1 cm séchés au four	250 g
Persil haché	4 cuillerées à soupe
Sel	1 cuillerée à soupe
Thym séché	1 cuillerée à café
Poivre fraîchement moulu	½ cuillerée à café
Sauce Tabasco	½ cuillerée à café

Dans une grande sauteuse contenant la graisse, faites dorer l'ail et l'oignon. Ajoutez le foie et faites-le cuire en secouant la sauteuse jusqu'à ce qu'il commence à changer de couleur. Ajoutez le céleri et laissez cuire encore 3 minutes. Mélangez à la purée de pommes de terre. Raclez les sucs caramélisés ou déglacez-les avec le xérès ou le vin blanc et incorporez à la farce avec les croûtons et l'assaisonnement, en mélangeant intimement.

JAMES BEARD
JAMES BEARD'S AMERICAN COOKERY

Sauce aux airelles
Cranberry Sauce

Proportions pour 35 cl environ de sauce

Airelles fermes, fraîches et intactes	250 g
Sucre	200 g
Eau	10 cl
Zeste d'orange finement râpé	1 cuillerée à café

Lavez les airelles dans une passoire à l'eau courante froide. Mélangez-les avec le sucre et l'eau dans une petite casserole émaillée ou en acier inoxydable et portez à ébullition à feu vif en remuant fréquemment. Baissez le feu et laissez cuire de 4 à 5 minutes à découvert, en remuant de temps en temps, jusqu'à ce que la peau des airelles commence à éclater et que les fruits soient tendres. Ne les faites pas cuire trop longtemps car ils se transformeraient en bouillie.

Hors du feu, incorporez le zeste d'orange. Avec une spatule en caoutchouc, grattez le contenu de la casserole et mettez-le dans une petite terrine. Mettez au réfrigérateur pendant 2 à 3 heures jusqu'à ce que la sauce soit bien glacée.

LES RÉDACTEURS DES ÉDITIONS TIME-LIFE
FOODS OF THE WORLD — AMERICAN COOKING: NEW ENGLAND

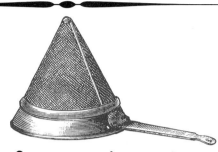

Sauce au pain
Bread Sauce

Cette sauce, accompagnement traditionnel du poulet rôti et de la dinde, peut aussi être servie avec d'autres volailles. Elle doit être bien parfumée avec de l'oignon et des assaisonnements et avoir la consistance d'une bouillie d'avoine moyennement épaisse, veloutée et sans grumeaux.

Pour 4 personnes

Oignon moyen épluché, piqué de 3 clous de girofle	1
Feuille de laurier	1
Lait	50 cl
Pain blanc frais, émietté	3 à 4 cuillerées à soupe
Sel et poivre	
Muscade râpée ou poivre de Cayenne (facultatif)	
Beurre	15 g
Crème	1 cuillerée à soupe

Mettez l'oignon dans une casserole avec la feuille de laurier et le lait. Couvrez et cuisez à tout petit feu pendant 15 à 20 minutes, ou jusqu'à ce que le lait soit bien parfumé.

Enlevez l'oignon et le laurier et ajoutez le pain émietté dans le lait, en mélangeant. Laissez frémir à petit feu sans cesser de remuer pendant 5 minutes environ, jusqu'à ce que la sauce soit épaisse et veloutée.

Enlevez la casserole du feu. Assaisonnez avec le sel, le poivre et la muscade ou le poivre de Cayenne. Ajoutez le beurre et la crème et mélangez. Réchauffez doucement la sauce et servez immédiatement.

Remarque: selon les goûts, cette sauce peut être plus ou moins liquide. Pour obtenir une sauce plus épaisse, ajoutez 1 ou 2 cuillerées à soupe de pain émietté en plus. Pour une sauce plus liquide, réduisez les proportions de pain.

NIKA STANDEN HAZELTON
THE CONTINENTAL FLAVOUR

Préparations de base

Pâte à frire

Vous pouvez modifier la consistance de cette pâte en augmentant ou en diminuant les proportions de liquide versé dans la farine. Les pâtes fines deviennent plus croustillantes et légères mais elles se perdent un peu dans l'huile pendant la friture. Les pâtes épaisses tiennent mieux mais ont tendance à être plus lourdes.

Proportions pour 10 morceaux de poulet

Farine	125 g
Sel	
Œufs, jaunes séparés des blancs	2
Huile d'olive ou beurre fondu	3 cuillerées à soupe
Bière ou eau	20 cl

Dans une terrine, mélangez la farine, le sel, les jaunes d'œufs et l'huile ou le beurre. Ajoutez progressivement la bière ou l'eau et mélangez au fouet jusqu'à obtention d'une pâte lisse. Ne travaillez pas trop cet appareil et laissez-le reposer au moins 1 heure à température ambiante pour que la pâte ne se décolle pas à la cuisson.

Battez les blancs d'œufs en neige et incorporez-les au dernier moment.

Sauce béchamel

Proportions pour 45 cl environ de sauce

Beurre	30 g
Farine	2 cuillerées à soupe
Lait	60 cl
Sel et poivre blanc	
Muscade fraîchement râpée (facultatif)	
Crème fraîche (facultatif)	

Dans une casserole à fond épais, faites fondre le beurre. Ajoutez la farine et laissez cuire en remuant de 2 à 5 minutes à feu doux. Versez le lait d'un seul coup en fouettant pour obtenir une préparation sans grumeaux. Portez à ébullition à feu plus fort, toujours en fouettant. Salez très modérément. Baissez le feu et laissez cuire tout doucement un minimum de 40 minutes, en remuant de temps en temps pour que la sauce n'attache pas. Poivrez et muscadez selon le goût. Goûtez l'assaisonnement. Continuez à mélanger jusqu'à ce que la sauce soit parfaitement lisse. Si vous la préférez plus riche et plus blanche, ajoutez de la crème.

Pâte à crêpes

Proportions pour une vingtaine de petites crêpes

Farine	45 g
Sel	
Œufs	3
Lait ou eau	30 cl
Cognac	1 cuillerée à soupe
Beurre fondu	3 cuillerées à soupe

Dans une terrine, mettez la farine en puits. Ajoutez une pincée de sel et les œufs et travaillez du centre vers l'extérieur jusqu'à ce que vous obteniez une préparation assez lisse. Incorporez les liquides au fouet, en ajoutant le beurre en dernier, jusqu'à ce que la pâte ait la consistance d'une crème liquide. Vous pouvez augmenter ou réduire la quantité de lait ou d'eau pour obtenir la consistance requise.

Fond de veau

Proportions pour 2 à 3 litres de fond blanc

Crosse de veau cassée en morceaux de 5 cm de longueur	1
Parures charnues de veau (collet, jarret ou tendrons)	2 kg
Eau	3 à 5 l
Carottes grattées, bouts coupés	4
Gros oignons, dont 1 piqué de clous de girofle	2
Tête d'ail entière, non épluchée	1
Poireau fendu et lavé	1
Gros bouquet garni comportant 1 branche de céleri	1
Sel	

Dans une marmite à fond épais, mettez les os et la viande par-dessus. Versez l'eau froide pour couvrir largement. Amenez à ébullition, à feu doux. Commencez à écumer avant l'ébullition et continuez en ajoutant de temps en temps un verre d'eau froide jusqu'à ce que la formation d'écume cesse. Ne remuez pas les os et la viande pour ne pas troubler le bouillon.

Ajoutez les légumes, le bouquet garni et un peu de sel, en les enfonçant dans le liquide pour bien les immerger. Continuez à écumer jusqu'à ébullition. Mettez à feu très doux et laissez à peine frémir pendant 4 heures, en écumant la surface 3 ou 4 fois.

Versez le contenu de la marmite, sur une passoire, dans une grande terrine ou un récipient propre. Enlevez les os, la viande, les légumes et le bouquet garni. Laissez refroidir et enlevez les dernières traces de graisse à la surface. S'il reste toujours un dépôt au fond du récipient après que le bouillon a refroidi, décantez-le avec soin et jetez ce dépôt.

Pour réduire le fond de veau:

Transvasez le bouillon dans une grande casserole et portez

à ébullition en écumant si besoin est. Laissez bouillir jusqu'à ce que le liquide atteigne la consistance désirée.

Préparation d'un fond de veau pour gelée:

Faites réduire le fond jusqu'à ce qu'il prenne une consistance légèrement sirupeuse. Vérifiez cette consistance en en mettant une cuillerée à refroidir sur une assiette pendant 10 minutes: si le fond prend en gelée tremblante, il est prêt.

Préparation d'un velouté:

Un velouté n'est rien de plus qu'une sauce faite avec un fond de veau ou de volaille additionné d'un roux.

Beurre	60 g
Farine	4 cuillerées à soupe
Fond de veau ou de volaille	2 l

Dans une casserole à fond épais, faites fondre le beurre et incorporez la farine en remuant jusqu'à ce que vous obteniez un roux lisse. Laissez cuire 2 à 3 minutes sans cesser de remuer. Quand le roux cesse de mousser et prend une couleur légèrement dorée, versez le fond de veau en fouettant et portez à ébullition en continuant de fouetter. Déplacez la casserole sur la flamme de manière que la moitié du liquide seulement continue à frémir régulièrement. Une pellicule de graisse et d'impuretés se forme à la surface de l'autre côté: enlevez-la de temps en temps avec une cuillère. Laissez cuire 30 minutes ou plus.

Fond de volaille

Les fonds de volaille se préparent comme les fonds de veau, avec du poulet, du canard, de la dinde ou d'autres volailles, mais ils cuisent plus vite.

Les plus riches et les plus savoureux s'obtiennent avec des poules et des coqs âgés. Pour qu'ils soient clairs et digestes, il faut les écumer et les dégraisser entièrement.

Proportions pour 2 litres environ

Carcasses, parures, cous, gésiers et cœurs de volaille	2 kg
Eau	3 à 4 l
Sel	
Carottes grattées, bouts coupés	200 g
Gros oignons, dont 1 piqué de 2 clous de girofle	2
Gros poireau fendu et lavé	1
Gros bouquet garni comportant 1 branche de céleri	1

Mettez tous les morceaux de volaille dans une marmite et couvrez-les largement d'eau. Amenez à ébullition, à feu doux, en écumant au fur et à mesure. Versez de temps en temps un peu d'eau froide pour accélérer la formation d'écume. Ajoutez le sel, les légumes et le bouquet garni en les enfonçant dans le liquide pour bien les immerger. Portez à ébullition et laissez frémir pendant 2 heures, en écumant et en dégraissant de temps en temps. Filtrez sur une passoire, dans une grande terrine ou dans un récipient propre. Enlevez les morceaux de volaille, les légumes et le bouquet garni. Laissez refroidir et enlevez toute trace de graisse.

Pâte brisée et pâte feuilletée

A partir de cette formule, vous pourrez préparer une pâte brisée ou feuilletée, selon la manière dont vous l'abaisserez.

Proportions pour un plat à tarte de 20 cm de diamètre

Farine	125 g
Sel	1 pincée
Beurre frais, raffermi et coupé en dés	125 g
Eau froide	3 à 4 cuillerées à soupe

Dans une terrine, mélangez la farine et le sel. Ajoutez le beurre très froid et ferme et coupez-le rapidement dans la farine avec 2 couteaux de table jusqu'à ce qu'il soit réduit en tout petits morceaux. Ne travaillez pas plus de quelques minutes. Délayez ensuite cette préparation avec la moitié de l'eau, à l'aide d'une fourchette. Mouillez davantage s'il le faut de manière à pouvoir ramasser la pâte avec les mains en boule ferme. Emballez cette dernière dans une pellicule de matière plastique ou dans une feuille de papier paraffiné et mettez-la 2 à 3 heures au réfrigérateur ou 20 minutes au congélateur, jusqu'à ce que l'extérieur soit légèrement gelé.

Pâte brisée:

Sortez la boule de pâte du réfrigérateur ou du congélateur et posez-la sur une surface froide farinée (l'idéal étant une plaque de marbre). Aplatissez-la et assouplissez-la d'abord un peu avec la main, puis en la battant doucement au rouleau à pâtisserie. Abaissez en partant du centre, jusqu'à obtention d'un cercle de 1 cm environ d'épaisseur. Retournez pour fariner l'autre côté et continuez à abaisser jusqu'à ce que le cercle ait 3 mm environ d'épaisseur. Enroulez la pâte sur le rouleau à pâtisserie, déroulez-la sur le plat à tarte, coupez à 1 cm du bord, enroulez les bords en dessous, pressez fermement entre le pouce et l'index et ondulez les bords.

Pâte feuilletée:

Placez la boule de pâte sur une plaque de marbre (de préférence) farinée et aplatissez-la au rouleau à pâtisserie. Retournez pour fariner l'autre côté et abaissez rapidement pour obtenir un rectangle de 30 cm environ de longueur et de 12 à 15 cm de largeur. Pliez l'abaisse en quatre, en ramenant les deux côtés les plus petits du rectangle au milieu, puis pliez encore pour aligner les deux côtés pliés. Abaissez la pâte en rectangle en suivant les plis, repliez de la même façon et mettez au réfrigérateur 30 minutes au moins. Répétez l'opération 2 ou 3 fois avant d'utiliser la pâte pour couvrir une tourte — en la remettant chaque fois au réfrigérateur.

Index des recettes

Les recettes sont classées d'après leur titre par ordre alphabétique et par nom de volatile.

Sources des recettes

Les sources des recettes qui figurent dans cet ouvrage sont énumérées ci-dessous. Les références indiquées entre parenthèses renvoient aux pages de l'Anthologie où on trouvera les recettes.

Adam, Hans Karl, *Das Kochbuch aus Schwaben*. © 1976, Verlagsteam Wolfgang Hölker. Édité par Verlag Wolfgang Hölker, Münster. Traduit avec l'autorisation de Verlag Wolfgang Hölker *(page 160)*.

Ainé, Offray, *Le Cuisinier méridional*, Imprimeur-Libraire, 1855 *(pages 102, 140)*.

Aresty, Esther B., *The Delectable Past*. © 1964, Esther B. Aresty. 1ère édition en Grande-Bretagne, 1965, chez George Allen & Unwin (Publishers) Ltd., Hemel Hempstead. Traduit avec l'autorisation de George Allen & Unwin Ltd. *(page 101)*.

Armisen, Raymond et Martin, André, *Les Recettes de la table niçoise*. © 1972, Librairie Istra. Édité par la Librairie Istra, Strasbourg. Reproduit avec l'autorisation de la Librairie Istra *(page 119)*.

Ayrton, Elisabeth, *The Cookery of England*. © 1974, Elisabeth Ayrton. Éditions Penguin Books Ltd., Londres. Traduit avec l'autorisation d'Elisabeth Ayrton *(pages 111, 137, 151 et 158)*.

Barberousse, Michel, *Cuisine normande*. Éditions Barberousse, Paris. Reproduit avec l'autorisation de Michel Barberousse *(page 89)*.

Barberousse, Michel, *Cuisine provençale*. Édité par l'auteur à Séguret. Reproduit avec l'autorisation de Michel Barberousse *(page 121)*.

Barr, Beryl et Turner Sachs, Barbara (Rédacteurs), *The Artists' & Writers' Cookbook*. © 1961, William H. Ryan. Édité par Angel Island Publications, Inc. *(pages 97, 104)*.

Barry, Naomi et Bellini, Beppe, *Food alla Florentine*. © 1972, Doubleday & Co., Inc. Éditions Doubleday & Co., Inc., New York. Traduit avec l'autorisation de Brandt & Brandt *(page 129)*.

Beard, James, *James Beard's American Cookery*. © 1972, James A. Beard. Editions Little, Brown and Co., Boston. Traduit avec l'autorisation de Little, Brown and Co. *(pages 106, 107, 142 et 165)*.

Beeton, Mrs Isabella, *The Book of Household Management* (1861). Reproduit en facsimilé par Jonathan Cape Ltd., Londres *(pages 127, 163 et 164)*.

Béguin, Maurice, *La Cuisine en Poitou*. Édité par la Librairie Saint-Denis, vers 1933 *(page 161)*.

Bocuse, Paul, *La Cuisine du marché*. © 1976, Flammarion. Éditions Flammarion, Paris. Reproduit avec l'autorisation des Éditions Flammarion et de Paul Bocuse *(page 92)*.

Boni, Ada, *The Talisman Italian Cook Book*. © 1950, 1978, Crown Publishers, Inc. Édité par Crown Publishers, Inc., New York. Traduit avec l'autorisation de Maria Matilde Giaquinto *(pages 98, 116)*.

Bonnefons, Nicolas de, *Les Délices de la campagne*, 1654 *(page 97)*.

Boyd, Lizzie (Rédacteur) *British Cookery*. © British Farm Produce Council et British Tourist Authority. Éditions Croom Helm, Londres. Traduit avec l'autorisation de British Farm Produce Council et British Tourist Authority *(page 141)*.

Bullock, Mrs. Helen Claire, *The Williamsburg Art of Cookery*. © 1938, 1966, Colonial Williamsburg Foundation. Editions Colonial Williamsburg. Traduit avec l'autorisation de Holt, Rinehart and Winston, Publishers *(pages 135, 149, 161 et 163)*.

Carnacina, Luigi, *La Grande Cucina*. Édité par Luigi Veronelli, Aldo Garzanti Editore, 1960. Traduit avec l'autorisation de Aldo Garzanti Editore *(pages 94, 96, 113 et 133)*.

Carrier, Robert, *The Robert Carrier Cookery Course*. © 1974, Robert Carrier. Éditions W. H. Allen & Co. Ltd., Londres. Traduit avec l'autorisation de W.H. Allen & Co. Ltd. *(pages 91, 102)*.

Chantiles, Vilma Liacouras, *The Food of Greece*. © 1975, avec l'autorisation de Vilma Liacouras Chantiles. Éditions Atheneum, New York. Traduit avec l'autorisation des Éditions Atheneum *(pages 95, 101 et 105)*.

Chiang, Cecilia Sun Yun, entretiens avec Allan Carr. *The Mandarin Way*. © 1974, Cecilia Chiang et Allan Carr. Éditions Little, Brown and Co. en association avec The Atlantic Monthly Press. Traduit avec l'autorisation de Cecilia Sun Yun Chiang *(page 141)*.

Chu, Grace Zia, *Madame Chu's Chinese Cooking School*. © 1975, Grace Zia Chu. Éditions Simon & Schuster, New York. Traduit avec l'autorisation de Simon & Schuster, un département de Gulf & Western Corporation *(page 152)*.

Claiborne, Craig, *Craig Claiborne's Favorites from The New York Times, Volume 1, 1975*. © 1975, The New York Times Co. Éditions The New York Times Book Co., New York. Traduit avec l'autorisation de Times Books *(page 138)*.

Claiborne, Craig, *Craig Claiborne's Favorites from The New York Times, Volume 2, 1976*. © 1976, The New York Times Co. Éditions The New York Times Book Co., New York. Traduit avec l'autorisation de Times Books *(page 109)*.

Clarisse ou la vieille cuisinière. © 1922, Éditions de l'Abeille d'Or. Éditions de l'Abeille d'Or, Paris. Avec l'autorisation des Éditions Rombaldi *(page 163)*.

Comité interprofessionnel du vin de Champagne, *La Cuisine au vin de Champagne*. © 1970, Comité Interprofessionnel du vin de Champagne, Lallemand Éditeur. Édité par Lallemand Éditeur, Paris. Reproduit avec l'autorisation du Comité interprofessionnel du vin de Champagne, Épernay *(page 134)*.

Courtine, Robert, *Mon Bouquet de recettes*. © 1977, Les Nouvelles Éditions Marabout. Édité par les Nouvelles Éditions Marabout, Verviers. Reproduit avec l'autorisation des Nouvelles Éditions Marabout *(pages 89, 112)*.

Crémone, Baptiste Platine de, *Le Livre de Honneste Volupté*, 1474 *(page 110)*.

Croze, Austin de, *Les Plats régionaux de France*. Éditions Daniel Morcrette, Luzarches. Reproduit avec l'autorisation des Éditions Daniel Morcrette *(page 150)*.

Cuisine Lyonnaise (La). Éditions Gutenberg, 1947 *(page 104)*.

Curnonsky, *A l'infortune du pot*. © 1946, Éditions de la Couronne. Éditions de la Couronne, Paris *(page 90)*.

Curnonsky, *Cuisine et Vins de France*. © 1953, Augé, Gillon, Hollier-Larousse, Moreau et Cie (Librairie Larousse, Paris). Édité par la Librairie Larousse, Paris. Reproduit avec l'autorisation de la Société Encyclopédique Universelle *(pages 88, 112 et 115)*.

Dannenbaum, Julie, *Menus for All Occasions*. © 1974, Julie Dannenbaum. Éditions E.P. Dutton & Co. Inc., New York. Traduit avec l'autorisation de John Schaffner, Agency *(page 158)*.

David, Elizabeth, *French Country Cooking*. © 1951, Elizabeth David. Éditions Penguin Books Ltd., Londres. Traduit avec l'autorisation de Elizabeth David *(page 135)*.

David, Elizabeth, *Italian Food*. © 1954, 1963, 1969, Elizabeth David. Éditions Penguin Book Ltd., Londres. Traduit avec l'autorisation de Elizabeth David *(page 155)*.

David, Elizabeth, *Spices, Salt and Aromatics in the English Kitchen*. © 1970, Elizabeth David. Éditions Penguin Books Ltd., Londres. Traduit avec l'autorisation de Elizabeth David *(page 125)*.

David, Elizabeth, *Summer Cooking*. © 1955, Elizabeth David. Éditions Penguin Books Ltd., Londres. Traduit avec l'autorisation de Elizabeth David *(page 112)*.

Derys, Gaston, *L'Art d'être gourmand*. © 1929, Albin Michel. Éditions Albin Michel, Paris. Reproduit avec l'autorisation des Éditions Albin Michel *(pages 128, 142, 145 et 160)*.

Diat, Louis, *French Cooking for Americans*. © 1941, Louis Diat. © renouvelé en 1969 par Mrs. Louis Diat. Éditions J. B. Lippincott Co., New York. Traduit avec l'autorisation de J. B. Lippincott Co. *(pages 125, 130 et 162)*.

Dubois, Urbain, *L'Ecole des cuisinières*. Éditions Dentu, Paris, 1876 *(pages 97, 140)*.

Dubois, Urbain & Emile Bernard, *La Cuisine classique*, 1881 *(page 90)*.

Duff, Gail, *Fresh All The Year*. © 1976, Gail Duff. Éditions Macmillan London Ltd., 1976. Traduit avec l'autorisation de Macmillan London Ltd. *(pages 114, 126)*.

Dumaine, Alexandre, *Ma cuisine*. © 1972, Pensée moderne. Éditions de la Pensée moderne, Paris. Reproduit avec l'autorisation des Éditions de la Pensée moderne *(page 128)*.

Editions Time-Life, Dale Brown et les rédacteurs des, Foods of the World — American Cooking. © 1968, Time Inc. Éditions Time-Life Books, Alexandria *(pages 93, 152 et 165)*.

Editions Time-Life, Linda Wolfe et les rédacteurs des, Foods of the World — The Cooking of the Caribbean Islands. © 1970, Time Inc. Éditions Time-Life Books, Alexandria *(page 94)*.

Editions Time-Life, Harry G. Nickles et les rédacteurs des, Foods of the World — Middle Eastern Cooking.

© 1969, Time Inc. Éditions Time-Life Books, Alexandria *(pages 105, 154)*.

Escoffier, Auguste, *Le Carnet d'Epicure,* magazine, 1912, n°s 10, 12, 15, et 1914, n° 9 *(pages 96, 147, 148 et 155)*.

Escudier, Jean-Noël, *La Véritable Cuisine provençale et niçoise.* Éditions U.N.I.D.E., Paris. Reproduit avec l'autorisation de U.N.I.D.E. *(pages 88, 118)*.

FitzGibbon, Theodora, *A Taste of Ireland.* © 1968, Theodora FitzGibbon. 1ère édition J.M. Dent & Sons Ltd., 1968. 2ème édition Pan Books Ltd., 1970. Traduit avec l'autorisation de David Higham Associates Ltd., agents littéraires *(page 159)*.

Flower, Barbara et Rosenbaum, Elisabeth, *The Roman Cookery Book,* traduction commentée de « The Art of Cooking » d'Apicius. © 1958, E. Rosenbaum. Éditions George G. Harrap & Co. Ltd., Londres. Traduit avec l'autorisation de George G. Harrap & Co. Ltd. *(page 126)*.

Foster, Lee (Rédacteur), *The New York Times Correspondents' Choice.* © 1974, Quadrangle/The New York Times Book Co. Éditions Quadrangle/The New York Times Book Co. Traduit avec l'autorisation de Quadrangle/The New York Times Book Co. *(pages 104, 108, 111 et 160)*.

Gouy, Louis P. De, *The Gold Cook Book* (édition révisée). © 1948, 1969, Louis P. De Gouy. Editions Chilton Book Co. Traduit avec l'autorisation de Chilton Book Co., Radnor, Pennsylvanie *(pag. 144)*.

Grigson, Jane, *Good Things.* © 1971, Jane Grigson, 1ère édition chez Michael Joseph, 1971. 2me édition chez Penguin Books Ltd., 1973. Traduit avec l'autorisation de David Higham Associates Ltd. pour Jane Grigson *(pages 139, 150 et 158)*.

Guégan, Bertrand, *La Fleur de la cuisine française,* vol. 1 et 2. Éditions de la Sirène, 1920. Reproduit avec l'autorisation des Éditions Henri Lefebvre *(pages 115, 140)*.

Guérard, Michel, *La Grande Cuisine minceur.* Les recettes originales de Michel Guérard. © 1976, Éditions Robert Laffont S.A. Reproduit avec l'autorisation des Éditions Robert Laffont *(page 105)*.

Guillot, André, *La France à table,* 1956. Éditions Propagande collective, Paris. Reproduit avec l'autorisation de Propagande collective et d'André Guillot *(page 133)*.

Hanbury Tenison, Marika, *Left Over for Tomorrow.* © 1971, Marika Hanbury Tenison. Éditions Penguin Books Ltd., Londres. Traduit avec l'autorisation de Penguin Books Ltd. *(page 163)*.

Hibben, Sheila, *American Regional Cookery.* © 1932, 1946, Sheila Hibben. Éditions Litttle, Brown and Co., Boston. Traduit avec l'autorisation de McIntosh and Otis *(page 92)*.

Holkar, Shivaji Rao et Shalini Devi, *Cooking of the Maharajas.* © 1975, Shivaji Rao Holkar et Shalini Devi Holkar. Éditions The Viking Press, New York. Traduit avec l'autorisation de Shivaji Rao Holkar *(pages 95, 138)*.

Howe, Robin, *Greek Cooking.* © 1960, Robin Howe. Éditions André Deutsch Ltd., Londres. Traduit avec l'autorisation de André Deutsch Ltd. *(page 143)*.

Isnard, Léon, *La Cuisine française et africaine.* © 1949, Éditions Albin Michel. Editions Albin Michel, Paris. Reproduit avec l'autorisation des Éditions Albin Michel *(pages 91, 96, 114 et 121)*.

Jans, Hugh, *Vrij Nederland* (magazine néerlandais). Éditions Vrij Nederland, Amsterdam. Traduit avec l'autorisation de Vrij Nederland et Hugh Jans *(pages 123, 156)*.

Jervey, Phyllis, *Rice & Spice.* © 1957, Charles E. Tuttle Co., Inc. Éditions Charles E. Tuttle Co. Inc., Tokyo. Traduit avec l'autorisation de Charles E. Tuttle Co. Inc. *(pages 107, 131)*.

Jouveau, René, *La Cuisine provençale.* © Bouquet & Baumgartner, Flamatt, Suisse. Éditions du Message, 1962, Berne. Reproduit avec l'autorisation de Bouquet & Baumgartner *(pages 108, 144)*.

Junior League of New Orleans Inc., The, *The Plantation Cookbook.* © 1972, The Junior League of New Orleans, Inc. Éditions Doubleday & Co., Inc., New York. Traduit avec l'autorisation de Doubleday & Co., Inc. *(pages 164)*.

Kahn, Odette, *La Petite et la Grande Cuisine.* © 1977, Calmann-Lévy. Éditions Calmann-Lévy. Paris. Reproduit avec l'autorisation des Éditions Calmann-Lévy *(pages 94, 100)*.

Kramarz, Inge, *The Balkan Cookbook.* © 1972, Crown Publishers, Inc. Édité par Crown Publishers Inc. New York. Traduit avec l'autorisation de Crown Publishers, Inc. *(page 129)*.

Kürtz, Jutta, *Das Kochbuch aus Schleswig-Holstein.* © 1976, Verlagsteam Wolfgang Hölker. Édité par Verlag Wolfgang Hölker, Münster. Traduit avec l'autorisation de Wolfgang Hölker *(pages 154, 162)*.

Laboureur, Suzanne et Boulestin, X-M, *Petits et grands plats.* Éditions Au Sans Pareil, 1928 *(page 118)*.

Lo, Kenneth, *Chinese Food.* © 1972, Kenneth Lo. Éditions Penguin Books Ltd., Londres. Traduit avec l'autorisation de Penguin Books Ltd. *(pages 88, 98 et 153)*.

L.S.R., *L'Art de bien traiter,* 1674, *(page 122)*.

Lucas, Dione & Gorman, Marion, *The Dione Lucas Book of French Cooking.* © 1947, Dione Lucas. © 1973, Mark Lucas et Marion F. Gorman. Éditions Little, Brown and Co., Boston. Traduit avec l'autorisation de Little, Brown and Co. *(pages 91, 145)*.

Lyren, Carl, *365 Ways to Cook Chicken.* © 1974, Carl Lyren. Éditions Doubleday & Co. Inc., New York. Traduit avec l'autorisation de John Cushman Associates, Inc. *(pages 100, 139)*.

MacMiadhacháin, Anna, *Spanish Regional Cookery.* © 1976, Anna MacMiadhacháin. Éditions Penguin Books Ltd., Londres. Traduit avec l'autorisation de Penguin Books Ltd. *(pages 131, 157)*.

Massiolot, *Le Cuisinier roial et bourgeois,* 1691 *(page 103)*.

Mathiot, Ginette, *A table avec Édouard de Pomiane.* © 1975, Éditions Albin Michel. Éditions Albin Michel, Paris. Reproduit avec l'autorisation des Éditions Albin Michel *(page 108)*.

McNeill, F. Marian, *The Scots Kitchen.* Éditions Blackie & Son Ltd., Londres. Traduit avec l'autorisation de Blackie & Son Ltd. *(page 118)*.

Médecin, Jacques, *La Cuisine du comté de Nice.* © 1972, Julliard. Éditions René Julliard. Reproduit avec l'autorisation des Éditions René Julliard *(pages 90, 102)*.

Menon, *La Cuisinière bourgeoise,* 1746 *(page 150)*.

Miller, Gloria Bley, *The Thousand Recipe Chinese Cookbook.* © 1966, Gloria Bley Miller. Éditions Grosset & Dunlap, New York. Traduit avec l'autorisation de Gloria Bley Miller *(pages 99, 153)*.

Montagné, Prosper, *Nouveau Larousse Gastronomique.* © 1967, Augé, Gillon, Hollier-Larousse, Moreau et Cie. Édité par la Librairie Larousse, Paris. Reproduit avec l'autorisation de la Société Encyclopédique Universelle *(page 89)*.

Montagné, Prosper, *Mon menu — Guide d'hygiène alimentaire.* Édité par la Société d'Applications Scientifiques, Paris. Reproduit avec l'autorisation des Editions Daniel Morcrette, Luzarches *(pages 147, 148)*.

Nignon, Edouard, *L'Heptameron des gourmets ou les* Éditions d'Art, Paris, 1933 *(pages 115, 143)*.

Nignon, Edouard, *L'Heptameron des gourmets ou les délices de la cuisine française.* Édité par l'Imprimerie G. de Malherbes, Paris, 1919 *(page 156)*.

Norman, Barbara, *The Spanish Cookbook.* © 1969, Barbara Norman. Éditions Bantam Books, Inc., New York. Traduit avec l'autorisation de Bantam Books, Inc. *(page 123)*.

Oliver, Raymond, *La Cuisine — sa technique, ses secrets.* Éditions Bordas, Paris, 1973. Reproduit avec l'autorisation des Éditions Bordas *(pages 116, 132)*.

Olney, Richard, *The French Menu Cookbook.* © 1970, Richard Olney. Éditions Simon and Schuster, New York. Traduit avec l'autorisation de John Schaffner, agents littéraires *(pages 120, 146)*.

Olney, Richard, *Simple French Food.* © 1974, Richard Olney. Éditions Atheneum, New York. Traduit avec l'autorisation de A.M. Heath & Co. Ltd., agents littéraires *(page 100)*.

Ortiz, Elisabeth Lambert, *Caribbean Cooking.* © 1973, 1975, Elisabeth Lambert Ortiz. Éditions Penguin Books Ltd., Londres. Traduit avec l'autorisation de John Farquharson Ltd., agents littéraires *(pages 111, 113)*.

Ortiz, Elisabeth Lambert et Endo, Mitsuko, *The Complete Book of Japanese Cooking.* © 1976, Elisabeth Lambert Ortiz. Éditions M. Evans and Co., Inc., New York. Traduit avec l'autorisation de John Farquharson Ltd., agents littéraires *(pages 99, 106)*.

Palay, Simin, *La Cuisine du pays.* © 1970, Marrimpouey Jeune. Éditions Marrimpouey Jeune et Cie, Pau. Reproduit avec l'autorisation des Éditions Marrimpouey Jeune et Cie. *(page 122)*.

Pépin, Jacques, *A French Chef Cooks at Home.* © 1975, Jacques Pépin. Éditions Simon and Schuster, New York. Traduit avec l'autorisation de Simon & Schuster, un département de Gulf & Western Corporation *(pages 118, 149)*.

Peter, Madeleine, *Les Grandes Dames de la Cuisine.* © 1977, Éditions Robert Laffont S.A. Éditions Robert Laffont, Paris. Reproduit avec l'autorisation des Éditions Robert Laffont *(pages 130)*.

Pomiane, Edouard de, *Cuisine juive - Ghettos modernes*. © 1929, Albin Michel. Éditions Albin Michel. Reproduit avec l'autorisation des Éditions Albin Michel (pages 116, 161 et 162).

Reboul, J.B. *La Cuisinière provençale*. Édité par la Librairie Tacussel, Marseille. Reproduit avec l'autorisation la Librairie Tacussel (page 157).

Renaudet, *Les Secrets de la bonne table*. Éditions Albin Michel, Paris. Reproduit avec l'autorisation des Éditions Albin Michel (page 110).

Roden, Claudia, *A Book of Middle Eastern Food*. © 1968, Claudia Roden. Éditions Penguin Books Ltd., Londres. Traduit avec l'autorisation de Claudia Roden (page 132).

Saint-Ange, Madame, *La Cuisine de Madame Saint-Ange*. © Éditions Chaix. Éditions Chaix, Grenoble. Reproduit avec l'autorisation des Éditions Chaix (page 122).

Sales, Georgia MacLeod et Grover, *The Clay-Pot Cookbook*. © 1974, Georgia MacLeod Sales et Grover Sales. Éditions Atheneum, New York. Traduit avec l'autorisation des Éditions Atheneum (page 136).

Salta, Romeo, *La Cuisine italienne*. © Solar pour l'édition française. Éditions Solar, Paris. Reproduit avec l'autorisation de Solar (page 99).

Sandler, Sandra Takako, *The American Book of Japanese Cooking*. © 1974, Sandra Sandler. Éditions Stackpole Books, Harrisburg. Traduit avec l'autorisation de Stackpole Books (page 106).

Sarvis, Shirley, *A Taste of Portugal*. © 1967, Shirley Sarvis. Éditions Charles Scribner's Sons, New York. Traduit avec l'autorisation de Shirley Sarvis (page 141).

Schulze, Ida, *Das neue Kochbuch für die deutsche Küche*. Édité par Verlag von Velhagen & Klasing, Berlin-Ouest. Traduit avec l'autorisation de Verlag von Velhagen & Klasing (page 146).

Scott, Jack Denton, *The Complete Book of Pasta*. © 1968, Jack Denton Scott. Éditions William Morrow & Co., Inc., New York. Traduit avec l'autorisation de William Morrow & Co., Inc. (page 121).

Serra, Victoria, traduction anglaise de Gili, Elizabeth, *Tia Victoria's Spanish Kitchen*. © 1963, Elizabeth Gili. Éditions Kaye & Ward Ltd., Londres. Traduit avec l'autorisation de Elizabeth Gili et de Kaye & Ward Ltd. (page 112).

Singh, Dharamjit, *Indian Cookery*. © 1970, Dharamjit Singh. Éditions Penguin Books Ltd., Londres. Traduit avec l'autorisation de Penguin Books Ltd. (page 117).

Smires, Latifa Bennani, *La Cuisine marocaine*. Éditions Alpha, Casablanca (pages 117, 135).

Snow, Jane Moss, *A Family Harvest*. © 1976, Jane Moss Snow. Éditions The Bobbs-Merrill, Inc., Indiana. Traduit avec l'autorisation de Bobbs-Merrill, Inc. (pages 93, 106).

Standen Hazelton, Nika, *The Swiss Cookbook*. © 1967, Nika Standen Hazelton. Éditions Atheneum, New-York. Traduit avec l'autorisation des Éditions Atheneum (page 92).

Standen Hazelton, Nika, *The Continental Flavour*. © 1961, Nika Standen Hazelton. Éditions Penguin Books Ltd., Londres et Doubleday & Co., New York. Traduit avec l'autorisation de Curtis Brown Ltd. (pages 109, 156 et 165).

Stockli, Albert, *Splendid Fare, The Albert Stockli Cookbook*. © 1970, Albert Stockli, Inc. Éditions Alfred A. Knopf, Inc., New York. Traduit avec l'autorisation de Alfred A. Knopf, Inc. (page 151).

Straub, Maria Elisabeth, *Grönen Aal und Rode Grütt*. © 1971, LN-Verlag Lübecker Nachrichten GmbH, Éditions LN-Verlag, Lübeck. Traduit avec l'autorisation de LN-Verlag (page 152).

Tante Marguerite, *La Cuisine de la bonne ménagère*. Éditions de l'Épi, Paris, 1929 (page 127).

Tendret, Lucien, *La Table au pays de Brillat-Savarin*. Édité par la Librairie Dardel, Chambéry, 1934.

Reproduit avec l'autorisation des Éditions Rabelais Grancher (pages 114, 124).

Toklas, Alice B., *The Alice B. Toklas Cook Book*. © L'agent de Louise Hayden Taylor. Édité par Harper & Row, Publishers, Inc. Traduit avec l'autorisation de Edward M. Burns, représentant l'agent de Alice B. Toklas (page 136).

Troisgros, Jean et Pierre, *Cuisiniers à Roanne. Les recettes originales de Jean et Pierre Troisgros*. © 1977, Éditions Robert Laffont. Reproduit avec l'autorisation des Éditions Robert Laffont (pages 116, 124).

Varenne, La, *Le Cuisinier François*, 1651 (page 146).

Watt, Alexander, *The Art of Simple French Cookery*. © 1960, Alexander Watt, Éditions MacGibbon & Kee, et Doubleday & Co., New York, 1960. Traduit avec l'autorisation de Curtis Brown Ltd., Londres, pour le compte de l'agent de Alexander Watt (page 119).

Wilson, José (Rédacteur), *House and Garden's New Cook Book*. © 1967, The Condé Nast Publications Inc. Édité par The Condé Nast Publications Inc. New York. Traduit avec l'autorisation de The Condé Nast Publications Inc. (page 144).

Wilson, José (Rédacteur), *House and Garden's Party Menu Cookbook*. © 1973, The Condé Nast Publications Inc. Édité par The Condé Nast Publications Inc., New York. Traduit avec l'autorisation de The Condé Nast Publications Inc. (page 109).

Wolfert, Paula, *Couscous and Other Good Food from Morocco*. © 1973, Paula Wolfert. Éditions Harper & Row, Publishers, Inc., New York. Traduit avec l'autorisation de Paula Wolfert (pages 103, 126 et 136).

Yu Wen Mei & Adams, Charlotte, *100 Most Honorable Chinese Recipes*. © 1963, Charlotte Adams. Éditions Thomas Y. Cromwell Co., Inc., New York. Traduit avec l'autorisation de Curtis Brown Ltd. (pages 98, 154).

Remerciements et sources des illustrations

Les rédacteurs de cet ouvrage tiennent à exprimer leurs remerciements à Elizabeth David, Jeremiah Tower et Elisabeth Lambert Ortiz.

Ils remercient également les personnes et organismes suivants: Pat Alburey; R. Allen & Co. (Bouchers) Ltd.; John Baily & Son (Volaillers) Ltd.; Naomi Barry; British Poultry Meat Association; Ginny Buckley; Michael Carter; The Copper Shop; Sue Crowther; Richard Dare; Elizabeth David, Ltd.; Dickins and Jones Ltd.; Divertimenti; Electricity Council; Irene Ertugrul; S. Ferrari and Sons (Soho) Ltd.; Habitat Designs Ltd.; Heal's; Maggi Heinz; Marion Hunter; Leon Jaeggi and Sons; John Lewis; Ruth Lynam; David Lynch; David Mellor; The National Book League; Jo Northey; William Page & Co. Ltd.; Helena Radecka; Glenn Recchia; Selfridges Ltd.; Ursula Whyte.

Toutes les photographies sont d'Alan Duns, à l'exception de: page 2-Louis Klein. 6, 7-Illustration de Charles Pickard. 10, 11-Stak. 12, 13-Bob Cramp. 14, 15-Illustration de Leonora Box. 16, 17-extrême droite, Paul Kemp. 18, 19-Bob Cramp. 30 à 33-Roger Phillips. 34-Bob Cramp. 35-Roger Phillips, excepté en bas, Alan Duns. 39-en haut et en bas à gauche, Paul Kemp. 43-Illustration de Richard Bonson. 44-en bas à gauche, Bob Cramp. 47-Paul Kemp. 48, 49-Paul Kemp. 50, 51-Stak. 55-en haut à droite, Roger Phillips. 57-en haut à gauche, Roger Phillips. 58-Roger Phillips. 60, 61-Bob Cramp. 64-Bob Cramp. 72, 73-Roger Phillips. 74-en haut, Bob Cramp. 75-en haut, Bob Cramp. 82, 83-Roger Phillips. 84-85-Bob Cramp. 86-Roger Phillips.

Quadrichromies réalisées par Gilchrist Ltd., Leeds, Angleterre
Composition photographique par Photocompo Center, Bruxelles, Belgique
Imprimé et relié par Brepols S.A., Turnhout, Belgique

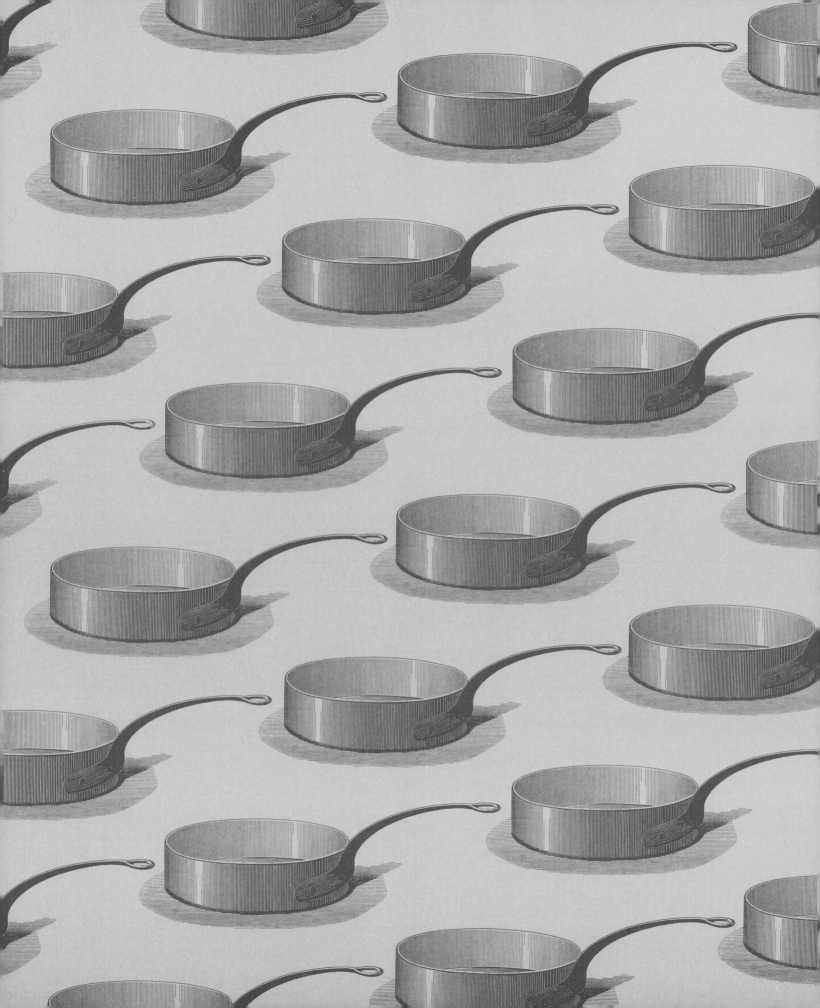